De importbruid

Hülya Cigdem

De importbruid

Roman

Uitgeverij De Arbeiderspers
Amsterdam · Antwerpen

Deze uitgave kwam tot stand door bemiddeling van Sebes & Van Gelderen
Literair Agentschap te Amsterdam.

Omslagontwerp: Bram van Baal
Omslagillustratie: Collectie auteur

ISBN 978 90 295 6265 2 / NUR 301
www.arbeiderspers.nl

Voor Reyhan en Ahmet

Inhoud

Bruiloft

Ik zit me dood te vervelen op mijn eigen bruiloft. Na de openings-
dans op een of ander Turks liedje dat ik nooit gekozen zou hebben, doen we ons kunstje: we zitten plechtig te glimlachen.
Onze bruidstafel is versierd met een Turkse vlag en bloemen en staat op
het podium zodat iedereen ons goed kan bekijken. Turkse muziek
bonkt uit een enorme box die pal naast ons staat. Kaan mag iets
van zijn enthousiasme laten zien, zonder het te gek te maken. Anders denken ouderen dat je geen manieren hebt. 'Gedraag je,' zei
mijn moeder wel duizend keer. Ik mag haar niet teleurstellen.

Ruim duizend Turken uit Nederland, Duitsland en België zitten
vanavond op elkaar gepropt in De Gouden Koets in Oisterwijk.
Op koperen houders aan de wand verspreiden glazen bollen een
vies gelig licht. Het is donker en ongezellig binnen, maar mijn
schoonouders zijn allang blij dat ze een zaal hebben gevonden die
zo groot is dat de mannen niet de hele avond hoeven te staan. Mijn
schoonouders staan vrolijk bij de ingang, schudden iedereen de
hand en reiken twee consumptiebonnen per persoon uit. Het feest
is al duur genoeg.
De donkere eiken tafels bedekt met witte papieren tafellakens zijn
aan twee zijden van de zaal in lange rijen opgesteld. De zaal is niet
berekend op zo veel Turken en obers slepen witte tuinstoelen aan.
De meeste jonge mannen zitten aan de bar achter een glazen
wand, waar ze ongestoord kunnen zuipen. Daar zijn ze heel blij
mee, verzekert Kaan me.
De vrouwen op leeftijd zijn gekleed in hun chicste kleren. Veel
gebloemde jurken, rokken en blouses in kleuren die vloeken met
hun hoofddoeken. Jonge vrouwen dragen suikerspinroze en blauwe toiletten die ze ergens in de jaren tachtig aangeschaft moeten

hebben. In Turkije zouden ze uitgelachen worden. Een paar vrouwen dragen zwarte rokken en witte blouses met kanten kragen. Als ze dansen zie je door de split in hun rok hun nylon kniekousen, en ook als ze zitten en hun rok langzaam omhoogkruipt.

In armen en op tafels in draagbare bedjes jengelen baby's die zich in deze drukte niet in slaap laten sussen. Kinderen spelen tikkertje, wat me op de zenuwen werkt. Ze frisbeeën ook. Een kartonnen onderzetter scheert langs mijn oor. 'Ik wil dat rotjong de keel dichtknijpen,' sis ik tegen Kaan, maar het is de zoon van een vriend. Slaan mag ik hem ook niet. Kaan roept het kutjong en zegt dat hij moet ophoepelen.

Twee jaar lang heb ik uitgekeken naar deze dag. Dat het zo saai zou worden, had ik nooit gedacht.

Het feest is niet voor ons bedoeld, we fungeren als figuranten. De bruidsjurk en smoking mochten we zelf uitkiezen, maar verder hadden we geen enkele inspraak. Kaan ziet er erg aantrekkelijk uit, hij is vanmiddag naar de kapper van de moskee geweest die zijn krullen heeft geknipt en hem een uitgebreide 'bruidegomscheerbeurt' heeft gegeven. Het is niet te geloven dat we eindelijk trouwen. Ik kijk de hele tijd naar zijn groene ogen met bruine stipjes. In de zomer zijn ze nog groener dan nu.

Mijn hele jeugd werd ik voorbereid op wat er na vannacht zal komen. Als getrouwde vrouw leven met mijn schoonfamilie. Het is de eerste zaterdag na de zomervakantie. Ik ben anderhalve maand in Nederland. Voor het gemak zeg ik dat ik zestien ben als mensen ernaar vragen – dat doen ze allemaal – maar dat ben ik pas over een maand. Ze verbazen zich toch al: 'Zestien? Je lijkt véél ouder!' Meestal schatten ze me rond de achttien. Was het maar waar. Ik kijk uit naar de dag dat mijn leeftijd spoort met mijn uiterlijk en hoe ik in het leven sta. Dat ik ga trouwen op mijn (bijna) zestiende, vindt niemand vreemd. Als er zich een geschikte kandidaat aandient, laat je die niet lopen voor een paar maanden of een jaar of twee. Je wordt toch vanzelf 'groot', maar dat ben ik al. Daar gaan ze me straks ook naar behandelen, als een getrouwde vrouw.

Vanaf komende nacht ben ik voor mijn ouders, voor zíjn ouders en voor ruim duizend gasten écht zijn vrouw. Mijn ouders kunnen gerust gaan slapen in de veronderstelling dat hun dochter als maagd het huwelijk in is gegaan. Vannacht mag ik op Kaans schouder in slaap vallen.

Mijn ouders zijn natuurlijk uitgenodigd voor de bruiloft, maar ze zijn niet gekomen. 'Het is niet gepast dat ik mijn dochter helemaal volg naar Nederland,' zei mijn vader een paar dagen voor mijn vertrek, toen mijn schoonvader voor de laatste keer aandrong dat hij en moeder moesten komen. Hij zat in een tuinstoel op het balkon flink te wezen, maar ik wist wel beter. Hij vroeg om een glas water en wendde gelijk zijn blik af. Zijn ogen klein en vastbesloten. 'Waar moet ik na de bruiloft heen? Dan blijf ik in de zaal achter en kan ik niet naar mijn eigen huis.' Hij dronk zijn glas leeg en zweeg.

Mijn vader wilde niet naar mijn bruiloft komen; mijn moeder mocht niet. Bij de Nederlandse ambassade geloofden ze niet, ondanks alle papieren, dat haar dochter trouwde, noch dat mijn moeder van plan was terug te keren. Ze was amper tweeëndertig en wou ook mijn jongste zusje meenemen. Het eind van het liedje was dat mijn vader kwaad moeders visumaanvraag staakte. 'Mijn broer zal zich over jou ontfermen,' verzekerde mijn vader me, 'en je tante is er ook bij.' Mijn tante is de zus van mijn schoonmoeder, kaynanam.* Hun kinderen Emel en Ilker zijn met elkaar getrouwd. Voor mijn tante is het een driedubbel feest. Haar nicht trouwt met haar neef en ze bezoekt voor het eerst het land waar haar dochter Emel al vier jaar leeft. Ze vergeet geregeld dat ze hier voor mij is.

Gisteravond gingen mijn schoonouders, Kaan, mijn oom en tante de feestzaal bekijken, De Gouden Koets. Ik wilde mee, maar mijn kaynana zei dat ik daar niets te zoeken had. Als ik huil mag ik vast mee, dacht ik; het werkt altijd, en mijn oom en tante zullen het voor me opnemen. Niks. Door het trapgat stegen alleen de uitnodigende klanken van de saz** en de ritmische slag op de darbuka***

* Kaynanam = mijn schoonmoeder, kaynana = schoonmoeder.
** Een snaarinstrument.
*** Een slaginstrument.

op. Het gelach en het gejuich van tal van onbekende vrouwen. Ze vierden de vrijgezellennacht van Kaan en mij. Niemand merkte mijn afwezigheid op. Nu moest ik pas echt huilen. Ik beet in het kussen van Kaans bed.

Een kaynana houdt van macht, de mijne in het bijzonder. Het woord kaynana heeft een negatieve lading: een ouderwetse, veeleisende schoonmoeder die de schoondochter nooit goed genoeg vindt. Dat zij ook de echtgenote is van haar zoon, is bijzaak. Dat wil kaynanam mij nu bijbrengen. Eens en voor altijd duidelijk maken wie de baas is over mij.

Ik ken een paar kinderrijmpjes over het martelen van een kaynana. Het leukste vind ik dat waarin kaynana in een enorme pan wordt gegooid. Als ze roept 'genade schoondochter', zet je het vuur nog wat hoger. Wat klinkt dat lekker!

Toen kaynanam in de gaten kreeg dat ik lag te snikken werd ze woedend. Ze zei dat het hele feest niet door zou gaan als ik haar voor de bruiloft al niet gehoorzaamde. Ze meende het. Ik hoorde het aan haar stem. 'Nu ga je je gezicht wassen en beneden dansen met de vrouwen,' zei ze. Met een rode bovenlip en dikke oogleden deed ik wat ze me opdroeg. Het huis zat vol met familie, Turkse buren en kennissen uit Tilburg en omgeving. Niemand vroeg wat er met me was. Wellicht wilden ze het feestje niet bederven.

Het is immens druk in de zaal. Hooguit vijftig gasten ken ik van gezicht, een paar van gisteravond. 'Onze importbruid, Rüya,' zo stelde Kaans zus Jasmijn me elke keer voor. Alsof ik koopwaar ben! De gasten keken er niet eens van op, misschien noemen ze alle aangetrouwden uit Turkije importbruid of -bruidegom.

De zanger vraagt onze vaders op het podium voor een welkomstwoordje. Dat is mijn oom, wil ik schreeuwen. 'Beste gasten, dank jullie wel dat jullie deze bijzondere dag met ons willen vieren. Mogen jullie van Allah allemaal de bruiloft van al jullie kinderen meemaken.' Daarna neemt Kaans vader zenuwachtig de microfoon over. Woorden van dezelfde strekking, maar in een haperend, ouderwets Turks. Mijn oom kan tenminste fatsoenlijk praten, al had hij wel even mogen zeggen dat hij mijn vader niet is.

Kaan vraagt waar ik vannacht was. 'Je zou toch in de kleine kamer op zolder slapen? Ik kwam je zoeken, maar daar lagen Ilker en Emel.'

'Ja, ik lag in dat hok op de zolder!' zeg ik ontevreden, 'tot je broer stomdronken thuiskwam en per se naast Emel wou. Hun kamer was geboekt door je zus, je tante en weet ik veel wie nog meer. Toen moest ik maar met Emel van plaats ruilen. En ik dacht dat je uitging met je vrienden.'

'Ik moest van mijn broer uitrusten voor de grote dag. In de woonkamer op een matras in een hoek. Toen de anderen sliepen ben ik jou gaan zoeken.'

'Kon je niet nog één nacht wachten?' grinnik ik tevreden.

Emel komt kijken hoe het met ons gaat. 'Jullie hebben lang genoeg gefluisterd. Kom naar de dansvloer,' beveelt ze plagend.

Een twintigtal mensen maakt spontaan ruimte voor ons. Ze draaien om ons heen, klappend en schuifelend. We dansen bescheiden op Turkse volksmuziek. De enorme hoepel onder mijn jurk zwaait langzaam heen en weer en mijn ellenlange sluier met prachtig geborduurde randen veegt de zaal schoon. Ik probeer tevergeefs mijn sluier op te tillen. Eigenlijk zou ik een bruidsmeisje moeten hebben. Alleen als ik in Kaans ogen kijk, glunder ik. Verder kijk ik naar de grond. Ik probeer te verbergen dat ik hoop dat alle gasten heel snel oprotten zodat óns feest kan beginnen. Net als we een beetje los beginnen te komen gebaart Emel dat we weer moeten gaan zitten. Ze begeleidt ons naar onze open cel.

Daar zit ik dan weer braaf, een namaakglimlach op mijn gezicht geplakt. Mijn haar ziet eruit alsof ik net uit bed ben gestapt. Niks mooie krullen zoals me beloofd werd. Jasmijn heeft mijn haar gekapt. Een kapster kost handenvol geld, en Jasmijn is bijna gediplomeerd kapster, op haar praktijkexamen na. Ze heeft mijn haren eerst gekruld, daarna alles naar één kant in model gekamd. Althans, dat denkt ze.

Mijn make-up moest ik zelf maar doen. Jasmijn en Emel hadden het te druk met zichzelf en met elkaar. Een lichtblauwe oogschaduw schuin naar mijn wenkbrauwen toe opbrengen lukte me nog wel, maar ik was te zenuwachtig voor een rechte lijn eyeliner. Met een paar wattenstaafjes tussen mijn lippen stond ik wanhopig in de spiegel te staren.

Ik kijk naar Kaan. 'Ik wil weg.'

'Was het maar afgelopen, dan konden we naar huis,' schreeuwt hij in mijn oor.

'Kunnen we niet ongemerkt verdwijnen?'

'Lijkt me onmogelijk.'

'Duurt het nog lang denk je?'

Hij vreest van wel en bestelt een bacardi-cola. 'Wel in een gewoon colaglas,' waarschuwt hij de ober. Waar oudere mannen bij zijn drinken 'jongens' stiekem.

Zijn vrienden schieten hem te hulp en nemen hem mee voor een sigarettenpauze. Roken waar ouderen bij zijn mag niet. Uit respect. Later als ik oud ben, mag iedereen wat mij betreft roken wanneer hij wil.

Emel komt naast me zitten. 'Wie is die vrouw met die zwarte rok en panty met witte schoenen?'

'Dat is de dochter van de dorpsgenote die gisteren bij ons kookte.'

'Had ze geen andere schoenen of een witte rok? Het ziet er niet uit.'

'Heb je dat meisje gezien met haar roze jurk?'

'Je kunt haar toch niet missen. Ze denkt dat ze danst. Belachelijk.'

'Ze heeft twee keer op mijn voeten getrapt.'

'Wie is ze?'

'De verloofde van die jongen daar in de hoek met die zwarte broek en het lichtblauwe hemd. Ze gaan volgend jaar trouwen.'

'Hoe oud is ze?'

'Zeventien geloof ik.'

'Die jongen is toch veel ouder?'

'Volgens mij schelen ze maar een paar jaar.'

Ik maak een geluid dat verbazing moet voorstellen. Het klinkt als een leeglopende ballon.

'Die vrouw met haar kind op schoot dacht dat dat het bandje van je bh was.' Ze plukt aan mijn jurk.

'Wat zei je?'

'Dat het bij je jurk hoorde.'

'Vinden ze mijn jurk te bloot?'

'Ik weet het niet. Alle meisjes vonden je decolleté prachtig.'
'Ik ook. Daarom heb ik hem gekocht. Ik dacht dat mijn vader geen toestemming zou geven voor blote schouders. Hij heeft er een hekel aan.'
'Mijn oom moet een beetje bij de tijd blijven. Kijk naar mijn vader. Die is ouder maar veel liberaler dan zijn broer.'
'Jullie hebben het naar jullie zin zo te zien,' zegt Kaan.
'Ja, we roddelen,' zeg ik.
'Als ik dat wist, was ik niet gekomen.'
'Je mag gerust meedoen,' lacht Emel.
De muziek houdt op. 'Eet smakelijk,' zegt de zanger. Obers brengen lange Turkse pizzaatjes en zure groene peper, kool en komkommer rond. We krijgen ook wat, op plastic bordjes. De pizza's zijn koud en taai, maar ik heb honger. Zedig scheur ik met mijn pinken omhoog de harde randen ervan af en eet de binnenkant in piepkleine stukjes. Ik ga met Jasmijn naar de wc, zogenaamd om mijn handen te wassen. Met hun blikken begeleiden de oude vrouwen me, die me al de hele avond geen moment uit het oog hebben verloren. Alsof ze speciaal zijn gekomen om naar mij te staren. 'Wat valt er te zien,' zou ik ze willen toesnauwen. Al uren heb ik niet gerookt. De wc-vloer is bezaaid met peuken. Ik inhaleer diep en kijk hoe mijn sigaret korter wordt. In de spiegel schrik ik van mezelf. 'Mijn haar!' gil ik wanhopig.
'Je haar zit echt leuk,' zegt Jasmijn. Het klinkt niet overtuigend. Ik gooi mijn peuk in de wasbak en laat de kraan lopen. Tijd om terug te gaan.

Kaans collega's en de baas van de garage komen ons feliciteren met een bosje bloemen en een cassettespeler. Kaan had aangegeven dat we er graag een wilden voor onze slaapkamer. Is dat wel gepast, had ik gevraagd, dat je zegt wat je wilt? Ja, dat is normaal hier, beweerde hij. Ik schud een stuk of tien handen en zeg 'dank je' alsof ik het erg naar mijn zin heb. Raar zijn die Nederlanders. Je gaat toch niet in een spijkerbroek naar een bruiloft? Sportieve kleren zijn voor de markt. Ze staan te praten met Kaan en kijken verbaasd naar mijn armen vol armbanden en mijn met gouden muntstukken en geld behangen borsten – de oogst van vanavond.

Fleur en Ad ken ik van een bedrijfsfeest een week geleden. Ze horen bij elkaar. Fleur is ook automonteur; een vrouw die auto's kan repareren én erg aantrekkelijk is vergeet je niet gauw. Ad heeft op zijn hoofd van die donkerblonde stekeltjes als een egel. Kaan heeft hen al uitgenodigd voor een etentje. Ze moeten eerst hun gezamenlijke agenda, die thuis naast de telefoon ligt, raadplegen! Dat ik niet kan koken weet Kaan nog niet. Hij komt er wel achter.

Ik vond het leuk dat Kaan me naar zo'n chic bedrijfsfeest meenam. Het was de introductie van een nieuw model Citroën, zx om precies te zijn. Ik had me opgemaakt en na lang twijfelen voor de spiegel mijn kortste rokje en zwarte suède knielaarzen aangetrokken. Het was nogal koud en Kaan had me wel mogen vertellen dat het feest buiten gevierd zou worden. Waarschijnlijk was ik niet de enige die het niet wist. Mijn rok was een maxi naast die van Fleur, met haar welgevormde glimmende benen. Toch toonden Kaans collega's zich verrast en enigszins opgelucht mij 'zo modern' te zien. 'Moet je geen hoofddoek dragen?'

'Van de islam wel, niet van mijn ouders,' liet ik Kaan elke keer vertalen. Ze verwarren Turkije met Iran, dacht ik, en ik voelde me beledigd. Maar hun interesse en nieuwsgierigheid maakten veel goed. Aan Fleur, die vrolijk is als een goedgemutst kind en handtastelijk, moest ik wennen. Ze legde haar hand op de arm van collega's als ze aan het praten waren of gaf schouderklopjes. Terwijl Ad zich ergens anders ophield, maakte ze praatjes en plezier. Af en toe gaven ze elkaar een kusje als ze elkaar passeerden. Ik week geen moment van Kaans zijde.

Met Fleur aan de leiding liepen we naar de feesttent en schoven aan in een rij. Een in ijs uitgehakte zwaan prijkte op het buffet vol roze ongedierte met draadachtige lange snorren en rauwe vis die Kaan rechtstreeks in zijn keel liet glijden. 'Zo hoort het.' Fleur proefde voor ons als we niet wisten of iets varkensvlees was of niet. Aan stokjes geregen kipblokjes lagen in een smeuïge saus en werden geserveerd met rijst of lange slierten. Minitomaatjes. Een groen bloemkoolachtig iets. Keuze te over aan salades. Wel waren de groentes nog een beetje rauw. Mijn moeder kookt alles tot het in je mond smelt.

Zitten konden we nergens. Op een hangtafel met drijvende kaarsjes en miniatuurbloemen zetten we onze borden neer. Staand eten is een zonde, zei moeder altijd. Allah moest maar even een oogje toeknijpen. Een paar van Kaans collega's roken aan hun borden. Dat doe je toch niet, je bent geen hond. Van Kaan proefde ik een paar van de roze wormpjes, ik durfde ze niet zelf te gaan halen. Een tweede keer gaan vond ik onbeleefd in een gezelschap dat ik niet kende en ik moest opletten dat ik straks nog in mijn bruidsjurk paste. Met mes en vork eten ging niet vlekkeloos. Thuis mocht ik nooit met mijn linkerhand eten, omdat het een zonde zou zijn. Ik had het gevoel dat iedereen naar mijn handen keek en probeerde niet te trillen.

Aan de lopende band werd er bier en wijn geschonken. Wijn wilde ik wel proeven. Dat ik het naar azijn vond smaken liet ik niet merken. Ik zette mijn glas op een tafel onderweg naar een collega die ik móést ontmoeten. 'Dankzij hem ben ik nu een goede automonteur,' zei Kaan. Hij had Kaan geleerd dat 'kan nie ligt op 't kerkhof, wil nie d'r neffen'. Dat mocht ook mijn motto worden, vond ik. De kleine oude man was bruin. Niet pikzwart maar erg bruin. Ik had nog nooit een zwarte gezien, ook geen bruine. Hij zag er vrij normaal uit, maar aan zijn kleur moest ik wennen. Toch bleek hij een Nederlander te zijn. Uit Indonesië. 'Is hij verdwaald of zo?' vroeg ik Kaan. 'Indonesië was vroeger van Nederland. De kipsaté die je zo lekker vond, komt daarvandaan. In Europa kenden ze vroeger geen kruiden. Alleen zout en peper. In Indonesië hebben de Nederlanders specerijen leren kennen en ze zijn er rijk mee geworden.' Ze lijken een beetje op Turken, vond ik. Slimme veroveraars.

Ilker, de broer van Kaan, houdt zich met Kaans collega's en de Nederlandse buren bezig; die hoeven niet voor hun drinken te betalen. Nederlanders vieren hun bruiloften klein, zei Kaan, en ze betalen alles voor de gasten. Bruid en bruidegom regelen alles zelf en nodigen hun gasten uit: liever vrienden en collega's dan verre familie. Het schijnt dat ze zelfs genieten. Dat is het beste wat ik tot nu toe over dit land heb gehoord.

Aanzien en nieuwsgierigheid. Daar draait mijn bruiloft om.

Hoeveel goud krijg ik van mijn schoonouders en ouders? Van naaste familie en kennissen krijg je goud, anders geld. Goud is voor mij, geld is voor mijn schoonouders. Ze hebben hier bij veel bruiloften goud en geld geschonken, en dat krijgen ze nu terug. Daarom wordt onze bruiloft in Nederland gevierd. Anders zouden ze dat allemaal mislopen.

Nog een aantal kwellende uren volgen, met een paar tochtjes naar de dansvloer. Mijn voeten doen zeer. Toen ik in Tilburg de enorme schoenenwinkels met lange rekken, allemaal netjes genummerd, zag, dacht ik dat ik in de hemel was. Ze hebben zelfs schoenen die mij te groot zijn. In Turkije is maat 40 voor damesschoenen een hoge uitzondering. Maar omdat de zomer voorbij was, konden we alleen lelijke, krappe schoenen voor onder mijn bruidsjurk vinden, die ik zo min mogelijk laat zien.

Kaans vrienden knallen een fles champagne open, of iets wat erop lijkt, en brengen een toost uit, maar Kaan mag er niet van drinken. De imam zal vannacht langskomen om ons huwelijk nog een keer te bevestigen, en dat kan hij niet doen als Kaan drinkt. Ik haal het niet in mijn hoofd; voor vrouwen is drinken ondenkbaar. Voor mannen zijn Turken niet zo streng. Mijn schoonvader wankelt tevreden. Kaan danst met zijn vrienden. Ze tillen hem op en gooien hem in de lucht. Als ze hem maar niet laten vallen, denk ik, dansend tussen de vrouwen. Zijn vrienden prikken hem lek met spelden. Het schijnt dat dat een gewoonte is en dat Kaan dat vaak heeft gedaan bij zijn vrienden op hun bruiloft. Nu nemen ze wraak.

Hand in hand dansen we, waarbij we dezelfde stappen moeten doen. Mijn oom laat het orkest stoppen en roept de oude vrouwen bij elkaar voor de dorps-*halay**. De vrouwen maken een rondje met mijn oom als enige man. Hij zingt luidkeels mee.

Wanneer de zaal langzamerhand leeg begint te lopen, schoppen Jasmijn en Emel hun schoenen uit en geven een buikdans weg. Ik zou dolgraag ook de dansvloer op springen. Kaans beste vriend komt met zijn vrouw afscheid nemen. Een leuke, vlotte vrouw die

*Turkse sirtaki.

vijf jaar ouder is dan ik. Ze hebben al twee kinderen. Ze draagt de jongste op haar arm. 'Ik hoop bij Allah dat jullie op één kussen oud worden,' zegt ze. *'Amin,'* * zeggen we. De een na de ander komt. Ze staan in de rij, al die onbekende en nauwelijks bekende gezichten. Als het feest is afgelopen, is het bijna twaalf uur. De fotograaf wil foto's maken van de trotse familie en naasten. Helaas mét de bruid en bruidegom. Ik kus de handen van mijn oom en tante, die bij een dorpsgenoot gaan logeren. Mijn zwaar vervuilde sluier til ik niet eens meer op. Bij de deur werp ik een laatste blik op de plek des onheils. Overal op de grond liggen plassen frisdrank, scherven glas, gescheurde tafellakens en kartonnen onderzetters, op een tapijt van peuken. Dit was dus mijn bruiloft. Toch ben ik opgewekt over wat in het vooruitzicht ligt de komende nacht, al laat ik het niet merken.

In een lange stoet rijden we terug naar het huis van mijn schoonouders waar Kaans vrienden ons opwachten. Voordat ik uit de auto kan stappen met mijn bruidsjurk ontvoeren ze hem al. Kaans tante en een aantal vrouwen nemen me mee naar binnen. Het huis zit vol met gasten. In de gang doen ze mijn sluier dicht. Ze laten me tegen de muur leunen. Waarom willen ze me intimideren, vraag ik me af. Ze komen niet eens tot mijn kin. Oude vrouwen zingen en praten daarna met zachte stem. Dit is nu je thuis. Heb respect voor je schoonfamilie. Meer van dat soort onzin. Alsof ik dat niet weet, alsof ik dat niet genoeg gehoord heb van mijn moeder. Ondertussen kan ik maar één ding denken: shit, zijn vrienden brengen hem vannacht niet terug! Nu het eindelijk mag, is hij er niet. Ons feestje kan ik op mijn buik schrijven.

Zijn vrienden bellen op en vragen vijfhonderd gulden losgeld. Mijn schoonvader is een onderhandelaar. Ik denk: betaal ze toch!

Meer dan één gulden per kilo wil zijn vader niet kwijt. Na een voor mij ellenlange discussie over hoeveel hij precies weegt, waarover mijn schoonvader mij raadpleegt (niet meer dan 70 kilo, toch?), komen ze uiteindelijk tot overeenstemming. Ik haal opgelucht adem.

* 'Amen'.

Een paar vrouwen hebben eieren gebakken. Een oude gewoonte is dat een voorbeeldige schoondochter in de huwelijksnacht in het eten van de bruid spuugt. Die taak zal Emel uitgevoerd hebben. Als de bruid het eet, wordt ze gehoorzaam, denken ze. Ik heb geen honger van de zenuwen, verzin ik. Mijn schoonzussen gaan met me mee naar de badkamer. Ze leggen me uit dat ik niet zenuwachtig hoef te zijn, dat we er de tijd voor moeten nemen, dat iedereen nu zal gaan en dat het huis van ons zal zijn. Emel reikt me een potje honing aan dat ze van kaynanam heeft gekregen. 'Als je dit daar opsmeert, zal hij nooit vreemdgaan.' Van dit gebruik had ik niet eerder gehoord.

Kaans moeder komt vragen of ik klaar ben.

'Moeder, waar is de imam?'

'Die kon niet,' zegt ze.

'Maar hij moet ons toch nog een keer huwen? Dat moest van mijn moeder.'

'Nee hoor, het hoeft niet. De bevestiging van jullie verloving is nu net zo goed.'

'Ja, maar toen waren we verloofd, nu zijn we getrouwd.'

'Heeft hij drie keer gezegd dat hij van je wil scheiden?'

'Nee. Niet één keer.'

'Dan is het geldig.'

Ze brengt me naar onze kamer, waar Kaan op me wacht, en ik trek de deur dicht. Ik schop mijn schoenen uit. Na wat interne verhuizingen is deze kamer nu van ons. Dit is ons koninkrijk. Er zijn meubels besteld, maar de kamer en het huis worden pas opgeknapt als al die gasten weg zijn. Het oranje tapijt is vies en versleten en het gebloemde blauwe behang vertoont overal scheuren. De oude donkerbruine gordijnen met diagonale beige strepen verbergen een versleten witte vitrage en twee kleine ramen met uitzicht op een rampzalige achtertuin. Mijn witte zijden nachtjapon met ochtendjas en Kaans lichtgrijze pyjama hangen op kledinghangers aan de gordijnrails. Kaan had gezegd dat hij nooit een pyjama droeg, toch stond mijn moeder erop hem er een van zijde te geven. Die heeft iedere bruidegom nodig, vond ze. Ik was aan de mijne gelijk verknocht: spaghettibandjes, een hoge split linksvoor, een diep decolleté, buste van kant en overal kleine nepdiamanten. Mijn moeder zei tot mijn verbazing niet dat hij te uit-dagend was voor de eerste nacht of dat ik beter iets kon kiezen zonder steentjes, omdat die een wasbeurt niet zouden overleven. Op de grond ligt een wollen matras uitgerold. Al zou ons bed opgeleverd zijn, dan zouden we de nacht toch op deze matras moeten doorbrengen. Alle vrouwen zeggen dat dat de eerste nacht beter voor je rug is. Het zal wel. Op het dekbed liggen handdoeken en witte, zachte, met de hand geborduurde doekjes, netjes opgevouwen. Precies zoals mijn moeder ze in Turkije voor vannacht in mijn koffer heeft klaargelegd. Haar zegen hebben we.

Ik kijk naar hem door mijn sluier heen. Voordat hij die mag openen, hoort hij me een cadeau te geven, meestal goud of geld. Maar beide heeft hij niet. Hij verontschuldigt zich ongemakkelijk en belooft dat ik later krijg wat ik nu zou wensen.

'Ik wil alléén jou en met je dansen.'

'Niets meer?' vraagt hij ongelovig. 'En je kunt je hier niet eens omdraaien met je jurk.'

'Dan wil ik schuifelen.'

Langzaam opent hij mijn sluier, geeft een tedere kus op mijn voorhoofd. Hij pakt mijn hand en trekt me naar zich toe. Ik leg mijn hoofd op zijn schouder, mijn neus begraaf ik in zijn nek en ik adem diep zijn geur in.

'Ik houd zoveel van je,' zeg ik.

'Ik ook van jou.'

'Gaan we ons omkleden?' vraag ik.

'Wat wil je?'

'Het is speciaal voor vannacht gekocht. Ik wil dat je ziet hoe het staat.'

Maar eerst moeten we samen bidden. 'Is Mekka naar die kant?' weifel ik terwijl ik op het tapijt een bidkleedje uitspreid. Als Kaan allang klaar is, zit ik nog op de grond Allah te smeken om een goed huwelijk en gezonde kinderen.

In mijn haar zitten meer dan veertig spelden waarvan hij me zonder mijn hulp hoort te ontdoen. Zijn zus wist natuurlijk, zoals elke Turkse kapster, dat hij daar ongeduldig en zenuwachtig van zou worden. 'Au,' zeg ik overdreven terwijl ik hem toch help. 'Je hoeft mijn haren er niet uit te trekken.'

Hij moet zich van mij omdraaien, niet omdat ik me schaam maar om hem te verrassen. 'Adembenemend' vindt hij me. Zo voel ik me ook. We zoenen alsof we een jarenlang durende vasten mogen breken en eindelijk vrijuit van elkaar mogen proeven. Met al mijn kracht druk ik hem op mijn borsten. Met zijn armen om me heen lijkt het alsof we met elkaar kunnen versmelten.

Als een kind in een snoepwinkel wil ik hem verorberen tot hij op is. We hebben extra veel sigaretten, maar veel roken we niet. Voor elke pauze één. Zeven in totaal.

Ik schuif het gordijn een beetje opzij. De zon begint langzaam op te komen. We willen koffie gaan drinken en bruidstaart eten. Ik doe de deur open. De slaapkamerdeur van Emel en Ilker staat op een kier.

'We zijn niet alleen,' fluister ik met een betrokken gezicht, 'het huis zit vol mensen.' Sluipend als twee katten lopen we de oude houten trap af die met elke stap harder onder onze voeten kraakt. Dat we geen bruidssuite met rozen op een zacht bed, romantische muziek en champagne zouden hebben wist ik, maar ik had nooit verwacht dat het huis vol mensen zou zijn op de ochtend van onze huwelijksnacht. Bezorgd vraag ik of Kaan denkt dat ze ons gehoord hebben.

'Waarschijnlijk niet,' zegt hij. 'We waren niet erg luidruchtig en ze waren allemaal uitgeput van het feest. Is het toch nog ergens goed voor geweest dat we constant zaten: wij zijn niet moe geworden.' Glimlachend geef ik hem gelijk.

'Ik wil dat je elk jaar op onze huwelijksdag je record van vannacht verbetert.'

'Hoe lang blijven we getrouwd?'

'Vijfenzeventig jaar.'

'Ik zal blij zijn als we het dan één keer per maand doen.'

'Oh, zo weinig?'

'Dan ben ik vijfennegentig en jij negentig.'

'Shit! Dat is oud.'

'Ja.'

'Oké, dan gaan we alvast sparen voor die jaren.'

'Zullen we gelijk beginnen?'

'Straks.' Even vallen we stil en kijken elkaar schuldbewust aan.

'Kaan, hoe gaan we het doen?'

'Gewoon,' zegt hij, 'we binden mijn bovenarm vast met een riem of zoiets. Een paar druppels bloed op het witte doekje is toch genoeg?'

'Wellicht,' zeg ik. Je bloedt niet als een rund als je ontmaagd wordt.

Voor een riem moeten we weer naar boven. Met de touwtjes van de keukenschort binden we zijn arm alvast af en zoeken naar een scherp voorwerp. Een mes? Nee, dat is overdreven. 'We gaan je niet slachten,' lach ik zacht. We moeten een naald hebben.

In de woonkamer zoek ik in de laden naar een naald. Ik hoor een geluid. Kaan ligt languit in de gang. Totaal in paniek sla ik op zijn wang: 'Kaan, Kaan!' O god, o god, nu ik hem eindelijk heb, gaat hij dood. Wat moet ik tegen onze ouders zeggen?

Hij opent langzaam zijn ogen. Ik kus zijn wang, lippen, voorhoofd.

'Ik schrok me dood,' zeg ik opgelucht. 'Ik hoorde al mensen zeggen: "Wat een bruid. Tijdens de eerste nacht heeft ze de jongen vermoord."' Hij kan er niet om lachen. Waarschijnlijk hebben we zijn arm te strak afgebonden.

Hij gaat op de wc-pot zitten. 'Geef me de naald,' zegt hij. Hij prikt in zijn wijsvinger en knijpt er een paar keer stevig in. 'Nu hebben we genoeg bewijsmateriaal voor je maagdelijkheid.' Hij lacht zonder geluid. Huilend uit dankbaarheid dat hij me niet in de steek heeft gelaten, verbied ik hem eerder dood te gaan dan ik en ik laat hem zweren dat we onze laatste adem samen zullen uitblazen.

Zachtjes gaan we de badkamer in. Voor het eerst douchen we samen. Zijn dunne lichaam is me nog niet vertrouwd. Ik trek mijn buikje in. Hij wast mijn rug. We voeren *boy abdesti* uit, een religieus ritueel dat je moet uitvoeren na het vrijen of masturberen, en ook als je menstrueert. Je wast drie keer je handen, spoelt drie keer je mond, drie keer water in je neus en daarna snuiten, je gezicht drie keer, je armen (hoe kan het ook anders?) drie keer, met je rechterhand maak je je hoofd nat, nee dit maar één keer, je pinken in je oren met je duim achter je oren ook drie keer heen en weer, één keer je nek, drie keer je rechtervoet, en als laatste drie keer je linkervoet. En denk maar niet dat je dan klaar bent. Op je lichaam mag geen plek droog blijven. En vergeet niet met je rechterbeen uit de douche te stappen.

'Kunnen we het niet gewoon opsparen?' stel ik voor. 'Of,' zegt hij, 'we kunnen ook vooruitbetalen. Nu tien keer boy abdesti uitvoeren voor de komende tien keer.' We moeten lachen. Hij maakt een zwijggebaar. 'Sssht! Straks worden ze wakker.'

We kruipen in bed. Een paar minuten later klopt zijn moeder op de deur. Ik doe alsof ik slaap, helemaal in de rol van het onthutste meisje dat moet verwerken wat haar overkomen is.

'En?' vraagt ze.

'Ja,' zegt hij.

Ze tilt het bewust nonchalant neergelegde witte doekje met de paar druppels bloed op en legt het weer neer bij mijn voeten. 'Goed,' zegt ze, 'ik ga haar ouders bellen over het goede nieuws.' Ze verlaat onze kamer.

'We moeten opstaan,' zeg ik bijna twee uur later, 'we mogen je ouders niet al op de eerste dag op ons laten wachten aan de ontbijttafel.'

'Nog vijf minuten,' zegt hij half in slaap. Hoe vaak heb ik hier niet van gedroomd? Nooit zal ik het vanzelfsprekend vinden dat we elke dag bij elkaar zijn. Nooit zal ik genoeg van hem krijgen.

Met het doekje in mijn hand sluip ik naar de badkamer en doe snel de deur op slot. Ik bestudeer de paar druppels bloed alsof mijn toekomst er in onbekende letters in geschreven staat en was het doekje dan in de wasbak met een beetje bleekmiddel en handzeep. Mijn hart klopt in mijn keel als ik aan de afgelopen nacht denk. Ik wrijf het witte doekje schoon tussen mijn handen tot ze verkrampen, wring het uit en vouw het op tot het bijna in mijn handpalm past. Mijn rechteroor leg ik op de badkamerdeur om er zeker van te zijn dat er niemand in de hal is. In twee grote stappen ben ik weer bij de slaapkamer.

Hij snurkt zachtjes. Ik kijk even rond alsof ik deze kamer voor het eerst in me opneem. Waar kan ik het doekje kwijt? Ik kan het niet laten slingeren. Er is niets behalve een wit plastic krukje en een rampzalige kaptafel. Daar kunnen Jasmijn, Emel of zijn moeder het zien, als ze onze slaapkamer binnenlopen om de was te brengen of om te stofzuigen. Ik leg het op de vensterbank achter de vitrage. Binnen een paar uur zal het droog zijn, dan kan ik het opbergen. Ik kus Kaan wakker en kijk verwonderd naar mijn officiële man. 'Ik wist niet dat je snurkte,' zeg ik en ik kus hem nog een keer. 'Ben je moe? Misschien moet ik je voortaan niet zo hard laten werken, anders ben je de volgende dag niets waard.' Hij trekt me op de matras en kietelt me hard. 'Kaan,' zeg ik quasi boos, 'nu moeten we echt opstaan.'

Hij pakt het dekbed aan de andere kant en helpt me het bed op te maken. We laten het dekbed even zweven en strijken de plooien glad. Hij krijgt een dikke zoen omdat ik niet had verwacht dat hij zou helpen. Ik heb de ideale man. Ik trek mijn geplooide, lange rok aan en doe een hoofddoek op. Zo hoort het op de eerste dag, zei mijn moeder. Hij doet gewoon een broek en een overhemd aan. 'Waarom zijn de lasten van het leven zo oneerlijk verdeeld tussen mannen en vrouwen?' vraag ik. 'Omdat wij verder kunnen plassen,' zegt hij. 'Als je dat nog één keer zegt, wurg ik je,' dreig ik. Voor de deur van de slaapkamer geeft hij me een kus. 'Ze weten het,' fluister ik, 'iedereen weet het. Ik schaam me dood.' We spreken elkaar moed in omdat we beiden zijn vader en broer niet onder ogen durven te komen. Hij zegt 'kom' en houdt mijn hand vast tot aan de laatste trede.

Kaans oma, ouders, broer en Jasmijn zitten op witte en rode krukjes aan de keukentafel en nippen van hun thee. Emel staat klem tussen de hoek van de tafel en de keukenkastjes kaas te schaven. 'Goedemorgen,' groet zijn vader vrolijk. 'Goedemorgen,' zeggen we en we kussen de handen van zijn oma, ouders en broer. Ik word rood tot achter mijn oren. Mijn wangen gloeien. Ik vraag me af of het gepast is als ik naast hem ga zitten. Was er maar een draaiboek. Ze kijken naar ons alsof we helden zijn die een moeilijke taak hebben volbracht. 'Ga zitten,' zegt Emel met een glimlach die ik graag van haar mond zou vegen. 'Wij zijn klaar, gaan jullie maar lekker ontbijten,' zegt zijn vader gelukkig.

Zodra zijn vader de keukendeur dichttrekt, draait Ilker een shagje dat hij behandelt zoals een kunstenaar zijn werk. Hij legt zorgvuldig een stukje tabak in het vloeitje, vist de grove stukken eruit, verdeelt en herschikt het tot vervelens toe tussen zijn vingers. Ik steek mijn handpalm naar hem uit: 'Dank je, dat je zo goed je best hebt gedaan.' Hij haalt zijn schouders op: 'Geen dank.' Ik zuig mijn longen vol nicotine. Na een paar trekjes geef ik hem de sigaret terug, zonder filter brandt de bittere smaak aan mijn lippen. Emel schenkt thee voor ons in in glazen mokken en verdunt die met water. Aan de donkere kleur te zien, hebben ze hem al een tijdje geleden gezet. Ik heb geen zin, maar als ik niet eet zullen Jasmijn en Emel grapjes maken zoals 'je hebt vannacht zeker genoeg gehad' of 'geeft niets meid, ook dat went'. Na twee sneetjes brood met kaas smeer ik hem naar boven; alles om te voorkomen dat ze me in de keuken aan een verhoor onderwerpen.

Zo, dat hebben we achter de rug, denk ik in de badkamer en ik probeer de schaamte van mijn wangen te wassen. De trap kraakt.

'Is alles goed gegaan?' vraagt Jasmijn. Ik durf haar niet aan te kijken, maar knik bevestigend.

'Hoe was het?' gaat ze door.

'Goed, een beetje pijnlijk, maar verder was het oké.'

'Je was zo zenuwachtig,' zegt Emel.

God, hoe kan ik ze afschudden? Straks willen ze nog weten hoe het voelde. 'We hebben erg rustig aan gedaan, zoals jullie zeiden.'

'Ben je op je hurken gaan zitten toen je voelde dat er bloed kwam?' vraagt Emel.

Een stoel, een tafel, een lamp in mijn gezicht: dat zou het verhoor compleet maken.

'Ja, dat had je gezegd, toch?'

Jasmijn: 'Hij is toch niet in je klaargekomen?'

Emel vraagt waar het doekje is. Jasmijn valt haar snel bij: 'Wij willen het ook even controleren. We zijn je schoonzussen.'

Is dit alleen nieuwsgierigheid of willen ze hun vermoedens checken? Even wil ik ze alles opbiechten, maar ze zullen zeker hun mond voorbijpraten of me verwijten dat ik niet kon wachten. 'Helaas dames, jullie zijn te laat. Ik heb het gewassen.' Ik dank Allah dat ik het op tijd heb gedaan.

'Ik heb het nog,' zegt Emel, 'zodat ik altijd kan zeggen dat ik maagd was.'

Ik weet niet wat ze met het opgedroogde bloed wil bewijzen. Het interesseert me ook niet. 'Wat heb ik eraan,' zeg ik op een duidelijke ik-hoef-geen-antwoordtoon en ik haal mijn schouders op. 'Ik wil even gaan liggen.' Ik loop tussen hen door de badkamer uit. Mijn hersens bonken tegen mijn slapen.

Hoe sleep ik me door deze dag heen? Alles moet grondig schoongemaakt worden, maar al komt er een hele schoonmaakploeg, het zal weinig helpen om deze ruïne op een huis te laten lijken. Alles moet eruit. Alles moet weg. Het tapijt waar de houten vloer schaamteloos doorheen grijnst, de gordijnen die op een zeef lijken, het gescheurde, vieze behang, de keuken waar de keukenkastjes oud en scheef zijn en waar een lade van het gasfornuis als besteklade moet dienen. En laten we meteen die rottrap slopen!

Wat een kasteel is het hier, waar de rest van mijn leven zich zal afspelen. Van deze bouwval zijn mijn schoonouders de eigenaars. Ooit zullen Kaan en ik dit huis erven omdat we als jongste zoon en schoondochter bij hen zullen blijven inwonen tot ze doodgaan. Daarom wil ik hier een fatsoenlijk huis van maken.

Jasmijn en Emel gaan alle borden, glazen, bestek en pannen afwassen. Ik neem de stofzuiger mee naar zolder, tot voor kort Jasmijns domein. Ze is verhuisd naar Kaans vroegere kamer, en mijn schoonouders slapen nu in de zolderkamer.

Ruim een maand heb ik bij Jasmijn in deze donkere ruimte geslapen, in afwachting van onze bruiloft. Mijn moeder, die doodsbang was dat Kaan en ik voor de bruiloft seks zouden hebben en dat hij daarna niet meer met me zou willen trouwen, dwong Jasmijn de belofte af dat ze ons in hun huis apart zou houden. Volgens mijn moeder denkt iedere man: als ze het nu met mij doet, doet ze het straks ook met een ander.

De zolder ruikt muf. Ik zet het raam van de kleine dakkapel met gebarsten houten kozijnen open en kijk naar een grote nieuwbouwwijk met een boom voor elke voordeur. De straten zijn exacte kopieën van elkaar, wat rust uitstraalt. Alle huizen zijn aan elkaar geplakt en ze hebben zelden een balkon. Hoe kan een mens in een huis zonder balkon leven? In een van die keurige, mooie legohuizen wonen dorpsgenoten van onze ouders. Tot voor kort was ik nog nooit in dat dorp geweest, maar hier onthalen ze je als familie als je uit hetzelfde dorp stamt. Ze hebben na onze aankomst uit Turkije eten voor ons klaargemaakt. De deuren van dorpsgenoten maken een hol geluid als je ze dichtdoet en hun hele keuken is van kunststof: je kunt de besteklade met een vinger dichtgooien. Bij ons thuis waren de glijders van hout, waardoor het sluiten stroef ging. Soms smeerden we ze in met zeep.

Een dag na onze aankomst gingen Kaan en Jasmijn naar hun werk. Mijn wekker zette ik om half zeven, ruim voor die van hen. Ik was wakker voordat hij afging. Op mijn tenen verliet ik de zolder. Ik maakte Kaan met een kus wakker, ging drie kwartier bij hem liggen en maakte daarna zijn ontbijt en broodtrommel klaar. Ik liet de melk die ochtend, en elke ochtend daarna, overkoken omdat we niet van elkaar af konden blijven.

In het eerste weekend schrok ik 's nachts wakker van gebonk en gekreun.

'Ach, dat zijn de studenten van hiernaast,' zei Jasmijn, 'een van hen heeft zeker weer iemand meegenomen.'

Later op de dag, toen ik ze in de tuin hoorde, rende ik naar de zolder om te kijken hoe de studenten eruitzagen. Ze zaten te ontbijten, gewoon in spijkerbroeken, shorts en T-shirts. Ik had veel gehoord van Jasmijn en Kaan over het onzedelijke gedrag van Nederlanders, dat ze er elk weekend op los neuken, dat met carnaval mannen als travestieten rondlopen, dat iedereen het dan met iedereen doet en dat de geboortecijfers negen maanden na carnaval die van alle andere maanden overtreffen. Kaan vertelde dat er families zijn die naakt rondlopen in huis, van vader tot puberdochter. Dat een moeder dat goedvindt!

Het verbaast me dat Kaan zich zo op zijn gemak voelt bij die Nederlanders. En dat hij toelaat dat mannen mij complimenteren. Hij lacht erom. Bij de vreemdelingenpolitie zat een lelijke, dikke ambtenaar in een hok achter een tafel. Kaan en hij praatten wat en lachten. Kaan vroeg of ik met die ambtenaar wilde trouwen. 'Ben je gek,' zei ik. Buiten vroeg ik hoe hij kon toelaten dat een man zo openlijk op zijn verloofde geilt. Hij maakte maar een grapje, zei hij. 'Hij vroeg zich af waarom een mooie meid als jij met een lelijke jongen gaat trouwen.' Ik zei dat de man van de politie de reden toch niet zou begrijpen.

Kaan vertelde dat hij een keer van een oud-studiegenoot de vraag kreeg of Emel nooit alleen thuis was. Kaan had hem duidelijk gemaakt dat ze als een zus voor hem was en dat hij, als hij een Turk was, een klap op zijn bek had gehad. Zo gaan ze hier dus met hun schoonzussen om, dacht ik. Zie je wel dat ze geen eer hebben. Ze zijn net beesten!

Toen ik van Jasmijn hoorde dat er iets bestond wat ze 'partnerruil' noemden, kon ik mijn oren niet geloven. Welk weldenkend mens doet daaraan mee? Wat me helemaal de stuipen op het lijf joeg, was dat volgens Jasmijn de moeder van haar vriendin eigenhandig haar dochters ontmaagdde omdat jongens het niet met een maagd zouden willen doen. Wat een gestoord volk, dacht ik. Een omgekeerde wereld.

Hoe opgewonden we ook waren, we vreeën nooit helemaal naakt; een onuitgesproken code. Op een avond schrok ik me wezenloos toen ik onder de deken voelde dat de code in het donker niet werkte. Ik sprong op, kleedde me in paniek aan en verliet zijn kamer. De volgende dagen bleef ik uit zijn buurt.

Ik had er al heel vaak over nagedacht. Dat ik mijn moeder, vader, zijn ouders en iedereen die in me gelooft zou teleurstellen. Waarom is het belangrijk? Waarom hoeft hij zijn maagdelijkheid niet te bewijzen? Waarom nemen ze de bruidegom vaak een dag voor de bruiloft mee naar de hoeren om hem in te werken, terwijl de bruid de laatste nacht in het ouderlijk huis doorbrengt? Ze praten jarenlang op je in dat het niet deugt, en tijdens die nacht zeggen ze dat je je moet ontspannen!

De nacht van onze bruiloft moest onze eerste nacht worden. Huwelijken eindigen voordat ze beginnen, vanwege het maagdenvlies. Het enige wat echt telt, zijn een paar druppels bloed, al heb je nog geen haan in je buurt gehad.

Ik was bang dat het de eerste keer zou tegenvallen. Ik had er horrorverhalen over gehoord. Ook verkrachtingen. Ik was bang dat als we het zouden doen, hij me daarna als een makkelijk meisje zou gaan zien. Hoe hij ook zijn best deed, ik moest mijn benen bij elkaar houden zoals het een eervol meisje betaamt. Ik moest alle verleiding weerstaan, onze opwinding beteugelen en mijn angsten onder controle houden. Maar de druk kon ik niet aan, ik wilde van mijn maagdelijkheid af.

'Weet je het zeker?' vroeg hij op een ochtend in zijn bed.

'Ja.'

'Krijg je er geen spijt van?'

'Nee.'

'Heb je er echt goed over nagedacht?'

'Wil je het of niet?'

Ik behoorde hem toe, nu of over een paar weken, en ik voelde me niet eens schuldig. Ik sloot me op in de badkamer en huilde van opluchting dat mijn eerste keer achter de rug was. Een beetje bang, maar ook trots, keek ik in de spiegel. Zou mijn aanstaande schoonmoeder van mijn gezicht kunnen aflezen dat ik nu een vrouw was? Oudere vrouwen zeggen dat ze meteen zien of iemand een vrouw is. Hun gezicht zou volwassener zijn, hun ogen ervaren. Ik bespeurde geen spoor van verandering. Dezelfde bruine ogen, dezelfde kinderlijke glimlach, rode wangen, maar dat had ik altijd als ik me schaamde. Dat ik dat had gedurfd! Als ik maar niet zwanger raakte! 'Schiet op!' bonkte Jasmijn op de deur, 'ik moet nog douchen.' Trillend gooide ik het laken en alle witte was die ik verder kon vinden in de wasmachine, die even oud is als Jasmijn. Ik wist niet hoe ik de machine moest programmeren. Hopend dat alles goed zou komen, draaide ik de knop op 90 graden en ik bleef in de buurt om te voorkomen dat kaynanam het laken uit de machine zou halen, voor het geval de bloedvlek er niet uit zou gaan. Met bonkend hart hing ik de natte was in de tuin aan de waslijn. Jasmijns trui kon ik weggooien, maar het laken was goed schoon. De trui stopte ik in een oranje plastic tas in de container. Toen ze me vroeg of ik wist waar hij was, zei ik dat ik hem niet gezien had.

Na die eerste keer was het hek van de dam. Elke ochtend vreeën we op de bank. Als er iemand naar beneden zou komen, zouden we op tijd gewaarschuwd worden door de krakende trap. Na elke keer ging ik boy abdesti uitvoeren en bidden dat ik niet zwanger zou raken. Tot Kaan me meenam naar de huisarts. Kaan zei tegen de arts dat ik in verband met de bruiloft alvast met de pil wilde beginnen. Graag ook een hoestsiroop nu we er toch waren. Thuis zeiden we dat ik verkouden was. Kaynanam is ervan overtuigd dat je van de pil blijvend onvruchtbaar wordt. We verstopten de strip op alle mogelijke plekken: onder de diepvries die in zijn kamer stond, onder het tapijt in de hoek, in een oude jaszak in zijn klerenkast. Geen plek vonden we veilig genoeg. Nu leg ik hem achter in de cassettespeler die we van zijn collega's gekregen hebben, waar de batterijen horen. Thuis verstopte ik daar vroeger mijn pakje sigaretten. Van de door Kaan vertaalde gebruiksaanwijzing begrijp ik niet zoveel. Als ik hem maar elke keer inneem als we beginnen met vrijen zal het wel goed komen, denk ik.

Ik maak Jasmijns ijzeren bed op; haar zwarte glitterjurk en haar panty liggen in een hoopje op het tapijt en scheiden een sterke geur af van zweet en een ooit zoet parfum. Ik raap de spullen op en leg ze in de wasmand. Ik gooi de witte kleren in de wasmachine, doe waspoeder in de la en druk op de knop. Met een mop doe ik de badkamervloer. Na alle slaapkamers gedaan te hebben, vind ik het genoeg geweest. De rest moeten Jasmijn en Emel maar doen, ik ga kijken wat mijn kersverse man uitspookt. Hij zit met zijn vader en zijn broer te kaarten beneden. Ze schreeuwen en slaan met hun vuist op tafel. Ik verwacht elk moment dat ze elkaar de hersens inslaan, maar ze spelen vrolijk verder. 'Het eten is klaar,' roept Kaans moeder. We eten kliekjes van de bruiloft: yoghurtsoep met tomatensaus, gerolde druivenbladen die op groene sigaartjes lijken, gehaktballetjes in tomatenpuree, rijst en gebraden kip. Alleen de salade is vers. Vader en zonen haasten zich zo snel mogelijk terug naar hun spel. Ik breng ze hun koffie en ga naast kaynanam op de bank zitten.

Aangezien we niet langs kunnen gaan om hun handen te kussen, bel ik mijn ouders 's middags op. Het is goed dat ze niet zijn gekomen. Hoe zou ik mijn trotse ouders in de ogen kunnen kijken terwijl ik weet dat de waarheid waarin ze geloven een stuk bloedig toneel is? Ik hoor in hun stemmen de trots dat ze me goed hebben opgevoed, dat ik me ook zonder moeders toezicht niet liet 'verleiden'.

Tijdens mijn bruiloft waren ze thuis geweest. Vader had op het balkon raki zitten drinken en stiekem zitten huilen, vertelt moeder.

Aan het eind van de middag komen mijn oom en tante hun koffers ophalen. Ze gaan naar Duitsland om daar familie, vrienden en bekenden te bezoeken. Twee keer kus ik verlegen hun handen, bij binnenkomst en vertrek. De andere gasten van ver komen ook even koffiedrinken voor ze huiswaarts keren. Volgens mij willen die alleen weten of ik blijf. Een paar maanden geleden nog is een meisje teruggestuurd naar Turkije omdat ze geen maagd zou zijn.

Na het avondeten, de afwas en de thee zeg ik om acht uur dat ik moe ben en naar bed ga. Mijn moeder ging nooit eerder naar bed dan mijn opa. Dat vinden mijn schoonouders gelukkig ouderwets, hebben ze gezegd. Ik zeg welterusten en werp een hoopvolle blik op Kaan. Hij beweegt niet. Ik loop alvast naar onze kamer.

Voorzichtig trek ik mijn zijden nachtjapon aan; de spaghettibandjes zijn nog heel en alle steentjes zitten er nog op. Ik ga op de matras liggen. Hij zal zo wel komen. Misschien durft hij niet. Ik wacht en wacht. Doe het licht aan en weer uit. Schrijf wat in mijn dagboek. Draai me om en nog eens om. Misschien is hij vergeten dat we bij elkaar mogen en is hij per ongeluk in zijn oude bed gaan slapen. Zo dom is hij toch niet? Net als ik wil gaan kijken, wandelt meneer binnen. Het is twaalf uur.

'Waar bleef je?' zeg ik nijdig.

'Ik kon toch niet zomaar achter je aan lopen terwijl mijn ouders er nog zitten, toch? Dat zou onbeleefd zijn,' vindt hij. Hij komt naast me liggen.

'Ik lig hier urenlang op jou te wachten!'

'Nu ben ik er toch?'

Ik draai me om en reageer niet als hij me probeert te kussen.

'Ik moet morgen werken,' zegt hij, 'welterusten.'

Ik rol van de matras en ga op het vieze, smerige, oude tapijt liggen.

'Doe niet zo kinderachtig! Kom op de matras liggen.'

'Je bent er vroeg bij met commanderen!'
'Goed, je moet het zelf weten. Welterusten.'
Ik lig zachtjes te huilen. Kaan begint te snurken. Ik houd me niet meer in en stik bijna. Hij wordt wakker van mijn gejank en doet het nachtlampje aan.
'Lig je daar nog steeds? Kom liefje, doe niet zo kinderachtig.'
Ik probeer wat te zeggen, maar het lukt niet.
Hij wrijft over mijn arm: 'Kom bij me op mijn schouder liggen. Hier is je plek toch?'
Op zijn blote borst huil ik uit. Hij streelt mijn haren.
'Hier,' zegt hij en geeft me een doekje, 'droog je tranen.'
'Ik houd zoveel van je,' zeg ik, 'ik kan het niet verdragen als je me niet meer zou willen.'
'Van mij kom je nooit meer af.'
Hij vraagt of ik mijn nachtjapon voor hém heb aangetrokken.
'Nee, voor de buurman! Ik dacht dat je vroeg zou komen.'
'Ben je nog steeds boos op me?'
'Ga je voortaan altijd samen met me naar bed?'
'Ja, ik beloof het.'
'Zweer het!'
'*Vallaha*.'*

Onze wekker gaat om half zeven. Mijn hoofd voelt alsof er de hele nacht iemand met een hamer in tekeer is gegaan. We moeten nog boy abdesti uitvoeren. De badkamer is bezet. Zonder boy abdesti zijn we onrein en mogen we eigenlijk niet naar de keuken. Na een kwartier is de badkamer nog steeds niet vrij. 'Als ze niet opschieten, ben je te laat op je werk.' We liggen te roken en te wachten tot we voetstappen naar de zolder horen gaan. 'Het zijn je ouders! Ze dachten zeker dat iedereen sliep,' zeg ik verbaasd, alsof ik net heb ontdekt dat ook ouderen seks hebben.
De badkamer staat vol damp. We douchen en daar gaan we weer: eerst drie keer handen, drie keer mond...
Ik kleed me aan en ga alvast zes sneetjes brood voor in zijn broodtrommel klaarmaken. In Turkije komen mensen tussen de

* 'Ik zweer het, Allah is mijn getuige.'

middag naar huis als ze vlakbij wonen, ze koken op hun werk, gaan naar een restaurant of kopen broodjes bij een banketbakkerij. Een collega van Kaan neemt zes sneetjes brood met kaas mee. Voor Kaan probeer ik elke dag te variëren: kaas, chocoladepasta, jam, pindakaas of smeerkaas met honing. Eén keer heeft hij Turkse gehaktballetjes meegenomen, extra veel voor als zijn collega's wilden proeven. Later moest ik het recept doorgeven.

Hij heeft zijn werkkleren aan. 'Die smoking staat je veel mooier.' Ik strijk met mijn vingers door zijn haren. Dit zou ik eeuwig kunnen volhouden. Zoals elke ochtend sinds ik hier ben, warm ik in een steelpannetje melk op, die ik laat overkoken. Zijn moeder heeft gezegd dat ze het beu is dat het fornuis elke ochtend onder de aangekoekte melk zit; zuchtend begin ik het schoon te maken. Kan Kaan eindelijk fatsoenlijk ontbijten voordat hij naar zijn werk gaat.

Hij pakt zijn fiets en loopt door de poort van de tuin. Dan loop ik alvast naar de voordeur waar ik hem een kus geef en ik kijk hem na tot ik hem niet meer kan zien. Elke ochtend raak ik een beetje in paniek als ik hem uitzwaai. Ik ben bang dat hij onder een auto of een vrachtwagen komt als hij niet oplet en dat ik hem voorgoed kwijtraak. Sinds we getrouwd zijn is de angst iets afgenomen, ik hoef niet meer bang te zijn dat hij doodgaat voor de bruiloft en dat ik geen maagd meer ben.

Vaak als ik Kaan uitwuif, komen de bijna gepensioneerde buurman en zijn magere vrouw ook naar buiten. Hij heet Peer. Zijn naam is Armut in het Turks, weet ik van Kaan. Een stuk fruit! Dat doe je je kind toch niet aan? Oom Peer mag ik hem noemen, al voel ik me daar ongemakkelijk bij. Het schijnt hier normaal te zijn om ouderen met de voornaam aan te spreken. Peer fietst elke ochtend keurig in pak, met zijn aktetas op de bagagedrager, naar de gemeente, terwijl hij een gloednieuwe Volkswagen voor de deur heeft die hij elk weekend uitgebreid staat te poetsen. Als ik ze zie zeg ik enthousiast 'hoi' met een opgeheven wijsvinger. Ze glimlachen vriendelijk, ik glimlach terug.

Kaans thuiskomst is het hoogtepunt van mijn dag. Na vijven kijk ik om de paar minuten naar buiten, hoewel ik weet dat hij er met de fiets een half uur over doet. Als ik hem zie, ren ik naar de deur en roep luid: 'Ik doe wel open!' Elke avond neem ik zijn broodtrommel aan. Als er niemand is kust hij me in de hal, anders in de keuken. Als hij laat is smeek ik Allah: 'Alstublieft niet. Nu niet. Nog niet. Laat me alstublieft niet alleen achter. Ik wil samen met hem oud worden en doodgaan.'

Kaan zegt dat zijn collega vandaag bij hem informeerde of ik maagd was.
'Praten jullie daarover!' sis ik verschrikt. Turkse mannen praten niet over hun seksleven.
'Bij hen is dat normaal,' zegt hij.
'Hoe durft hij!'
'Uit nieuwsgierigheid.'
'Je hebt het hem toch niet verteld?'
'Ben je gek! Natuurlijk niet. Ik vroeg of hij ook niet liever een maagd huwde. "Ja, eigenlijk wel," zei hij.'
'Dat meen je niet?'
'Wie wil niet zijn vrouw zelf de fijne kneepjes van de liefde leren?'
'Hier verwachten de mannen toch niet dat zij de eerste zijn voor hun bruid,' zeg ik wijs, 'eerst hebben ze toch heel veel vriendjes en dan ben je geen maagd meer.'
'Het is geen issue.'
'Maar jij bent hier opgegroeid, waarom is het voor jou dan wel belangrijk?'
'Ik ben geen Nederlander. Als je geen maagd was geweest, was het afgelopen tussen ons.'

Jeugd

Als het mogelijk was geweest, was ik naar de maan gevlucht om aan mijn moeder te ontkomen. Of anders naar Australië: de immigranten daar gaan vanwege de dure vliegtickets slechts eens in de vier of vijf jaar terug naar Turkije. Maar er was geen Australische vader die me vroeg met zijn zoon te trouwen. Ik moest het doen met Nederland. Dat was nog altijd niet verkeerd, ik zou meer dan drieduizend kilometer van mijn ouderlijk huis gaan wonen. Waarschijnlijk hoefde ik slechts één keer per jaar met vakantie naar mijn familie, en verder zou ik ze af en toe bellen of schrijven. Ik zou mijn bemoeizuchtige moeder missen als kiespijn.

Ik heb slechts één foto uit mijn babytijd waarop ik samen met haar sta afgebeeld. Het is een zwart-witfoto met gekartelde randen, waarop ik vredig in haar armen slaap. Je kunt zien dat ze me zorgvuldig vasthoudt. Ze is een mooi meisje met lange donkere haren die langs haar gezicht tot bijna aan haar navel reiken.

'Als je op de dag des oordeels opstaat, ben je naakt en moeten je haren je borsten kunnen bedekken,' verklaarde ze vaak.

Mijn moeder was zestien toen ik werd geboren. Mijn vader was uitgezonden naar de oorlog in Cyprus en ze heeft hem die foto toegestuurd, zodat hij zijn dochter kon zien. Ik verwonder me over haar tedere blik.

We woonden in een vrijstaand huis met twee verdiepingen in een volksbuurt op een van de vele heuvels van Ankara. Het was het huis van mijn opa en oma, waar ook twee jonge ooms en tantes woonden, en het was het mooiste en nieuwste huis in de straat. De rest van de familie woonde in de buurt. Alle huizen van de familie had opa gebouwd. We hadden keukenkastjes terwijl de buren hun borden op houten rekken moesten neerzetten.

Opa kwam uit een welgestelde en zeer traditionele familie uit een dorp vlak bij Ankara. Hij verkocht zijn grond, huis en kudde en vertrok met zijn familie naar de stad. Eerst had hij een groentewinkeltje, later, toen zijn zonen oud genoeg waren om te helpen, bouwde hij flats op verschillende plaatsen in Ankara. Hoewel mijn opa steeds rijker werd en al jaren in Ankara woonde, bleef hij altijd vasthouden aan de gewoontes van het dorp.

Mijn opa was zo boos toen mijn moeder na mij een dochter kreeg, dat hij dreigde mijn zusje Bahar van het balkon te gooien. Het volgende kind was mijn broer Mehmet, die naar mijn opa werd vernoemd.

In het jaar voor mijn huwelijk, in een enkel moment van toenadering, vertelde mijn moeder weleens over die tijd in Ankara. Op die zeldzame momenten vond ik het fijn om naast haar te zitten en naar haar te luisteren. Mijn moeder vertelde dat oma erg gierig en bemoeizuchtig was, maar dat ze het het ergst vond dat ze alleen tijdens de borstvoeding even met me kon spelen, omdat ze constant in de weer was met het huishouden.

'Als het te lang duurde, kwam je oma je halen en moest ik weer aan de slag met de was of het eten.'

'Wat erg!'

'Maar ze zorgde heel goed voor je. Ze maakte aarde warm op de kachel, wikkelde die in een doek en gebruikte dat als luier, zoals ze gewend was bij haar eigen kinderen.'

Bij aarde moet ik aan wormen denken. In de moestuin van oma wemelde het ervan. Mijn nichtjes en ik hakten ze in stukken met stokjes of pletten ze onder onze schoenen. Ik geloof dat het beeld dat ik bij me draag van mijn oma die de wormen uit de aarde zeeft, een product van mijn verbeelding is.

'En ze wiegde je op haar voeten tot je in slaap viel. Soms wou je niet inslapen en dan kreeg ze kramp in haar benen. Je bent ook een keer op het aanrecht geklommen en toen heb je een hele gekookte kip verorberd.'

'Een hele kip! Hoe oud was ik dan?'

'Drie of vier.'

'Een kind op die leeftijd kan nooit een hele kip eten.'

'Vallaha, ik zweer het, toen ik naar de keuken kwam, vond ik alleen de botten.'

'Maar je hebt me dus niet zíén eten!'

'Ik vond je met je kleren onder het vet. 's Avonds werd je opa woedend op me toen hij alleen gebroken tarwe op kippenbouillon voorgeschoteld kreeg. Toen ik zei dat jij de kip stiekem had opgegeten, riep hij: "Eşşoğlueşekler,* jullie kunnen niet eens op een kind passen."'

Opa riep vaak 'ezelsveulen'. Hij kon erg boos worden als het eten te zout was of niet smaakte naar zijn zin. Mijn moeder kon meestal niet eens fatsoenlijk mee-eten, omdat ze tijdens de maaltijd minstens tien keer naar de keuken moest voor water, zout, brood of natte doekjes. We zaten altijd op de grond rond een verhoogd koperen dienblad van ruim anderhalve meter doorsnee, dat prachtig bewerkt was met uitgesneden tulpen. Onder het dienblad lag een grote doek die ik consequent vergat te gebruiken. 'Trek de doek over je benen! Je laat de soep op je kleren druipen en kruimels op het tapijt vallen,' zei mijn moeder dan. We brachten alles zo snel mogelijk terug naar de keuken, waarbij het mijn taak was om de doek op te ruimen. De grootste kruimels veegde ik op en voor het overige schudde ik de doek uit vanaf het balkon als er niemand in de buurt was. De keuken was altijd tiptop in orde, opa hield niet van rotzooi. Nadat mijn moeder de afwas had gedaan, was ze nog lang bezig alle borden te ordenen. Ze plaatste de melamine en de ijzeren bij elkaar en maakte vervolgens een mooie stapel waarbij ze de grootste onderop legde. Porseleinen borden mocht ze van oma alleen gebruiken als er bezoek was.

Mijn moeder deed alles heel grondig. Terwijl ze in de badkamer water kookte in een enorme aluminium ketel, liet ze me op een houten krukje zitten en waste driftig mijn haren met groene zeep. Ze kamde me zo hard dat het pijn deed. Dan begon ik te huilen, waarop ze me met de achterkant van de kam een klap op mijn hoofd gaf. Met een stroef washandje schuurde ze vervolgens mijn gezicht, nek, buik, rug, armen, benen en voeten. Altijd in die volgorde. Eén keertje heeft ze zelfs mijn rughuid eraf geschuurd, maar ze wilde me niet geloven, totdat ze de bruine korstjes eraf moest krabben. Nadat ze haar drie kinderen en de zusjes van mijn va-

* 'Ezelsveulens'.

der gewassen had, begon ze aan de bergen kleren – met de hand. Ze kookte de witte was en hing de kleren daarna op het balkon aan nylon touwtjes, strak van groot naar klein en onderbroeken uit het zicht. Die mochten de buren niet zien. Dat was ongepast. Als de was gedaan was, maakte ze de bedden op, ging alvast koken en deed de resterende afwas. Daarna haakte ze tafelkleedjes of borduurde ze kussenslopen voor de uitzet van haar schoonzusjes. Maar nooit voordat al het werk gedaan was.

Geen wonder dat ze ons niet in huis wilde hebben. Daarom voerden we op zolder, waar je via een krakkemikkige ladder van resthout en een smalle opening in het plafond kon komen, toneelstukjes op. Met oude vitrages werd ik altijd omgetoverd tot bruid. Mijn haren werden gekruld met een heet ijzer dat knisperend mijn plukken schroeide. Op de hele zolder kon je mijn verbrande haren ruiken. Daarna liepen de anderen zo met mij de straten door. Als we dat beu waren, gooiden we met een bal van oude sokken gestapelde scherven van dakpannen omver. Mijn knieën en ellebogen waren nooit zonder wondjes. Tegen beter weten in plukte ik de korstjes eraf en plette ze onder mijn schoenen in de hoop dat ze zouden gaan knallen, zoals de ronde bruine zwavelschijfjes die verdacht veel op de korsten van mijn wondjes leken. Toen ik een jaar of zeven was, liet ik ook een keer een nicht met een koekenpan op mijn hoofd slaan omdat ik wilde flauwvallen zoals ik had gezien in een westernfilm. Terwijl ze op mijn hoofd bonkte, begon ik te huilen. 'Ik zei je dat je me flauw moest laten vallen! Niet dat je me pijn moest doen!' Nog altijd durf ik geen pan in m'n handen te nemen bij iemand die dit verhaal kent. 'Zal ik?' vragen ze dan.

Op straat raapten mijn nichtjes en ik peuken op die nog niet helemaal opgerookt waren. Die rookten we stiekem in de donkere kelder onder ons huis, waar steenkolen voor de winter opgeslagen lagen.

's Avonds na het eten zaten we met zijn allen op het balkon aan de voorkant van het huis, vanwaar we een prachtig uitzicht hadden over Ankara. We dronken thee en aten aardbeien met suiker en kersen. Mijn zus en ik zochten de kersen uit die nog met z'n tweeën aan één steel hingen en maakten er oorbellen van voordat we ze opaten. Daarna keken we urenlang naar het bruisende leven in de stad onder ons. Het waren de leukste jaren uit mijn kindertijd, maar ik wilde ook heel snel volwassen worden zodat ik me kon mengen in het echte leven van de stad, die naar me lonkte met al zijn lichtjes. Soms wilde ik stampvoeten van ongeduld en opwinding van wat ik allemaal zou gaan doen als ik later eenmaal groot was. Ik zou 's avonds laat onder die lichten lopen om een ijsje te gaan eten of gewoon slenteren met mijn nichten en misschien af en toe zwaaien in de richting van dit balkon. Het leven wilde ontdekt worden en ik was erg nieuwsgierig van aard.

Mijn naam, Rüya,* had ik aan mijn tantes te danken. Ze hadden ook een bijnaam voor mij bedacht: 'pollepel'. Er bestaat bijna geen enkel gerecht waarbij de pollepel níét wordt gebruikt, van soep tot aan vruchtenmoes. Volgens mijn familie bemoeide ik me met alles en wilde ik altijd alles weten. Wanneer mijn moeder en tantes 's avonds nog op het balkon zaten wilde ik nooit gaan slapen, omdat ik benieuwd was waar ze over praatten.

Mijn vader zag ik niet vaak. Het werken in de bouw was hij beu. Met zijn vrachtwagen vervoerde hij petroleum uit Iran en Irak. Tijdens de oorlog tussen die twee landen van 1980 tot 1988 bleef hij gewoon doorrijden. Soms hoorde hij onderweg een bom vallen of kon hij niet verder vanwege strenge controles. Veel praatte hij er niet over, om ons niet ongerust te maken. Mijn moeder huilde als hij laat was en ze bang was dat hem iets was overkomen. Dan huilde ik stiekem mee, onder mijn deken. Wanneer hij thuiskwam met zijn enorme truck en armen vol speelgoed en snoep, was ik dolblij.

Mijn zusje en ik waren kwaad op mijn moeder als ze ons niet wakker maakte wanneer mijn vader 's nachts thuiskwam. Als hij 's avonds verscheen, ruzieden we wie naast hem mocht liggen. We grepen hem vast als een octopus zijn prooi. 'Laat ons alsjeblieft bij vader slapen,' smeekten we mijn moeder. Het mocht niet baten. Altijd stuurde ze ons naar bed. Mijn vader glimlachte, kuste ons, maar zei nooit: 'Oké, alleen voor vannacht.' Het was altijd hetzelf-

---

* Dagdromen, fantaseren.

de gedoe met mijn moeder. We begrepen niet waarom ze alleen met elkaar wilden zijn. Het was toch net zo gezellig met ons erbij?

Soms bracht mijn vader ons met zijn vrachtwagen naar de ouders van mijn moeder of naar haar enige zus, die een paar heuvels verder woonden. De wegen naar mijn oma en tante zijn voor mij onlosmakelijk verbonden met mijn vader. Die wegen leidden naar de hemel. We namen eerst een diepe duik en werden daarna tegen de achterwand van de cabine gedrukt alsof we elk moment gelanceerd konden worden. Ik vond het eng en was bang dat zijn truck het zou begeven. Maar ik vertrouwde mijn vader blindelings; hij zou ons nooit laten verongelukken. Mijn oma van vaders kant wilde nooit dat we de familie van mijn moeder bezochten. 'Als een meisje na haar huwelijk vaak haar familie ziet, gaat het gegarandeerd fout in haar nieuwe huis,' zei ze.

Daarom verwende mijn oma haar eigen dochters zolang die nog thuis woonden. Ze waren amper tien jaar ouder dan ik en vijf jaar jonger dan mijn moeder. Ze hoefden van oma mijn moeder niet te helpen in het huishouden, ook al vroeg die daarom, en ze mochten hun kleren uitkiezen in de chique winkels in Kizilay, een dure wijk van Ankara. Als zij cola, thee, biscuit of Turks fruit wilden, stuurde oma mij naar de kruidenier. Ik hield ook van snoepen. We trokken het Turks fruit uit tot het doorzichtig werd, belegden daarmee zorgvuldig onze biscuit en dronken daarbij Coca-Cola uit groenige flesjes. Soms gingen we naar de Atatürk Dierentuin of naar het pretpark in Ulus. Alles werd in het werk gesteld om het mijn jonge tantes naar de zin te maken, en ik profiteerde daarvan.

Toen ze eindelijk gingen trouwen, de oudste met een leraar en de jongste met een gierige Turk uit Duitsland, was dat een enorme opluchting voor mijn moeder.

Toen ik tien jaar was, overleed mijn oma na een lange slepende ziekte. Mijn opa, die nog gezond was als een vis, hertrouwde voordat oma's lijk koud onder de grond was met een zeer jonge vrouw die hij met goud en cadeautjes overlaadde. Hij zette zelfs een appartement op haar naam. Mijn vader kon het niet aanzien. Hij wilde weg, op zichzelf wonen, met zijn eigen gezin. We verhuisden naar Mersin aan de zuidkust, ver weg van mijn bazige opa en zijn nieuwe vrouw. De twee broers van mijn vader en hun gezinnen gingen mee.

Als je het Taurusgebergte – dat Anatolië in tweeën deelt – achter je laat, lijkt het alsof een onzichtbare hand op je borst drukt. De lucht is vochtig en benauwd. De zomers in Mersin zijn ondraaglijk warm. Het is een stad vol luxeappartementen, sloppenwijken, een haven, en meisjes in minuscule kleren. Een stad met overwegend links georiënteerde mensen die geen last heeft van traditionele dorpelingen die de grote steden als Istanbul en Ankara bevolken. Alle huizen hebben platte daken voorzien van zonneboilers voor warm water en een wirwar aan televisieantennes. De mensen vluchten in de zomer meestal naar de stranden van de Middellandse Zee of naar een optrekje hoog in de bergen. Alleen als het echt niet anders kan gaan ze 's middags naar buiten. Je zweet terwijl je zit. Douchen helpt niet; wanneer je je aangekleed hebt, druipt het zweet alweer over je lichaam. Als het er niet zo vreselijk warm was geweest, had ik er best kunnen aarden.

Ons appartement lag in een chique buurt op de vijfde verdieping van een gebouw zonder lift. Het had een ruime keuken met kersenhouten kasten en een marmeren aanrecht, en warm water uit de zonneboiler. Op het balkon aan de ringweg kon je gemakkelijk met zijn tienen zitten en er was een klein achterbalkon waar ik later stiekem zou roken. Wat ik geweldig vond was de badkamer met schattige dolfijnen op de tegels en een tweede wc waar je op kon gaan zitten. Ik had een hekel aan het hurktoilet omdat ik, hoe zachtjes ik ook probeerde te plassen, altijd spetters aan mijn broekspijpen kreeg en kramp in mijn benen. Vader bleef de ouderwetse wc gebruiken, waar hij met opgerolde pijpen in ging en met gewassen voeten uit kwam.

Mijn broertje Mehmet lag vaak stiekem onder de keukentafel op de bruinmarmeren vloertegels om een beetje af te koelen. Van mijn moeder moest ik hem elke keer van de vloer krabben, als een stuk kauwgum, zo hardnekkig wilde hij blijven plakken. Ze was bang dat hij verkouden zou worden en geen kinderen meer zou kunnen krijgen. Ik heb dit verband nooit kunnen begrijpen.

Niemand in Mersin rolde tapijten uit in de zomer, behalve mijn moeder, die haar beeld van een 'normaal' interieur uit Ankara niet wilde loslaten. Een huis zonder tapijt vond ze niet kunnen. De dikke wollen tapijten die in Ankara ook in de zomer de vloer bedekten, bleken niet houdbaar in Mersin. Ze bestrooide ze tegen motten met naftaline, die door het hele huis scherp geurde. Ik moest haar helpen met het strak oprollen van tapijten totdat mijn vingers verkrampten. Ondanks de hitte was de schoonmaakwoede van mijn moeder niet afgenomen. We hadden nu een automatische wasmachine, maar mijn moeder kookte de witte was nog steeds, want anders werd hij niet schoon. Elke ochtend weer: kleedjes naar het balkon dragen, stofzuigen, dweilen, stoffen, balkons schoonmaken. Wat moest onverwacht bezoek anders denken?

Rond mijn twaalfde kwam er opeens een einde aan mijn kindertijd. Mijn moeder werd nog strenger dan ze al was. Na school moest ik binnen blijven. 'Je ziet eruit als een vijftienjarige, maar je bent lomp en je hebt geen manieren.' Ik moest op mijn zusje en broertje passen als mijn moeder op bezoek ging bij buren of vriendinnen, en het huis schoonmaken. Geen verdwaald stofje of uitgevallen haartje mocht er op de marmeren vloer liggen. Het huis moest ruiken naar schoonmaakmiddelen met frisse bloemgeuren om de penetrante lucht van bleekmiddel te verdoezelen. Zelfs voor het vouwen van de onderbroeken bestonden vaste regels: niet met de voorkant naar buiten, dat bracht ongeluk. 'Wat is je huis toch altijd schoon!' zeiden alle vrouwen. 'Hoe krijg je dat voor elkaar met drie kinderen? Maar je dochters zijn groot, die zullen je wel helpen.' Mijn moeder was zo trots als een pauw dat haar huis hygiënischer, sterieler was dan de meeste ziekenhuizen in Turkije, en jammerde vervolgens dat wij zonder dwang niets wilden doen.

Bahar wilde me nooit helpen. Als ik het haar vroeg, sloot ze zich op in onze slaapkamer. 'Doe de deur open!' schreeuwde ik dan terwijl ik op de deur bonkte. Als ik haar te pakken kreeg, sloeg ik haar waar ik haar maar kon raken en trok ik uit woede aan haar haren. Daarna kregen we beiden een pak slaag van mijn moeder omdat het huis nog niet schoon genoeg was, of omdat de buren hadden verteld dat we elkaar bijna hadden afgemaakt.

Bahar was twee jaar jonger dan ik, en klein en tenger. Vaak wilde ze mijn kleren dragen. Dat wilde ik niet. Ze stonden haar belachelijk en waren van mij.

Elke ochtend gingen Bahar en ik met een minibus naar school. We kregen wat zakgeld mee voor *simit* * en *ayran*.** Ik spaarde mijn geld op voor een pakje sigaretten.

Na school mochten we niet treuzelen, als we tien minuten te laat waren stond moeder al op het balkon op ons te wachten. Thuis was ze net mijn schaduw. Ik kon haar nooit tevredenstellen. De borden waren niet goed afgewassen, de bedden waren niet goed opgemaakt, ik moest beter stofzuigen, beter dweilen, de was netter opvouwen. Ze maakte me voor van alles uit: nietsnut, zwakzinnige, stom rund... Aan variatie geen gebrek. 'Val toch dood. Ik zou niet eens een dag om je treuren!' Ze gaf zich zo volledig aan haar woorden over, met gebalde vuisten en haar kiezen op elkaar, dat ik me afvroeg waarom Allah haar smeekbeden niet verhoorde.

Aan tafel stoorde mijn ademhaling haar. 'Wat zit je te hijgen als een zwangere vrouw!' Als ik liep, waren het mijn voetstappen die haar gek maakten. 'Til je voeten op, verdomme! Op een dag ga ik ze breken.'

'Allahs plaag, waar ben je?'

'Hier, in de woonkamer.'

'Waar kijk je naar?'

'Een detective. Als het afgelopen is, ga ik afwassen.'

'Op een dag krijg je de tv op je kop! Hoe heb je de keuken gedweild?'

'Gewoon, zoals jij, op mijn knieën.'

'Kom kijken of je het wel goed hebt gedaan!'

Ik schuifelde achter haar aan naar de keuken.

'Kijk.'

Ik deed mijn best maar zag alleen een schone vloer. Ze trok me aan mijn arm naar achteren en draaide met een ruk mijn hoofd in de gewenste richting.

---

* Ringvormig broodje met sesam dat je overal in Turkije kunt kopen, meestal bij jongens en mannen die ze hoog opgestapeld op een blad op hun hoofd dragen.
** Ayran is een soort karnemelk.

'Zie je nu waar je niet bent geweest?'
'Die gedeeltes zijn zeker opgedroogd.'
'Je hebt die plekken gewoon niet gedweild! Je doet het opnieuw, en nu zoals het hoort. Zal ik ooit zien dat je iets goed doet?' 'Mag ik eerst kijken hoe het afloopt? Ze moeten een moordzaak oplossen.' 'Als ik je een klap geef, kus je de vloer. Je doet het voor mij, maar wat je leert is voor jezelf. Je zult er profijt van hebben als je getrouwd bent.' Alsof ik daarop zat te wachten. Ik wilde gaan studeren, een goede baan vinden en met een geëmancipeerde jongen trouwen. Dan kon ik een huishoudster betalen.

Tegen de avond keek ik naar de balkons aan de overkant vol keurig opgehangen wasgoed en naar de druk pratende vrouwen en spelende kinderen op straat. De wereld speelde zich af binnen handbereik, maar zonder mij. Op een dag kreeg ik de onweerstaanbare neiging om me erin te mengen en gooide ik een wasknijper naar beneden, terwijl ik eigenlijk binnen de was moest opvouwen. 'Ik heb een knijper laten vallen. Ik ga hem even halen,' riep ik. Mijn moeder was in de badkamer bezig de witte was te koken. Daar zou ze een tijdje zoet mee zijn en ze zou waarschijnlijk niet eens merken dat ik eventjes weg was. Ik rende de trappen af en voegde me bij mijn vriendinnen. Nog geen tien minuten later echode mijn naam door de straat. Ik vloog naar huis. Daar stond ze voor de open deur op mij te wachten. Met de enorme deegroller in haar hand.

Wanneer we bezoek hadden gehad, raakte ik in paniek als ze afscheid namen. Had ik alles goed gedaan? Goed gezeten? Goed geserveerd? Goed opgelet? Niet onbeschoft geweest? Niet dom gepraat? Meestal liep ik dan meteen naar de keuken. Het stemde haar tevreden mij bezig te zien. Ik deed er net zo lang over tot ze ging slapen. Het warme afwaswater, een stapel borden. Dweilen. Stiekem een sigaret roken op het balkon en hopen dat de jaren snel verstrijken. Haar klachten stapelde ze op tot mijn vader thuis was. 'Je dochter wordt nog eens mijn dood!' riep ze dan. Aan de ene kant keek ik uit naar zijn komst, maar aan de andere kant wilde ik het liefst dat hij nooit thuis zou komen, omdat hij boos zou worden.

Mijn vader is een man van weinig woorden. Soms zou ik willen dat ik meer op hem leek. Ik kan niet tegen stiltes en kraam vaak onzin uit om ze op te vullen. Hij vertelde nooit uit zichzelf hoe zijn dag was geweest of wat hij had gedaan. Zijn kleine bruine ogen kijken dwars door je heen. Ik zou nooit tegen hem kunnen liegen, dat haat hij. Hij zou me ook nooit geloven.

'O, jij bent de dochter van Kemal,' zeiden mensen weleens. 'Ik ken hem. Wat een kerel! Eerlijk, hardwerkend, behendig, rechtdoorzee. Doe hem de hartelijke groeten.'

Mijn borst vulde zich op zo'n moment met trots. Vader is zoals een man hoort te zijn. Het is een voorrecht om zijn kind te zijn, dacht ik altijd. Was ik maar een jongen, dan kon ik de hele tijd bij hem zijn. Zodra hij vertrok, was ik overgeleverd aan mijn moeder. Vaak vroeg ik huilend in bed aan Allah waarom ze me zo haatte.

'Ik ben zwanger,' zei ze op een namiddag plompverloren. Ze stond al met haar ene voet buiten de deur en wilde naar de buren.

'Zwanger? Dat meen je niet!'

'Vallaha,' zwoer ze.

'Je liegt het. Je houdt me voor de gek.'

'We willen nog een kind.'

'Jullie hebben er al drie!'

'Je vader en ik hebben nooit van jullie kunnen genieten. Je vader was er bijna nooit en we woonden bij je opa en oma in. We gaan zelf voor deze baby zorgen.'

'Ik ben bijna veertien! Ik wil geen broertje of zusje!'

'Je hebt niets te willen.'

'Ik wil het niet! Weg met dat kind! Ik schaam me nu al. Wat moet ik tegen mijn vriendinnen zeggen?'

Hoe minder kinderen, des te moderner je familie is. Dat resulteert weer in aanzien in mijn vriendenkring. Dat kon moeder niets schelen. Ze haalde haar schouders op met de gelukkige glimlach van een aanstaande moeder.

'Je bent dertig!'

'Je doet alsof ik veertig ben.'

'Het is te oud om kinderen te krijgen. Ik wil niets met dat kind te maken hebben. Ik zal het nooit aanraken. Nooit.'

Mijn moeders zwangerschap was vreselijk. Ze kon de eerste drie maanden bijna niets eten. Ze werd met de dag lichter. Als ze boven de wc hing en haar hele lichaam schokte, kreeg ik medelijden met haar. Als het weer zover was, kon je het van heel ver horen. Maar het was haar eigen schuld. Soms kookte ik soep of macaroni en hielp ik met het huishouden zonder dat ze erom vroeg. Ze lag vaak te slapen en daar werden we beiden rustig van.

Op een zomeravond waarin behalve de muggen niets bewoog, zat vader op een kussen thee te drinken. Ik ging naast hem zitten.

'Papa, vandaag vroeg een jongen van school of ik verkering met hem wilde. Ik zei dat ik niet van zo'n soort familie kwam en dat jij een verkering nooit zou goedkeuren.'

'Dat past inderdaad niet bij onze familie,' zei hij enigszins verbaasd door mijn openhartigheid. 'Als je buiten school met een jongen om zou gaan, zou je mijn eer schenden. Ik zou niet meer met opgeheven hoofd over straat kunnen lopen.'

'Dat weet ik, daarom heb ik nee gezegd.'

'Goed zo,' zei hij en we straalden van trots, want we wisten beiden dat zijn dochters nooit zijn eer zouden schenden. Daarvoor hielden Bahar en ik te veel van hem.

'Op school praat ik wel met jongens.'

'Vriendschap op school is normaal, daarbuiten niet,' zei hij zacht maar dringend.

'Ik heb aan een paar ons telefoonnummer gegeven voor huiswerk en zo.'

'Ze kunnen toch andere jongens bellen?'

'Ja, maar ze vroegen of ze mij ook mochten bellen.'

'Voor je het weet, geven ze het aan anderen door.'

'Ik zal zeggen dat ze mijn nummer moeten vernietigen.'

'Kijk, ons gezin is als een democratie. Je bent vrij om te doen wat je wilt, binnen de grenzen. Als je die overschrijdt, schend je mijn vertrouwen en verlies je elke inspraak.'

Op school had ik een paar vriendinnen die hun vriendjes meenamen naar huis. Hun ouders vonden dat normaal. Ze droegen ook rokjes en shortjes die maar net hun billen bedekten. Mijn kortste rok kwam tot net boven mijn knie. Mijn armen mochten bloot maar mijn schouders niet. Ter afsluiting van het schooljaar zouden we met onze klas gaan eten en zwemmen bij een politiecomplex. Daar mogen alleen familie en bekenden van de agenten komen en ik had verwacht dat dat een geruststelling zou zijn voor mijn vader. 'We worden op school opgehaald en teruggebracht met een politiebusje en er is een docente bij,' legde ik uit.

'Eten is prima, zwemmen niet.' Ik kuste hem op zijn wang. Onder mijn kleren deed ik stiekem een badpak aan. Ik nam mijn zalf tegen zeeallergie mee en een klasgenote had een handdoek voor mij in haar tas gedaan. Op het strand lagen mijn klasgenotes languit in hun bikini's. Niks schaamte, niks verbergen. Ik voelde me ongemakkelijk en schaamde me daar tegelijkertijd voor. We zwommen. Het was lastig om mijn gezicht droog te houden. Ondanks mijn allergiezalf kreeg ik de volgende dag een dun lichtbruin korstlaagje op mijn neus. 'We hadden geen parasol, mijn neus is verbrand,' zei ik toen moeder ernaar vroeg. Ik weet niet of ze me geloofde.

Toen ik op de laatste schooldag bij de school aankwam, hadden de docenten onze rapporten nog niet ingevuld. We moesten over een paar uur terugkomen. Dagenlang had ik niet kunnen slapen van de zenuwen. Mijn wiskunde was slecht, gemiddeld een 4,5. De docent kon mijn cijfer naar eigen believen naar beneden of naar boven afronden. Dat zou wel een onvoldoende op mijn rapport worden. Van mijn ouders mocht ik dan in september geen herkansing doen: mijn schoolleven zou definitief voorbij zijn. Bij een voldoende voor wiskunde had ik genoeg punten voor een 'dankschrift' voor goede studenten. Dan mocht ik van mijn ouders misschien studeren. Ik had met de docent gesproken, of het had geholpen wist ik niet.

Bahar bleef met haar klasgenoten op het schoolplein wachten. Ik ging met een groep klasgenoten naar een dichtbijgelegen park. We schommelden en praatten over de toekomst en onze dromen.

'Ik wil rechter worden, net als mijn moeder,' zei een verwend meisje. Ik was stiekem jaloers op haar.

'Ik wil professioneel gaan basketballen,' zei een klasgenote die net zo lang was als ik. De sportdocent had gevraagd of ik ook in het schoolteam wilde, maar ik mocht niet van mijn vader omdat ze in te korte broekjes trainden. Twee tortelduifjes uit onze klas frommelden aan elkaar.

'Ik heb slechte cijfers en durf niet naar huis,' zei een jongen. 'Dan had je beter moeten studeren,' zei de slimste van de klas. Op televisie werden al dagen waarschuwingsboodschappen uitgezonden, omdat er elk jaar weer veel jongeren met slechte cijfers zelfmoord pleegden.

We gingen terug naar school. De eerste klassen waren al weg. Ik haalde mijn rapport en ging meteen naar huis. Mijn moeder was woedend omdat mijn zus al twee uur thuis was. Ik zei dat ik met klasgenoten in het park was geweest en dat ik de tijd was vergeten.

Ik kreeg een klap. 'Wat ging je doen met die jongens in het park? Wacht maar tot je vader het hoort. Hij zal al je botten breken.' Alsof ik aan een orgie had meegedaan.

'Het waren allemaal klasgenoten en er waren ook meisjes. De rapporten waren nog niet klaar.'

'Die meisjes zullen niets van je verschillen. Geen school meer voor jou. Ik kan me niet bezighouden met jouw stommiteiten. Vandaag ga je naar het park, morgen heb je een vriend!'

Ik zat te bibberen tot vader thuiskwam. Hij had me nog nooit geslagen, maar dit kon best wel eens de eerste keer worden.

'Je mag niet naar het lyceum,' zei hij kalm.

'Maar ik heb goede punten. Papa alsjeblieft, het enige wat ik wil is studeren,' huilde ik.

'Je hebt genoeg geleerd. Ik wil je niet meer horen jammeren.'

Punt uit. Daar gingen mijn toekomst en mijn dromen. Ik huilde de hele nacht en verscheurde mijn rapport.

Die zomer kwam zoals elk jaar mijn nicht Emel met haar schoonfamilie uit Nederland op bezoek bij mijn oom en tante. Ze hadden een tent gehuurd op het strand, waar we ze met de hele familie geregeld gingen bezoeken. Ik speelde dan altijd rummikub met Emel, haar man Ilker, haar schoonzus Jasmijn en haar zwager Kaan. Het was mijn favoriete spel. Kaan had mooie diepgroene ogen met bruine stippeltjes, alsof ze nonchalant met een kwast gesprenkeld waren, gek dat me dat vroeger nooit was opgevallen. Ik wilde er de hele tijd naar kijken, maar dat is onbeleefd. Hij was hartelijk en grappig. Ik noemde hem Kaan *abi*.* Het jaar daarvoor gooiden hij en Ilker Bahar en mij in het water, dompelden ons onder of voerden met ons op hun schouders kamelengevechten.

Deze zomer was hij opvallend rustig. Hij kwam niet zwemmen, zat op het strand, maakte geen grapjes. Op een dag wilde mijn moeder me niet meer naar hen toe laten gaan. Huilen hielp niet; ik moest thuisblijven. Niet lang daarna kwamen mijn nicht Emel en haar man Ilker bij ons langs. 'Mijn schoonouders komen vanavond om jouw hand vragen.' Ze was serieus.

'Kaan studeert,' zei ze. 'Hij gokt niet, drinkt bijna nooit alcohol en hij zal je niet slaan.'

'Ik ben nog te jong.'

'Het is een goede jongen. Anders stond ik nu niet voor je. Je bent mijn nicht. Ik laat je niet met een schurk trouwen. We zullen samen zijn. Je zult het zien, het is hartstikke leuk in Nederland. Elk weekend gaan mijn schoonouders vroeg naar bed en zitten we tot diep in de nacht te rummikuppen.'

'Ik zeg het niet omdat hij mijn broer is, maar een jongen als hij is moeilijk te vinden,' zei Ilker.

Ik haalde me Kaan voor de geest. Echt knap was hij niet. Hij had dan wel mooie groene ogen en een bos donkere krullen, maar zijn kaken waren te breed en te scherp, zijn neus te groot, en hij had een voorhoofd dat iets boven zijn wenkbrauwen abrupt ophield. In zijn mond kon hij moeiteloos een hele sinaasappel proppen. Dat deed hij vaak om ons te laten lachen. Maar schoonheid is vergankelijk en ikzelf was ook niet moeders mooiste. En hij was aardig.

Bovendien zou ik in zijn gezelschap vrij zijn. Emel en Jasmijn gingen vaak uit, droegen mouwloze T-shirts, lagen op het strand in een badpak waar Kaans vader bij was. Zijn moeder droeg zelfs een

* Broer.

50

badpak. Een paar dagen geleden hadden we haar rug met yoghurt ingesmeerd omdat ze verbrand was. Een liberale familie. Eindelijk zou ik net als mijn vriendinnen een vriendje hebben, maar dan officieel. Een vriendin vertelde laatst hoe het voelde toen haar vriend haar in een park tussen de bomen kuste. Het moest iets geweldigs zijn. Zou mijn hart ook tekeergaan als hij mijn hand vasthield en met zijn vingers door mijn haren ging? Kaans ouders en Emel kwamen die avond samen met mijn oom en tante langs. Ze hadden baklava bij zich, zoals het hoort. Kaan was er niet. Het was vreselijk warm, zoals elke zomeravond, en ze besloten op het balkon te gaan zitten. Bij deze gelegenheid hoort Turkse koffie met een dikke crèmelaag, gemaakt en geserveerd door het meisje om wie het gaat. Van Turkse koffie moet je verstand hebben, anders is het niet te drinken. Het is te slap of te sterk, of er zwemmen alleen maar een paar schuimbelletjes in en geen flinke laag crème. Ik wou het niet verpesten. Emel had zorgvuldig koffie en suiker in een klein steelpannetje met water gekookt en voor me in kleine kopjes geschonken. Met trillende handen bracht ik het blad rond. Gelukkig vonden ze de koffie erg lekker. Ik vertelde maar niet dat ze eigenlijk Emel moesten bedanken. Mijn vader zat ongemakkelijk te draaien in zijn stoel. Ze praatten over het weer en informeerden uitgebreid naar elkaars gezondheid.

'Laten we er niet omheen draaien,' zei Kaans vader, 'met Allahs wil en met de zegen van de Profeet willen we jullie dochter voor onze zoon Kaan.'

Emel, haar zussen, mijn zus en ik stonden stiekem in de keuken bij de balkondeur te luisteren.

'Ze is nog te jong,' zei mijn vader.

'Ze weet zich niet te gedragen, hoe kan ze een goede schoondochter worden?' voegde mijn moeder eraan toe.

Daar had je haar weer.

Kaans moeder zei dat je een boom kunt buigen als hij jong is. 'Emel was ook jong. Zie haar nu: een pracht van een schoondochter. We verwachten niets van haar en wat ze niet weet zal ik haar leren. Als Allah het wil, trouwen ze over twee jaar. Dan is ze een stuk ouder.'

Vader vroeg nog wat Kaan voor werk deed, maar het antwoord daarop hoorde ik niet meer omdat ik in mijn slaapkamer op het bed stond te springen van vreugde.

Toen we ze met zijn allen uitzwaaiden, deed ik alsof ik van niets wist. Ik was de keuken aan het opruimen toen mijn vader me riep.

'Ze vragen of je met Kaan wilt trouwen, maar we vinden je nog te jong.'

'Mag ik dan gaan studeren?'

'Nee. Zet school maar uit je hoofd.'

Ik zweeg en keek naar de grond.

'Wil je met hem trouwen?'

Wat dacht je, wou ik zeggen, dat ik hier dag in dag uit alleen met moeder wil blijven om te worden zoals zij?

'Emel zegt dat het een heel goede jongen is.'

'Het is jouw beslissing. Als je met hem trouwt, ga je in een bruidsjurk mijn huis uit en kom je alleen in een doodskleed terug.'

Mijn opa's en oma werd over de telefoon om toestemming gevraagd. 'Mijn moeder vindt je te jong,' zei moeder terwijl ze oma nog aan de lijn had.

'Ze liet jou toch ook jong trouwen?'

Ze lachte: 'Mama, ze wil het zelf.' Nadat we via onze tante mijn antwoord hadden laten weten, kwam Kaan officieel kennismaken met mijn vader. Alleen komen durfde hij blijkbaar niet; hij had zijn broer meegenomen. Kaan zat stil als een kat die zijn melkkom heeft omgegooid. Ik dacht dat hij altijd veel kletste en brutaal was. Van wat hij van mij als zijn aanstaande vrouw verwachtte, had ik geen idee.

De volgende dag gingen we naar de stad. Kaan ging mee. We gaven elkaar een hand en zeiden: '*Merhaba*.'* Mijn moeder, die altijd gezegd had dat ik geen jongen zou kunnen vinden die langer was dan ik, had het gelukkig mis. Hij was vier vingers langer dan ik. We zochten de ringen uit. Zijn ouders kochten kleren voor ons en een bh voor mij. 'Nu je verloofd bent, moet je altijd een bh dragen,' zei Emel. Voor schoenen liepen we bijna alle schoenwinkels

* 'Hallo.'

af. Uiteindelijk vonden we een paar dat me paste. 'In Nederland heb je zelfs maat 42 voor vrouwen. Daar hoef je nooit zo lang te zoeken,' zei zijn moeder. Dat vond ik geweldig nieuws.

Mijn moeder was thuisgebleven; ze kon niet meer zo lang lopen. Ze was acht maanden zwanger maar ze wilde per se koken voor ons en de groep vrienden en bekenden die straks onze verloving zouden komen vieren, terwijl ze amper bij het aanrecht kon door haar dikke buik. In de keuken was het nog warmer dan buiten. Waarom moest ze zich altijd zo uitsloven? Waarom bestelde ze niet gewoon *lahmacum*?* Zijn ouders hadden baklava besteld. Ze lieten ons naast elkaar staan en schoven de ringen om onze vingers, die met een rood lintje aan elkaar vastzaten. Een oude man bad dat Allah ons veel geluk mocht schenken en knipte het lintje door. We kusten de handen van onze ouders en van alle mensen die ouder waren dan wij. We keken elkaar verlegen aan toen we samen op traditionele muziek dansten.

Een imam huwde ons volgens de islam. Vanaf nu waren we voor elkaar niet meer *haram*** maar *halal*,*** en mochten we van de islam eigenlijk alles doen wat man en vrouw doen zonder een zonde te begaan. Maar van de traditie moest ik tot onze bruiloft maagd blijven, en dat zou ik met een bebloede doek moeten bewijzen. Als de verloving zou worden verbroken, was ik tenminste nog maagd. Anders zou geen andere jongen met me willen trouwen.

De volgende middag kwam Kaan met Emel en zijn zus Jasmijn langs. Ik moest eraan wennen dat ik hem niet meer abi kon noemen. Ik had het gevoel dat zijn naam zonder abi niet compleet was.

'Laat ze even alleen praten,' zei Emel.

'Als haar vader het hoort, wordt hij boos,' zei mijn moeder.

Ik ging naar de salon. Kaan kwam kort daarna, deed de deur achter zich dicht en kwam naast me op de bank zitten. Ik vond dat vreemd zo, dat er een jonge man naast me zat die ik tot twee dagen terug als een broer beschouwde. En hij mij als zijn zus. Nooit

* Turkse pizza met gehakt.
** Wat zonde is.
*** Tegenovergestelde van haram.

had ik hem betrapt op een onbehoorlijke blik of een woordspeling. Opeens was hij mijn toekomstige man en ik zijn vrouw en we zouden dingen doen die verloofden doen, zoals elkaars hand vasthouden en stiekem kussen. Hoewel ik ernaar uitkeek en ook eens wilde ervaren wat ik al vaak in films zag, leek het me tegelijkertijd ongepast dat met hem te doen.

'Hoe gaat het?'

'Goed. Met jou?'

'Ook goed.'

Ik wist niet wat ik verder moest vragen en hij ook niet. We praatten wat over ons saaie verlovingsfeest. Plotseling vroeg hij of hij me mocht kussen. Ooit moet het gebeuren, dacht ik en ik knikte. Hij hield me vast en drukte zijn lippen op de mijne, waarna hij probeerde zijn warme en natte tong in mijn mond te steken. Walgelijk. Ik perste mijn lippen stevig op elkaar. Waar ben ik aan begonnen, schoot het door mijn hoofd. Als ik de kamer uit zou rennen, zou ik moeder moeten bekennen dat hij me probeerde te kussen. Toch wilde ik weg, ver van hem.

'Dit is mijn eerste zoen.'

'Het is te merken.'

'Sorry, ik heb nog nooit met een jongen geoefend, alleen met de spiegel.'

'Wat? Gekust met een spiegel!'

Dat had ik niet moeten zeggen. 'Ik wilde voorbereid zijn op mijn eerste zoen,' zei ik verlegen.

'Hoe heb je dat dan gedaan?'

'Gewoon, zoals ik dacht dat het moest. Ik kuste mijn spiegelbeeld en draaide met mijn hoofd. Maar mijn neus zat in de weg.'

We begonnen hardop te lachen. 'Het is maar goed dat je het niet kan. Ik ga je alles leren,' zei hij. Hij kuste mijn lip en trok er zachtjes met zijn tanden aan. Dat voelde lang niet slecht, zelfs opwindend. Ik denk dat ik toen verliefd op hem ben geworden. Mijn moeder riep dat we lang genoeg alleen waren gebleven. Ik was vuurrood toen ik de salon uit liep. Haar ogen spuwden vuur. Daarna liet ik geen gelegenheid voorbijgaan voor privélessen van Kaan.

Al na een paar dagen begon hij haar 'moeder' te noemen. Ze zat met onze tante in de keuken aardappels te schillen. Hij kwam binnen, omhelsde haar en gaf haar een kus op haar wang. 'Hoe gaat het met mijn lieve moeder?'

Alsof hij al jaren bij de inboedel hoorde! Zo had ik haar nog nooit gekust. Mijn moeder lachte. 'Kaan! Noem me geen moeder. Ik schaam me! Wat zullen ze wel niet van me denken als ze mijn buik zien?'

'Je bent toch mijn nieuwe moeder,' zei hij en kuste haar opnieuw.

'Ga weg!' snauwde ze, maar ze lachte erbij.

Kaan had nog een week en drie dagen in Turkije en mocht van mijn ouders bij ons logeren zodat we elkaar een beetje beter konden leren kennen en aan elkaar konden wennen. Moeder waakte ervoor dat we nooit alleen in een kamer waren. Als ik aan het afwassen was, moest Kaan braaf aan tafel zitten. Moeder viel onverwachts binnen, zogenaamd om iets te halen of te brengen. Heel soms, als ze net weg was, durfden we te zoenen. We moesten naar bed als moeder slaap had. Zij sliep bij mij. Een keer ging ze vader opzoeken toen ze dacht dat ik sliep. Als een dief sloop ze op haar tenen de kamer uit en trok de deur zachtjes dicht. Ik hoorde hoe ze de deur op slot deed. Alsof ik niet via het raam dat op het keukenbalkon uitkwam naar Kaan toe kon. Alleen al omdat zij dacht dat ik in het bed van mijn verloofde zou kruipen, wilde ik gaan vragen of hij zin in me had. Maar ik deed het niet. Zo was ik niet.

Als we uitgingen was er altijd een leger aan familie bij.

'Straks is hij weg, laat ze even alleen. Ik was ook vaak alleen met mijn verloofde,' zei Jasmijn een keer tegen mijn moeder.

'Ze is te gewillig. Zo was jij vast niet, en Emel ook niet. Die twee knagen aan elkaar zodra ze apart zitten.'

Kort na onze verloving beviel mijn moeder van een dochter, de mooiste baby die ik ooit gezien heb. Haar naam Didem (teerbemind) heb ik gekozen. Ik genoot van haar gerimpelde huid, haar dunne vingertjes en haar blauwgrijze ogen. Ze rook naar onschuld. Hoe ze sliep, hoe ze zich uitrekte. Ik verschoonde haar, deed haar in bad, poederde haar lichaampje, kleedde haar aan en uit. Het liefst had ik met haar willen slapen, maar mijn moeder was bang dat ik haar zou pletten.

'Je wou toch niets van haar weten?' zei ze.

'Toen had ik haar nog niet gezien.'

Als ze te lang sliep maakte ik haar wakker, omdat ik haar miste. Ze was ook vanaf het eerste moment vaders oogappel, eigenlijk van de hele familie. Ik kon niet jaloers op haar zijn.

Onze verloving duurde twee jaar. Kaan en ik zagen elkaar alleen in de zomervakanties, onder streng toezicht. Zodra hij naar Nederland terugkeerde, telde ik de dagen af. Het waren de twee langste jaren uit mijn leven. Ik schreef hem vaak. In elke brief stelde ik hem tientallen vragen: wat zijn favoriete kleur was, hoeveel kinderen hij wilde en andere dingen die ik van hem wilde weten. Mijn brieven sloot ik af met een rode kus. Als hij me schreef kon ik met moeite zijn handschrift ontcijferen. Ik lachte om zijn verkeerd gespelde woorden en kromme zinnen. Ik wist niet dat Jasmijn en Emel zijn brieven opstelden voor een rijksdaalder.

Als ik naar de sterren keek, dacht ik dat hij misschien dezelfde ster zou kunnen zien als hij naar de hemel keek. Zou hij nu slapen, of zou hij een diepe trek van zijn sigaret nemen en aan me denken?

Tegen de tijd dat hij zou komen, was ik de hele dag aan het dromen: hoe hij me in zijn armen zou nemen en hoe hij me zou kussen en strelen.

Hij nam meestal 's avonds de bus vanuit Ankara, waar zijn ouders een huis hebben. Ik haatte de nachten dat hij wel in Turkije was maar nog niet bij mij. Het idee dat ik nog tien uur moest wachten... Wanneer hij dan eindelijk vroeg in de ochtend arriveerde, durfde ik nauwelijks naar de salon te gaan, waar hij met mijn vader beleefdheden zat uit te wisselen. Met gezwollen ogen van de slapeloosheid liep ik verlegen binnen. '*Hosgeldin.*'*

'*Hosbulduk.*'** Ik ging pas bij ze zitten als ik weer aan hem gewend was. Mijn vader wist dat ik van hem hield, maar daarover praatten we niet. Ik noemde niet eens zijn naam. In het dorp waar mijn vader en zijn ouders vandaan komen getuigt dat van respect.

---

* 'Welkom.'
** 'Dank voor de gastvrije ontvangst.'

Ik was nooit in dat dorp geweest, maar de traditie hielden we in stand. Als ik over Kaan praatte, zei ik 'hij' of 'je schoonzoon'. Als hij een moment weg was, keek ik honderd keer uit het raam of stond ik op het balkon zodat ik hem de straat in kon zien lopen. Ik wou dat ik in hem kon kruipen voor altijd en overal. Ik droomde hoe we lang en gelukkig zouden leven in hun huis met drie verdiepingen. Ik kende alleen flats. Nederland moest Beverly Hills op grote schaal zijn. Het moest een enorm wit huis zijn, zoals in films. Twee zware openslaande deuren naar een hal met een antieke ronde tafel waarop een heerlijk geurend boeket in een kristallen vaas stond. Een brede houten trap met witte treden. Wellicht kon je van de eerste verdieping de hal in kijken. Badkamer in Romeinse stijl, een zwembadje als badkuip. Het kookeiland zou de mooiste plek van het hele huis zijn. Daar zou ik elke ochtend sinaasappels voor hem persen in mijn zijden ochtendjas. Hij zou mijn nek kussen en in mijn billen knijpen.

In mijn dagboek schreef ik erover. Mijn moeder kwam er een keer lachend de kamer mee binnenlopen. Ze had het onder mijn bed gevonden. 'Dus je denkt dat ze in een villa leven?' Ik kon haar wel wurgen. In plaats daarvan verzon ik een geheimschrift. Eindelijk kon ik mijn gedachten en gevoelens laten gaan. Gebeurtenissen werden helder, angsten kleiner, liefde en verlangen groter.

Na twee jaar kwam eindelijk de dag van mijn vertrek naar Nederland naderbij. De avond ervoor zou mijn hennanacht zijn. Normaal gesproken wordt de hennanacht een dag voor de bruiloft gevierd ten afscheid van de bruid. Op het hoogtepunt vormen vrouwen en meiden een kring om de bruid en zingen haar toe. Als er mannen zijn houden die zich op afstand. De traditie wil dat de bruid huilt; als ze dat niet doet, houdt ze niet van haar ouders of zit ze te veel te popelen om te trouwen. Ik was bang dat er geen tranen zouden komen, zo opgetogen was ik dat het eindelijk zover was. Ik zat op een stoel in het midden van de kamer, mijn hoofd en gezicht bedekt met een rode doorzichtige tulband vol fijne versieringen. De versierde hennaschaal werd gedragen door mijn tante, mijn nichten en vriendinnen zwaaiden langzaam met kaarsjes. Ik genoot ervan in het middelpunt van de belangstelling te staan. Het feest draaide letterlijk en figuurlijk om mij. Oude vrouwen zongen authentieke hennanachtliedjes die vertelden dat het mijn laatste nacht was in mijn ouderlijk huis, dat mijn plek aan het ronde blad op de grond leeg zou zijn, maar dat ze misschien toch mijn lepel op mijn plek zouden leggen uit macht der gewoonte. Trekvogels moesten mijn ouders toezingen dat ik hen miste. De vrouwen zongen hun treurig lied en ik zag in gedachten mijn vader zwijgend naar mijn lege stoel aan tafel kijken. Ze smeerden henna op mijn handen en een stipje in mijn nek. In mijn handpalm legden ze een gouden muntje dat ik moest bewaren omdat het geluk en welvaart zou brengen. Ik had me geen zorgen hoeven maken over het uitblijven van tranen. Huilend omhelsde ik mijn moeder, mijn zus Bahar, mijn nichten, vriendinnen en besefte dat dit werkelijk mijn laatste nacht thuis was.

De volgende ochtend kuste ik, gehuld in mijn bruidsjurk, de handen van mijn ouders, ooms, tantes, oma's, opa's en stapte in de auto. Ik huilde en glimlachte door elkaar. Niemand meer die zou controleren of de afwas goed gedaan was, of ik de vloer goed gedweild had of de was perfect opgevouwen.

'Pas goed op jezelf,' zei mijn vader. Ik wist wat hij bedoelde, maar moeder kon het niet laten me in te fluisteren: 'Laat je niet verleiden. Verpest het niet en wacht als een eervol meisje tot je trouwt.'

De weg naar Nederland was een beproeving. Eerst via Ankara om familie te bezoeken. Vervolgens mocht de auto, met daarin mijn schoonvader, Kaans oma, en Kaan, Jasmijn en ik op de achterbank, Oostenrijk niet in rijden omdat ik geen visum voor Duitsland had. Aan een Duits visum had mijn schoonvader niet gedacht, of hij had de grenscontroles niet serieus genomen. Hij had Emel zonder paspoort Europa binnengesmokkeld, laat staan dat hij een visum voor haar geregeld had. Nadat we verschillende grensposten geprobeerd hadden, reden we terug naar Ljubljana, in Slovenië, op zoek naar een Duits consulaat. Dat was er niet. We parkeerden bij een park en sliepen in de auto. Het was krap op de achterbank met Jasmijn en Kaan, maar Kaan en ik amuseerden ons wel als iedereen sliep. Althans, we hoopten dat ze sliepen.

Vroeg in de ochtend vertrokken we naar Zagreb, in Kroatië. Vlak bij het Duitse consulaat namen we twee kamers in een luxehotel met een heerlijk tweepersoonsbed van kersenhout in de kamer van Jasmijn en mij. De stralend witte lakens en dekens leken geleend van wasmiddelreclames. Het hotel had eigen briefpapier in zachte pasteltinten dat evenals de bijbehorende enveloppe voorzien was van een watermerk met het logo. Mijn ouders schreef ik over het prachtige hotel waarin wij dankzij een verschrikkelijke reis waren beland. Kaan kocht een postzegel bij de balie, waar groepen Japanners met fototoestellen om hun nek, Amerikanen en Europeanen rondhingen.

Op het consulaat leek het alsof de helft van de stad een Duits visum wilde. Na een hele werkdag gewacht te hebben op een stomme sticker en een stempel mocht ik Oostenrijk binnen. Eenmaal bij de Duitse grens aangekomen keken ze niet eens naar mijn paspoort!

We stopten bij Kaans oom in Bochum. Duitsland viel me tegen, met zijn ongeordende, smalle straten en kriskras neergekwakte flatgebouwen. Sommige blokken met geel, wit, grijs geverfde flats deden me zelfs veel aan Ankara denken. Kaans oom en zijn familie woonden in een gebouw waar ze de wc met vijf andere gezinnen moesten delen. Ik schrok ervan. Als je ze in Turkije geld zag uitgeven, zou je zweren dat ze steenrijk waren. In een hoek van de keuken was een putje achter een douchegordijn: de badkamer.

Zonder enige controle reden we Duitsland uit. 'Hier begint Nederland,' zei mijn schoonvader trots, als een landheer die zijn bezittingen aanprijst, en hij wees naar het grensbord bij Venlo. Het was een prachtige augustusmiddag met watten wolken in de hemel. Lekker koel. Absoluut niet benauwd of warm als de hel zoals in Mersin aan de Middellandse Zee. Het was groen, langs de snelwegen maar ook in Tilburg. Het huis waar we stopten was alleen geen villa maar een rijtjeshuis van rode baksteen, alsof er na de bouw ervan geen geld meer was om de muren behoorlijk te laten pleisteren.

Schoonfamilie en sleur

Als je de deur van de woonkamer te ver opendoet, bonkt hij tegen de hoge bruine vitrinekast. De prominente plaats in het midden van de kast is voor de televisie die altijd aanstaat, waardoor haar gehaakte kleedje nooit het scherm mag bedekken. Achter de glazen deurtjes slingeren witte kleedjes in driehoeken met daarop vijf nepkristallen theeglazen, een niet meer complete whiskyset, een paar mooie wijnglazen en nog meer van zulke attributen.

In de overvolle woonkamer staat verder een donkerbruin dressoir, met daarop drie witte kleedjes en een witte keramieken gondel, bezet met drie kleine rozen en bladeren waartussen het stof zich ophoopt. Aan beide kanten van de gondel staan twee bijpassende asbakken, waarvan één door secondenlijm bijeen wordt gehouden. Elke keer dat ik het geheel in een emmer heet water dompel om de viezigheid tussen de opgezette bloemstukken weg te krijgen, hoop ik dat het keramiek barst of dat de lijm van de ene asbak loslaat zodat ik het met goed fatsoen kan weggooien, maar het staat er nog en ik vrees dat het prul ook mij zal overleven. Op de muur boven het dressoir hangt in een goudkleurige lijst een trouwfoto van Emel en Ilker met de hele familie grijnzend om hen heen. Haar bruidsjurk is geleend van een volwassen vrouw, hij is veel te groot. Elke dag staar ik met medelijden naar dat meisje. Daarnaast pronken in één lijst twee aparte foto's van de ouders van mijn schoonvader. De opa, die jong doodging, staat naast de vrij recente foto van oma. Verder een kiekje van mijn schoonouders met Jasmijn als baby. Ik vraag me af of er ooit een foto zal hangen waarop ik sta. Boven de bank hangt een schilderij van het Kabe in Mekka. De ultieme bestemming voor een moslim, die ook kaynanam ooit hoopt te bereiken, liefst samen met mijn schoonvader, wanneer hij eraan toe is om de wereldse geneugten zoals alcohol af te zweren en een ware moslim te worden. Kaynanams droomreis zit er voorlopig niet in. Naast het doek van Mekka hangt een scheurkalender met de gebedstijden in Londen, Berlijn en Amsterdam. Na het afscheuren leest ze soms zwijgend met instemmende hoofdknikjes de religieuze tekst op de achterkant die altijd begint met in het Arabisch 'In naam van Allah, de Barmhartige, de Genadevolle'. Daarna prikt ze het papiertje door de spijker die de kalender aan de muur houdt. Als er geen papiertjes meer door de spijker kunnen, neemt ze de stapel mee naar de keuken om die te verbranden in de gootsteen. Papier waarop uit de Koran wordt geciteerd, hoort met respect behandeld te worden en mag niet in aanraking komen met viezigheid.

Op haar vaste plek op de bank zit kaynanam urenlang zwijgend witte kleedjes met bloemmotieven te haken. Een huis dat niet is versierd met kantwerk, is volgens haar bloot als een vrouw zonder een degelijke onderbroek. Het kant mag ook uit de machines gerold zijn, daarvan knipt ze verschillende maten vierkanten of rechthoeken voor op de televisie, de eettafel, in én op de vitrinekast. Maar er gaat niets boven het ouderwetse handwerk. In gedachten verzonken lijkt ze het niet te merken wanneer iemand binnenkomt of de kamer verlaat. Soms kijkt ze naar de klok waarna ze met de achterkant van het ijzeren staafje in haar oren roert. De gele smurrie veegt ze in de punt van haar hoofddoek. Als ze moe is van het roerloos zitten, legt ze haar voeten op de betegelde eikenhouten salontafel, waardoor haar zelfgebreide wollen sokken van onder haar lange flanellen rok tevoorschijn komen. Een voor een kraakt ze haar vingers, ze steekt haar duim in haar rok en laat haar vingers op haar dikke buik rusten. Als ze in haar slippers stapt, blijft de kuil in de versleten zitting nog lang zichtbaar.

Een Turks gezegde luidt: 'De vrouwtjesvogel bouwt het nest.' De vrouw maakt het thuis gezellig en zorgt zo dat het huwelijk standhoudt. Het is de lijfspreuk van kaynanam. Ze is de draagmuur van het huis. 'Zonder haar strenge toezicht zou het gezin binnen een week uit elkaar vallen,' weet Kaan.
Degene die kaynanams gezag durft te ondermijnen moet nog

geboren worden. Lachrimpels heeft ze bijna niet, wel twee diepe groeven tussen haar wenkbrauwen. Als ze naar me kijkt, trilt de grond onder mijn voeten. Ik ben niet de enige die bang is voor haar stalen blik. Voor alles wordt toestemming gevraagd aan 'ons ma'. Ze beheert de WAO-uitkering van haar man en de inkomens van de anderen. Elke laatste vrijdagavond van de maand brengt Emel een langwerpige witte enveloppe mee met haar urenbriefje en salaris van het naaiatelier. Ze krijgt vijfentwintig gulden zakgeld, net als Kaan en zijn broer. Ik ben voor mijn sigaretten afhankelijk van Kaan. De zwarte leren portemonnee die ik van mijn vader voor mijn verjaardag kreeg, draag ik voor de sier als opvulling in mijn handtas samen met een pak zakdoekjes, twee lippenstiften, een zwart oogpotlood en mascara. Zakgeld krijg ik zelden van Kaan. Hij gebruikt zijn bankpas alleen als zijn moeder hem naar de bankautomaat stuurt, omdat ze niet weet hoe ze moet pinnen. Netjes levert hij elk bonnetje in. De bankafschriften neemt ze nauwlettend door.

Bijna tienduizend gulden beheert ze per maand, waarvoor ze aan niemand verantwoording hoeft af te leggen. Desondanks is er altijd gebrek aan geld. De schulden van onze bruiloft moeten nog afgelost worden, onze slaapkamer wordt binnenkort afgeleverd maar is nog niet betaald, de keuken moet worden vernieuwd en het huis gerenoveerd.

Vanavond hebben we geen bezoek van dorpsgenoten uit Turkije, die het hier gezelliger vinden dan in een café, en die dan ook regelmatig langskomen. De dagen dat we 'op ons eigen' zijn kun je op één hand tellen. Kaynanam wil niet dat Kaan en zijn broer Ilker naar Turkse cafés gaan en dat ze op hun vader gaan lijken. Daarom spelen ze elke avond rummikub aan de eettafel.

Terwijl ik met een dienblad rondga en oma in de hal in de richting van Mekka knielt voor het avondgebed, heeft Kaan zijn plaats aan tafel tegenover zijn vader al ingenomen. 'Wat een slechte beurt! Hier kan ik niets mee,' jammert hij theatraal en slaat een rummikubsteen op tafel. Heel soms mag ik de plaats innemen van iemand die net naar de wc is gegaan en is blijven roken. 'Kom,' roept Ilker dan plagend, 'we hebben je beloofd dat we met je zouden spelen. Zeg niet dat we ons niet aan ons woord houden.' Ik laat het me geen twee keer zeggen. Emel werkt vanavond over in het atelier. Kaynanam zit op haar plek. Haar haaknaald gaat geroutineerd heen en weer, en af en toe werpt ze een blik op een oude romantische film op de Turkse zender TRT. Jasmijn ligt languit op de bank voor de tv, een stukje rug schaamteloos bloot. Ik sta op uit respect wanneer mijn schoonvader de kamer binnenkomt. 'Ga toch zitten, mijn kind,' zegt hij. Jasmijn verroert geen vin.

Mijn schoonvader neemt in zijn nette pak met stropdas plaats aan de rummikubtafel. Rummikub is het enige wat deze casanova 's avonds thuis kan houden. Na het ontbijt zit hij in smetteloos donkere pakken, compleet met gesteven boord, manchetknopen en perfect bijpassende stropdas, de hele dag in de andere hoek van de bank zwijgend naar TRT te kijken. Klaar om elk moment te ontsnappen aan zijn saaie gezinsleven. Misschien probeert hij voor zichzelf te verbergen dat hij niet de rijke zakenman is geworden die hij graag zou willen zijn. Het enige waarop hij grip heeft, zijn zijn kleren. Zo waant hij zich machtig en belangrijk. Niemand mag aan zijn broeken en overhemden komen. Hij strijkt ze zelf, en perst keurige vouwen in de pantalons. Een zwarte aktetas – waarin voorheen goedkoop bestek zat – met daarin zijn paspoort en wat 'belangrijke' papieren, sjouwt hij overal mee naartoe. In de schuur staat hij stiekem met een zakmes of een stukje glas uren te schrappen aan zijn kunstgebit, in een eeuwig gevecht. Van zijn tandarts mag hij er niet aankomen, maar dat ding wil maar niet passen zoals hij het wil. Als de ene kant goed zit, krijgt hij pijn aan de andere kant.

Als oma binnenkomt sta ik op om mijn plek op de bank af te staan. Haar loopje heeft iets weg van dat van een pinguïn. Ze is klein en tenger en ziet er kwetsbaar uit. Hoe oud oma precies is weet niemand. De oudste levende man van haar familie, die rond de honderd jaar wordt geschat, was tien jaar getrouwd toen oma geboren werd. Daarom gaan haar kinderen ervan uit dat ze rond de zeventig moet zijn. In Turkije kookte ze, paste ze op de kleinkinderen en deed ze de was met de hand. Hier wordt alles voor haar gedaan en toch voelt ze zich niet thuis. Ze mist de *ezan*, de oproep tot gebed. Elke dag staat ze voor zonsopgang op voor het ochtendgebed. Ze leeft van gebed tot gebed, ze bidt vijf keer per dag. Overdag zit ze samen met kaynanam te breien. Ze houdt de klok in de gaten tot de gebedstijd en wast zich dan ritueel onder de ijskoude kraan in de wc. De badkamer vindt ze te ver. Alleen als het moet, kruipt ze een voor een de smalle treden op, doodsbang om te vallen. Voordat ze begint te bidden zegt ze soms dat wij het ook moeten doen. Emel, Jasmijn en ik plagen oma dat we daar te jong voor zijn. Ze kan er niet om lachen. Ze maakt zich oprecht zorgen om ons, maar ik erger me als ze voor de zoveelste keer vertelt over de gruwelen die ons in de hel te wachten staan. Na de verhalen over slangen die zo dik zijn als de nek van een kameel tot schorpioenen die zo groot zijn als een koe, die om ons heen zullen krioelen, laat Emel zich nog weleens overhalen om te bidden en daarna uit de Koran te lezen. Ik doe het alleen als ik er niet meer onderuit kan, met heilige nachten.

Ik ben klaar met het rondbrengen van de thee, en terwijl iedereen voorzichtig van de hete glazen begint te nippen, loop ik naar de zolder om de bruine plastic bak met familiefoto's te halen. Ik ga tussen kaynanam en oma zitten met de bak aan mijn voeten. Er liggen vier versleten albums met gescheurde kaften in, en een ordeloze berg losse foto's, onder het stof. Kaynanam legt haar handwerk opzij en bekijkt een foto van mijn schoonvader in een bruin pak met een enorme stropdas en kaynanam in een korte rok naast een lichtblauwe Chevrolet. Hij lijkt op een filmacteur. Zij op een fan: smalle heupen, dunne benen, haar golvende haren in het midden gescheiden.

'Wat waren jullie jong!'

'We zijn niet oud geboren,' reageert ze geprikkeld.

'Mooie auto, vader,' roep ik snel tegen mijn schoonvader. Verstoord kijkt hij op van zijn rummikubstenen. Wanneer kaynanam de foto in haar hand laat zien, fleurt hij op als een kind.

'Ik was gek op Amerikaanse auto's, liefst eentje met een acht-cilinder. Het zijn net beesten. Elk jaar gingen we met een andere Amerikaan naar Turkije. Daar keken we allemaal naar uit. Op de hoedenplank maakte ik voor Jasmijn een bedje. Daar sliep ze de hele weg.'

Jasmijn draait haar kont naar ons toe, waardoor haar halfblote rug erg zichtbaar wordt. Automatisch controleer ik mijn trui. Ilker valt mijn schoonvader in de rede: 'Een tijdje hebben we een Ford Transit gehad. Een GTI! Je wist meteen dat die van een Turk was!'

'GTI,' herhaalt Kaan voor mij en somt langzaam op, eerst in het Nederlands, daarna in het Turks: 'Gordijnen, trekhaak, imperiaal. Alle Turkse busjes kon je daaraan herkennen.' Ik begrijp het niet, maar lach alsnog mee om niet op te vallen. Als ik de foto in mijn handen houd, wijs ik op kaynanams korte rok.

'We waren pas in Nederland. Toen was het normaal,' zegt ze.

'Nu niet meer,' snauwt Jasmijn; de discussie over hoe kort een rok mag zijn hebben ze kennelijk vaker gehad.

Zowel Jasmijn en Emel als kaynanam kleden zich in Nederland kuiser dan ze op vakantie in Turkije deden. Kaynanam die aan de Middellandse Zee als een rode kalkoen in de zon zat in haar badpak, trekt hier geen shirts met korte mouwen aan en draagt binnen en buiten een hoofddoek. In Turkije is Allah zeker ook met vakantie.

Ilker en Kaan fantaseren soms hoe hun leven had uitgepakt als hun vader in Turkije was gebleven. Misschien hadden ze een vrachtwagenbedrijf en waren ze schatrijk. Maar Jasmijn is blij dat ze hier is geboren en getogen. Misschien zou ze in Turkije net zo verwend worden, maar ze zou zeker minder vrij zijn. Van haar ouders mag ze brutaal en eigenwijs zijn. Soms is ze net een wilde kat. In haar kamer draait ze keihard muziek, en ze gaat met haar Turkse vriendin op de fiets naar de stad, ook als we bezoek hebben. Niets wordt haar kwalijk genomen. Bijna iedereen die op bezoek komt, heeft haar als baby meegemaakt, dat verklaart het misschien. Stiekem ben ik jaloers op haar eigen wil, maar het ergert me mateloos dat Emel en ik eronder moeten lijden. Na het eten verdwijnt ze meteen naar haar kamer of ze zegt dat ze buikpijn heeft, zodat ze nooit hoeft af te wassen.

Het enige aangename aan Jasmijn is haar naam. Eigenlijk heet ze Yasemin, maar sinds de kleuterklas wordt haar naam consequent op de Nederlandse manier uitgesproken. Vooral Kaan en Ilker konden het lekker overdrijven tijdens hun zomervakantie: 'Jásmíjn!' Van hen kon ik het nog volgen; zij zijn in Nederland opgegroeid en de naam Jasmijn is voor hen net zo gewoon als Yasemin. Maar dat haar ouders haar ook zo noemden, vond ik toen ik hen pas kende maar raar. Ik vond dat ze te koop liepen met hun 'Europeesheid'. Alsof ze hun afkomst wilden verloochenen.

Jasmijn is twee jaar ouder dan ik en moest twee jaar geleden trouwen met Kadir, een verre neef. Mijn schoonouders durfden het hun beider oom niet te weigeren. Nu ze bijna achttien is en haar stagebegeleider haar een baan heeft aangeboden, kan ze haar man laten overkomen. Dat stelt ze liefst eeuwig uit. Ze treft met tegenzin voorbereidingen, stiekem hoopt ze dat hij zich bedenkt en niet naar Nederland wil komen. Terug naar het land van haar ouders zal zij in elk geval niet gaan.

Als schoonzus valt Jasmijn vies tegen. Ze lijkt zelfs ronduit een hekel aan me te hebben. Ik had gedacht dat ik het leuk zou hebben met mijn twee schoonzussen, maar Emel en Jasmijn trekken vooral naar elkaar. Mij zien ze nauwelijks staan.

Nog altijd introduceert Jasmijn me aan bekenden als 'onze importbruid'. De zus van je man is je tweede kaynana. Ze zegt dat ik dankbaar moet zijn dat zij mij hebben gekozen, dat zij mij hierheen hebben gehaald. Daar heb ik niet van terug, ik wou dolgraag naar Holland.

Laatst, toen ik weer eens iets niet goed deed in haar ogen, zei ze gemeen: 'Kaan wou niet eens met je trouwen. Hij was verliefd op een ander!' Ik wist niet wat ik hoorde en keek naar Kaan. Hij vermeed mijn blik en zei niets. Jasmijn vroeg waarom hij anders niet mee was toen zijn ouders om mijn hand kwamen vragen. Hij zat op het strand te zuipen en hoopte dat ik 'nee' zou zeggen. Kaan keek nog steeds naar de grond. Het was alsof de grond onder mijn voeten werd weggeslagen. Om niet te huilen waar Jasmijn bij was, ging ik naar boven.

Kaan kwam naast me op de matras zitten en probeerde mijn gezicht uit mijn armen te tillen. 'Laat me los,' riep ik zacht om Jasmijn het plezier van onze ruzie niet te gunnen. Hij ging naast me op het tapijt zitten. 'Wat Jasmijn heeft verteld is verleden tijd, toen kende ik jou nog niet. Ik houd van jou. Echt.'

Hij wou niet trouwen, omdat hij er nog niet aan toe was. Niet met mij of iemand anders. Maar hij had niets te kiezen. Zijn ouders hadden beloofd dat ze hem niet zouden dwingen om te trouwen. Anders was hij niet met ze op vakantie gegaan. Hij stemde na vier dagen in om te zorgen dat zijn moeder, tante, Emel en broer eindelijk ophielden met zeuren. Hij ging ervan uit dat ik 'nee' zou zeggen. Hij zei dat hij achteraf dolblij was dat ik wel instemde. Een vurige vrouw als ik had hij niet willen missen.

'Heb je me ooit bedrogen?' Ik keek aandachtig naar hem, zodat ik hem kon betrappen als hij zou liegen.

'Nee, vallaha,' zwoer hij.

'Je hebt me niet bedrogen toen ik in Turkije was en jij hier, omringd door Nederlandse meiden?' Ik vertrouw hem niet, en de meiden van hier nog minder. Allemaal potentiële verleidsters. Ik zie ze weleens in groepjes van twee of drie, giechelend in hun kleinste rokjes en topjes, en ze deinzen er niet voor terug om de jongens uitdagend aan te kijken.

'Nee,' zei Kaan, 'ik heb je nooit bedrogen.'

'Wat zou je doen als ik vreemd zou gaan?' vroeg ik poeslief. Niet dat ik me er iets bij kan voorstellen. Je moet wel gek zijn om een andere hand op je lichaam en een andere tong in je mond te verlangen dan die van je man.

'Dan ga ik van je scheiden,' zei hij zonder emotie. Ik begon weer te huilen. 'Als je echt van me hield, kon je het niet verkroppen. Je zou gek worden van jaloezie. Je zou me vermoorden.'

'Waarom zou ik in de gevangenis rotten voor een hoer? Geen vrouw is de moeite waard om iemand te vermoorden. Jij gaat jouw weg, ik de mijne. Zo simpel is het.'

'Ik zou je vermoorden,' zei ik overtuigd. 'Ik houd zoveel van je, als je vreemd zou gaan zou ik je vergiftigen of een pan vol hete olie op je ballen gieten terwijl je slaapt.' Vol verbijstering probeerde hij mijn logica te volgen.

'Oké,' zei hij, en hij klom op me en kneep mijn keel dicht. 'Jouw kut is van mij, alleen ik mag erin. Anders zal ik je wurgen. Nu tevreden?'

'Ja,' lachte ik hoestend, haalde zijn handen uit mijn hals los, trok mijn neus op en knuffelde hem dood.

'Kaan, houd je echt van me?'

'Hoe vaak moet ik het nog zeggen?'

'Heb je ooit een vriendin gehad?'

Hij ging naast me liggen met zijn arm in zijn nek. 'Niet echt. Mijn beste maat en ik hebben een keertje twee meiden versierd, omdat we het alleen niet durfden. Met haar heb ik in het Leijpark gezoend, rollend van een heuveltje.'

Ik wist niet of ik jaloers moest zijn. 'Hoe was je eerste keer?' Hij zweeg. 'Alsjeblieft. Ik wil het weten. Je weet ook alles van mij.'

'De hennanacht van een vriend hebben we in Den Haag gevierd. Daar zitten vrouwen voor de ramen onder rooie lampen. Mannen gaan daar winkelen voor seks of windowshoppen.' Ik was stomverbaasd te horen dat zoiets bestond. In Turkije hóór je alleen over hoeren, je ziet ze nooit. Ramen vol halfblote vrouwen. Jonge, oude, mooie, beeldschone, lelijke, dure, goedkope. Dat ze niet naakt waren viel me tegen. Sommige kamers schijnen spiegels aan het plafond te hebben.

Hij zweeg weer. 'Kom op,' drong ik aan.

'Waarom vraag je dat allemaal?' zei hij ongemakkelijk en een beetje geërgerd. Ik wilde gerechtigheid. Hij heeft niet op mij hoeven wachten zoals ik op hem heb gewacht. Het stelde niets voor, beweerde hij. Binnen vijf minuten stond hij weer buiten. Al was het jaren geleden, toch voelde ik een soort walging in mijn maag.

'Je hoeft niet jaloers te zijn,' zei hij. 'Dat was lang voordat ik jou leerde kennen. Met die hoer heb ik geneukt, maar met jou bedrijf ik de liefde.'

'Waar heb je die uitspraak nou weer vandaan?'

'Laat maar,' zei hij en begon me te zoenen.

Ik vis lukraak een foto uit de bak en zie een enorme groep mensen.

'Was er weer een bruiloft?' vraag ik. De foto blijkt genomen te zijn in de beginjaren van het gezin in Tilburg. Vol weemoed vertelt kaynanam hoe ze met een aantal families elk weekend bij elkaar kwamen. Rond de twintig kinderen. Eén iemand had een videospeler, waarop ze Turkse films en Bollywoodfilms keken. Mannen gingen naar een Turks café of zaten thuis te kaarten onder het ge-

68

not van raki, whisky of wat ze aan alcohol in huis hadden. Oma klakt afkeurend met haar tong. Ze sist giftig dat haar zonen uit Hollanda en Almanya geld hadden om te feesten, maar niet voor hun arme moeder.

'Het is nooit genoeg,' kapt kaynanam haar af. Demonstratief staat oma op en gaat naar bed.

'Blijf nou zitten,' sust mijn schoonvader, 'het is nog vroeg voor het avondgebed.' Oma antwoordt dat hij nooit de man in huis is geweest en dat ook nooit zal worden. Even hangt er een pijnlijke stilte.

Om die te verbreken vraag ik wat ze met de kinderen deden. Kaan zegt dat de kleintjes soms onder de eettafel in slaap vielen. Hij en de rest speelden tot diep in de nacht buiten. Ik bestook kaynanam met vragen of het allemaal wel goed ging met zo veel vrouwen en of er geen nijd of ruzie was over wie de afwas moest doen of wie er moest bedienen. Ze vertelt dat ze alles gezamenlijk deden. Overal op de grond spreidden ze dekbedden omdat er nooit genoeg matrassen waren want iedereen bleef logeren. Wie het potje kaarten of rummikub verloor, was de volgende week aan de beurt om gastgezin te spelen. De gezellige bijeenkomsten werden verleden tijd met de komst van schoondochters uit Turkije. De gezinnen werden te groot om iedereen een slaapplaats te kunnen bieden.

Als er bezoek is, wordt er steevast volop gepraat over die goeie ouwe tijd. Bijna alle Turken in Tilburg kennen elkaar. Ze houden elkaar in de gaten. Als meisjes alleen in de McDonald's of in de stad zijn gesignaleerd, weten hun ouders het al voordat ze thuis zijn. Alles kan stof zijn tot roddelen. Wie doet wat? Wie heeft hoeveel geld? Hoeveel huizen en grond heeft iemand in Turkije? Wiens dochter of schoondochter deugt niet? Wiens zoon is aan de drank, drugs of gokt? Het is een publiek geheim dat mijn schoonouders en hun vrienden zonder uitzondering problemen met hun kinderen hebben. De mannen kletsen vol overgave mee, tussen het kaarten of rummikuppen door. Ze verlangen gezamenlijk terug naar de tijd dat hun kinderen nog klein waren en het leven zo makkelijk was.

In het album staan de oudste foto's geplakt. Op de eerste pagina de enige trouwfoto van mijn schoonouders. Een foto was toentertijd iets heel bijzonders in het dorp. Mijn schoonvader is niet veel veranderd, behalve dat hij toen nog haar had. Nu kamt hij zijn lange grijze slierten aan de linkerkant omhoog om er zijn kale hoofd mee te bedekken. Kaynanam ziet er op de foto jong en prachtig uit. Onder een fez bezet met gouden munten vandaan komen twee lange vlechten. 'Die munten waren nep,' vertrouwt ze me toe. In plaats van een bruidsjurk heeft ze een fluwelen lange jurk aan die op een overjas lijkt en die rijkelijk is geborduurd met bloemen en takken. Haar ouderwetse klederdracht *bindalli** herken ik van cultuurprogramma's op televisie. Tot mijn teleurstelling begrijp ik dat ze er niet elke dag in liep. Ze mocht hem lenen van een rijk familielid. Ik weet dat mijn schoonouders neef en nicht van elkaar zijn. Als ik vraag hoe het komt dat ze zijn getrouwd, zegt kaynanam zoals altijd met veel ontzag: 'Het lot, alleen Allah weet wat hij met ons van plan is. Een mens rest niets dan zijn lot te accepteren.'

De moeders van mijn schoonouders, twee zussen, besloten dat hun kinderen met elkaar moesten trouwen. Kaynanam was zestien. Mijn schoonvader een tien jaar oudere, arme vrachtwagenchauffeur. Al zegt hij constant dat zijn vrouw een vrouw apart is, erg zuinig op haar is hij nooit geweest.

Toen hij naar Nederland kwam, was mijn schoonvader niet een van de eerste gastarbeiders. Voor hem geen warm onthaal, zoals sommigen van zijn vrienden wel kregen. In een vliegtuig vol donkerharige mannen in hun beste kleren arriveerde hij op Schiphol. Er was werk voor hem in Tilburg, waar al verschillende dorpsgenoten van hem woonden. Hij logeerde in een pension vol Turkse mannen.

'Dag en nacht werkten we, maar we verdienden ook goed.' Hij zou geld sparen voor een vrachtwagen, maar omdat hij het meeste ervan uitgaf aan vrouwen, en later ook aan drinken en gokken, liet hij na een paar jaar zijn vrouw overkomen. Met een geregeld leven

* Traditionele klederdracht voor vrouwen.

zou hij sneller kunnen sparen. 'Tot die tijd waren we net vrijgezellen!' schiet hij even uit zijn brave rol, waarna hij beweert dat hij op het slechte eten en de vuile was doelde. Toen mijn schoonvader in Nederland was, stuurde zijn vrouw hem eens een foto. Speciaal voor hem had ze met een oogpotlood een moedervlek op haar wang getekend. Dat heeft mijn schoonvader maandenlang hoofdbrekens gekost: 'Had mijn vrouw een moedervlek op d'r wang of niet?'

Toen mijn schoonvader er via dorpsgenoten achter kwam dat je voor je kinderen in Turkije kinderbijslag kon aanvragen, ging hij in het stadje Kaman, waar het geboorteregister van het dorp werd bijgehouden, geboorteaktes halen voor zijn kinderen. Met wat smeergeld wilden de ambtenaren ook zijn neven en nichten met dezelfde achternaam op zijn naam zetten. Tien, twaalf kinderen, wat maakt het uit? 'Iedereen doet dat,' verzekerde de ambtenaar. In Europa dachten ze dat Turkse mannen vier vrouwen hadden, die aan de lopende band kinderen kregen. Toen de ambtenaren werden gesnapt en er een grote controle zou komen, staken ze gewoon het gebouw in brand. Daarna moest iedereen zijn kinderen maar opnieuw gaan opgeven. Verjaardagen zeiden mijn schoonouders niets, die vierden ze nooit. Dat deed niemand die ze kenden. Ilker is geboren in 1966 of 1967 toen de aardappelen geoogst werden. Kaan bijna gelijk met de kalveren in 1970. Voor het gemak hielden de ambtenaren het op 1 januari. Dat deden ze van oudsher bij iedereen van wie de geboortedag niet bekend was. Alleen Jasmijns geboortedatum klopt, maar ze is dan ook in Nederland geboren.

Ook mijn geboortejaar klopt niet, maar om een andere reden. Mijn vader was in militaire dienst toen ik geboren werd en opa verzuimde me in te schrijven bij de gemeente. Met een jaar vertraging heeft papa me alsnog ingeschreven. Zodoende werd ik een jaar jonger. Mij maakte het niets uit: veertien of vijftien. Maar omdat ik in ieder geval nog geen zestien was, mocht ik officieel niet trouwen. Mijn vader moest een rechtszaak aanspannen en aan de hand van een doktersverklaring 'bewijzen' dat ik zestien was. Een bevriende arts in het ziekenhuis was bereid mijn leeftijd aan te passen. Van dit gedoe raakte ik totaal in de war. Niet dat het zo ingewikkeld was, maar van twee leuke jongens in witte jassen die me meenamen voor de benodigde röntgenfoto van mijn hand. Toen de knapste, met grove krullen, een rond gezicht en een zachte blik, mijn hand vasthield om die onder het apparaat te leggen, trilden mijn benen. Twee keer mislukte de foto totdat papa hen geïrriteerd maande hun werk goed te doen. Drie keer hield hij mijn hand vast en zocht hij mijn schuchtere blikken. Drie keer beefde de wereld onder mijn voeten. Nachtenlang heb ik hem niet uit mijn hoofd kunnen zetten. Ik voelde me schuldig tegenover Kaan, en wachtte vergeefs op dezelfde rilling als Kaan me aanraakte. Soms douchte ik met koud water in de hoop dat een groter temperatuurverschil dezelfde sensatie zou opleveren. Maar dat gevoel heb ik nooit meer ervaren. Af en toe schrik ik nog steeds wakker van die jongen.

Na de 'verbetering' klopt mijn geboortejaar natuurlijk nog steeds niet. Tegenwoordig zeg ik alleen mijn echte leeftijd (vijftien), en als ik papieren moet invullen, schrijf ik wat er in mijn paspoort staat (zestien).

Toen mijn kaynanam zich eindelijk bij mijn schoonvader in Nederland voegde, was Kaan twee jaar. Oma was tegen haar vertrek omdat 'een vrouw thuis hoort'. De meesten van kaynanams vriendinnen hebben nog nooit buitenshuis gewerkt. Kaynanam is vooruitstrevend, of ze houdt te veel van geld. De jongens bleven bij oma. Kaan heeft zijn moeder niet gemist. Zijn oma noemt hij nog steeds 'liefje'. Hij heeft haar tepels kapotgespeeld. Als ze niet zijn oma was, zou ik jaloers zijn.

Toen ze pas in Tilburg was werkte kaynanam in de touwfabriek om de hoek, schuin tegenover de frietzaak van Johan. Toen Kaan vijf jaar oud was, hebben zijn ouders hem en Ilker toch maar meegenomen naar Holland. Als zijn moeder niet in de middagploeg zat, maakte ze na schooltijd een kwart Turks brood klaar met worst met eieren. Ze schonk thee in oude jam- en chocoladepastapotten. Mokken waren te klein en gingen vaak stuk. Zo zaten ze op de grond te eten alsof ze aan een hongersnood waren ontsnapt. Vier jaar geleden, toen Ilker met Emel ging trouwen, is kaynanam gestopt met haar werk. Ze is bezweken onder de druk van haar dorpsgenotes. Een kaynana hoort haar schoondochter thuis een goed voorbeeld te geven en te leren hoe ze een goede huisvrouw wordt. Veel tijd om Emel in te werken heeft ze niet gehad. Naaiateliers schoten indertijd als paddestoelen uit de grond. In een daarvan ging Emel bijna direct aan de slag. Van de touwfabriek is alleen het vervallen gebouw over. Ingegooide ramen gapen 's nachts in de duisternis. Het is moeilijk te geloven dat het hier voor het instorten van de textielindustrie een levendige boel is geweest. Op een van de foto's staat kaynanam met haar kinderen tussen de draden die naar een machine lopen om tot garen omwikkeld te worden. Als de kinderen haar bezochten, kregen ze altijd geld om een blikje cola uit de automaat te trekken. Wellicht wilde ze goedmaken dat ze tussen de middag vaak bij een friettent moesten gaan lunchen. Kaan werd jarenlang alleen al van het woordje friet misselijk.

Van het kijken naar de foto van de touwfabriek krijg ik daar juist vreselijk zin in.

'Laten we friet gaan halen!' roep ik zodat iedereen me aanstaart. Van kaynanam mag het, als we eerst Emel ophalen van het naaiatelier.

Emels werk is in een groot loodsachtig gebouw op een industrieterrein in Tilburg-Noord. Voor we binnen zijn, hoor ik al de Turkse muziek en het geratel van de naaimachines. Ik volg Kaan naar een zaal die hel verlicht wordt door tl-buizen die laag boven twee lange rijen machines hangen. Bij elke machine reikt een snoer als een navelstreng naar het stopcontact bij de tl-buizen. Het is alsof het nog middag is. Mannen en vrouwen drukken driftig op het gaspedaal, alsof ze in een roes verkeren door het pessimistische gekweel dat uit de luidsprekers klinkt. Naaiateliermedewerkers zijn veelal illegalen, laagopgeleiden of zwartverdieners. Het is geestdodend werk, maar het leven in Nederland is duur en met alleen een uitkering kun je op vakantie in Turkije niet zo veel geld uitgeven. Ze zitten er minimaal acht uur per dag. Naast rugpijn hebben ze vaak last van een steenpuist op hun kont.

We passeren honderden jassen van prachtig rood tot gifgroen en afschuwelijk geel die binnenstebuiten op de vloer liggen. Emel zegt 'hoi', maar blijft doorwerken achter haar machine. Het ziet er ingewikkeld uit, met vijf draden tegelijk. 'Dit is dus een lok.' Emel is een 'lokster'.

De zogeheten lopers zijn manusjes-van-alles: ze knippen draadjes van voltooide kleren, vegen de zaal of brengen kleren van de ene lokster naar de andere. 'Strijkers' zijn mannen. Ze hebben een soort pop-romp die zich opblaast met stoom als er een jas omheen wordt gespannen.

Ik vroeg me altijd al af hoe ze een voering in een jas krijgen zonder dat je de stiknaden ziet en kijk aandachtig hoe iemand een jas binnenstebuiten haalt. Zijn hand verdwijnt in een gat iets groter dan een vuist in de voering van de rechtermouw. In één soepele beweging trekt hij de jas erdoorheen.

'Wie is de baas?' fluister ik zachtjes in Emels oor. Ze zegt dat hij er niet is, maar dat ik hem ongetwijfeld kan herkennen aan zijn gouden sieraden en de gebedskraaltjes waar hij onophoudelijk mee speelt. 'Gadver,' giechelen we.

Na negen uur stoppen de machines voor een pauze. In de kantine waar Emel haar handtas pakt schud ik twaalf vrouwen de hand. De meesten zijn in de twintig. Een paar hebben een permanent in hun haar of dragen strakke broeken. Eentje houdt met een zwartleren riem haar wijde spijkerbroek om haar middel. De vorm van haar billen is duidelijk te zien. Ik probeer niet naar haar kont te staren. De vrouwen zijn erg amicaal en doen alsof ze me al jaren kennen. Ze zijn door Emel geïnformeerd. Sommigen lijken mijn man en hele schoonfamilie te kennen en hebben me zelfs gezien op mijn bruiloft.

'Mooie jurk had je aan, maar je bh-bandje was te zien,' zegt een geblondeerd meisje.

'Dat hoorde bij mijn jurk.'

We zetten Emel thuis af en rijden door tot het eind van de straat naar de friettent van Johan.

'Hé, hoe is ie?' groet hij ons vriendelijk als altijd. Na het 'goed hé' van Kaan kan ik de rest niet volgen. Maar als hij vijf gulden op de toonbank legt, weet ik dat we de lekkerste gefrituurde aardappels van de hele wereld en een zakje gesnipperde uien meekrijgen in een papieren zak met het gele logo van zijn zaak.

74

De Smulhoek, de tent van Johan, is amper drie bij drie meter. Het ruikt er naar gefrituurde olie, maar alles blinkt. Met een doek snelt hij soms toe om vinger- en handafdrukken van het glas van de toonbank te poetsen. In de hoek staat een gokautomaat zoals in films over Las Vegas, maar dan met een knopje in plaats van een arm. Ilker kan het nooit laten er geld in te gooien.

Ik dacht dat alle Nederlanders er zoals Ilker uitzagen: lang, blond en met blauwe ogen. Onbekenden denken vaak dat hij een Nederlander is. Johan van de snackbar voldoet precies aan datzelfde beeld. We vertrouwen hem blindelings. Kaan zegt dat als een Nederlander beweert dat er geen varkensvlees in een snack zit, je het van hem mag aannemen, omdat hij respect heeft voor ons geloof. 'Een Turk denkt alleen aan zijn winst!' Hij laat mij geen shoarma eten sinds hij weet dat een Turk hem varkensvlees liet eten, terwijl hij zwoer dat het lamsvlees was.

In de Smulhoek kun je van 's middags tot 's avonds laat friet, kipstaafjes met krokante buitenkant en kaassoufflés eten. Die worden van elkaar gescheiden door witte plastic houders met groen papier erop. Het moet waarschijnlijk versiering voorstellen. Ik vind het een raar gezicht. Ik zou al die verschillende snacks aan mijn ouders, broer en zus willen laten proeven. Ze zouden het heerlijk vinden. Niets gaat door mijn keel zonder dat ik me afvraag wat ze ervan zouden vinden. Maar ik zal waarschijnlijk nooit met hen samen van Johans rundvleeskroketten en kipfrikadellen genieten.

Hij verkoopt ook smerige zwarte zoute snoepjes waarvan ik hun de smaak zal besparen. Ik moest er bijna van overgeven. Ze smaken naar anijs en plakken aan je tanden als gesmolten asfalt.

Op een avond na het eten vond Kaan dat ik lang genoeg in Nederland was om alleen naar Johan te gaan. Ik kon best even een pakje Brandaris en vloeitjes halen. Hij eet je heus niet op, zei hij, en schreef het niet eens op; ook na al mijn aandringen. De hele vijfhonderd meter lang herhaalde ik de tekst. Ik wees een pakje Brandaris aan. Johan pakte de Drum, die ernaast lag. Ik hield mijn wijsvinger omhoog en stotterde zenuwachtig: 'Barannadaries en vlooitje.' Sindsdien glimlacht hij altijd naar mij. Opgewonden over mijn succes stak ik de straat over zonder te kijken. Een fietser die zomaar uit het niets verscheen, kon net op tijd remmen. Ze vloog bijna over het stuur. 'Sorry,' zei ik tegen haar. Als ik kon, had ik haar uitgelegd dat ik helemaal alleen een pakje shag had gekocht en dat het winnen van olympisch goud zo moest voelen. Ze mompelde wat en fietste verder. Mijn stappen werden sneller, even dacht ik dat ik kon vliegen. Thuis wilde ik iedereen vertellen over mijn overwinning. Jasmijn stond in de keuken te roken. 'Goh, wat een prestatie,' was haar reactie. Ze doofde haar halve sigaret onder de kraan, gooide haar pakje in de rommellade en haar peuk in de prullenbak. 'Ga je voortaan ook mijn sigaretten kopen? Kun je lekker oefenen.' Maar zelfs naar Johan mag ik niet zonder toestemming van kaynanam.

Het opeten van de friet is een heel ritueel. Jasmijn, Emel en ik gaan op de grond zitten zoals altijd. Emel scheurt de grote papieren zak boven een ronde aluminium ovenschaal op de salontafel. Ik schenk cola in. Jasmijn knijpt mayonaise, ketchup en curry uit plastic flessen, en dan kunnen we aanvallen. Vorkjes zijn alleen voor de laatste stukjes die in de saus baden. De zoetzure smaak van curry is vreemd, maar wel lekker. Liever geen mayonaise aan mijn kant. Het is glibberig. Kaan maakt altijd een frietje oorlog, wat ik een domme naam vind voor wat saus en ui op je friet.

Na het eten graai ik verder in de bak met foto's. Onderop liggen beschadigde klassenfoto's, rapporten en zwemdiploma's waarvan de inkt is uitgelopen. Van Kaan weet ik dat zijn ouders nooit naar ouderavonden gingen. Ze kenden de taal niet. Jasmijn mocht groep 5 overslaan, maar wou toch naar de huishoudschool zoals al haar vriendinnen. Kaan ging naar de lts. Ilker werd drie maanden voor zijn afstuderen als lasser van school getrapt omdat hij na schooltijd een leraar onder handen had genomen die gezegd had dat hij 'alle Turken haatte'. Zijn ouders vinden het jammer dat hij zijn diploma is misgelopen, maar Ilker zit er niet mee. Hij is een versierder, glad als een natte zeep, en hij zat toch liever achter de meisjes aan dan op school. Hij is de tel kwijt hoeveel vriendinnen hij heeft gehad. Allemaal Nederlandse meiden; als je met dochters en zussen van Turken rommelt, krijg je problemen. Daarnaast had hij een lucratieve hobby: het stelen, ombouwen en doorverkopen van Zundapps en Honda MT's. Geheimzinnig doet Kaan er niet over. 'Ilkers brommers' waren de beste en reden ruim honderdtwintig kilometer per uur. Vaak moesten zijn ouders bijspringen; de ene keer liep hij tegen een wrak aan dat hij moest opknappen en een andere keer had hij onderdelen nodig. Het geld dat hij op die manier van zijn ouders lospeuterde, gaf hij uit in goktenten en cafés. Zijn ouders wisten niet dat hij aan zijn hobby geld overhield, tot ze hem van het politiebureau moesten ophalen.

Ook Kaan kwam als kind geregeld met nieuw speelgoed thuis. 'Mijn ouders vroegen nooit waar ik het vandaan had, hoewel mijn zakgeld een knaak per week was.' Hij werd betrapt toen hij met een paar dure sportschoenen een winkel wilde verlaten. Omdat hij nog maar een bibberende twaalfjarige was, liep het met een sisser af. Dat was zijn laatste keer. Jasmijn stal niets, behalve een keer bij de Hema. Vier jaar was ze. Haar ouders dachten dat ze verdwaald was. Ze vonden haar buiten, waar ze op een worst zat te kauwen.

'Ze had hem bijna op,' vertelde haar vader gierend. Als mijn kind een hele varkensworst zou verorberen, zou ik mijn vinger in zijn keel stoppen tot zijn maag binnenstebuiten keert en zijn mond duizendmaal spoelen.

Op een foto staat Jasmijn, een jaar of zeven, in een verpleegstersjurk innig gearmd met een meisje van haar leeftijd met blonde krullen en dezelfde witte jurk.

'Dat was carnaval,' zegt ze als ik het haar laat zien. Ze mocht eraan meedoen met haar buurmeisje en vriendinnetje Lia. Tante Ria, de buurvrouw, had ook voor Jasmijn een jurk genaaid. Lia's broer André was de beste vriend van Kaan. Na school paste tante Ria op hem en Jasmijn. Tante Ria kwam vaak koffiedrinken, en als kaynanam weer eens druivenbladen rolde of broodjes bakte ging er altijd een bord vol naar haar. Aan het contact kwam een einde toen ze gingen verhuizen naar de andere kant van de stad. Sindsdien hebben ze elkaar niet meer gezien, wat mijn schoonouders oprecht jammer vinden. Haar familie was het enige Nederlandse gezin in hun kennissenkring, maar mijn schoonouders zijn nooit bij hen thuis geweest. En Kaan heeft zijn beste vriend nooit meer gezien sinds zijn vertrek; nu heeft hij er geen behoefte meer aan hem op te zoeken. 'Zo gaan die dingen.' Verbitterd of verwijtend heb ik mijn schoonouders nooit over Nederland of Nederlanders horen praten. 'Moge Allah tevreden zijn over dit land. Op een bord waarvan je eet schijt je niet,' zeggen ze steevast.

Op meer dan de helft van alle foto's is Jasmijn te zien: kruipend, fietsend, met vriendinnetjes, schommelend, op het schoolplein. Alsof ze maar één kind hebben van wie het de moeite waard was de ontwikkeling vast te leggen. Als ik vraag waarom er amper foto's uit de kinderjaren van Kaan en Ilker zijn, kijkt Ilker kwaad: 'Mij hebben ze achtergelaten bij oma.'

'Mij ook,' roept Kaan verontwaardigd.

'Jij was nog klein! Ik rende hen achterna tot het einde van het dorp, maar ze stopten niet. Ik zakte midden op de weg in elkaar van het huilen. Oma moest me naar huis terug sleuren.' Hij heeft zichtbaar moeite zijn tranen te bedwingen. Zo emotioneel heb ik hem nog nooit gezien.

'Jullie zeggen: "Ach, Ilker, die is sterk. Hij kan alles aan", maar niemand weet hoe vreselijk ik het heb gevonden als een wees te moeten opgroeien.'

Kaynanam lacht. 'Kom, mijn zoon,' slaat ze zich op haar dijen, 'je mag alsnog op mijn schoot zitten.'

'"Dit zijn jullie ouders," zei oma het jaar erop tegen Kaan en mij. Jullie namen wat snoep mee en cadeautjes en dachten daarmee jullie afwezigheid goed te maken.' Het is oorverdovend stil. En het is weer Ilker die de stilte verbreekt. 'Laat maar. Het is jouw beurt,' zegt hij tegen Kaan die braaf een rummikubsteen gooit. Ik houd me in om niet te huilen.

'Wat heb jij ermee te maken?' vraagt kaynanam.

Mijn oog valt op een foto waarop Kaan een jaar of tien is, gemaakt door tante Ria, over de schutting. Hij zit in de achtertuin gebakken eieren te eten uit een koekenpan. Zijn ogen schitteren, en hij heeft een kuiltje in zijn linkerwang. Ik moet me inhouden om mijn lippen niet eerst op de foto en daarna op Kaans lippen te drukken. Ik wil mijn hele leven lang voor hem zorgen, hem behoeden voor al het kwaad op de wereld, zodat hij altijd gelukkig kan zijn zoals op dat ene moment dat is vastgelegd op de foto in mijn handen.

Zijn geschiedenis ligt nu aan mijn voeten. Kaan in een overall tijdens zijn eerste stage. Kaan terwijl hij de Koran bestudeert. 'Ik wist niet dat je koranles hebt gehad.'

'Ik was erg gemotiveerd, maar ik ben gestopt toen de imam zei dat mijn vader een zuiplap is en dat ik later net zoals hij zou worden.' Mijn schoonvader kucht. 'Zal ik water voor je halen, pa?' vraagt Kaan smerig.

Een foto van mijn schoonvader in een donkerbruine stofjas met een paar mannen naast een machine die twee keer zo hoog is als zijzelf. 'Toen was ik net een paar maanden hier,' zegt hij als ik het hem laat zien. Zoals vele Turken in Tilburg en omgeving, werkte hij in ploegendiensten bij een leerfabriek in Waalwijk, waar hij natte koeienhuid in chemisch spul sopte. Zijn handschoenen raakten doorweekt en hij kreeg uitslag en wondjes tot op zijn schouders. Later heeft hij andere zware banen gehad, onder andere bij Michelin en Daf. Halverwege de jaren tachtig belandde hij met vage rugklachten tot zijn tevredenheid in de WAO. Later kom ik een foto tegen waarop hij voor extra inkomen tomaten en komkommers verkoopt in zijn blauwe Ford Transitbusje op de bruiloften van dorpsgenoten in heel Duitsland of in de cafés en straten van Noord-Rijnland-Westfalen, waar veel landgenoten wonen. En een foto waarop hij het glas heft in een café met enkele vrienden, een sigaret bungelend aan zijn lippen.

'Mijn jonge, snelle jaren,' licht hij toe.

'Alsof je snelheid ooit is afgenomen,' spot Ilker tot ontevredenheid van zijn vader. Vaak moest kaynanam met Kaan of Ilker hem uit een Turks café of van een illegale goktafel plukken. De jongens moesten in de auto wachten; zij ging naar binnen. Dat ze dat durfde!

In de loop der jaren heeft mijn schoonvader verschillende trucjes ontwikkeld om thuis te kunnen drinken. Hij richt zijn kofferbak in als bar, compleet met Turkse feta voor bij de raki. Als kaynanam nadert, pakt hij gereedschap uit de kofferbak en slaat die dicht. Het zijn inmiddels bekende taferelen. Een nacht rook kaynanam alcohol in de slaapkamer, maar ze kon niets onder het bed vinden. Hij zwoer dat hij niet dronk, maar hij had de fles aan een touwtje waarmee hij die omhoogtrok als ze onder het bed dook. Nu kan ze erom lachen. Toen niet.

Het is inmiddels al bij twaalven en mijn schoonvader heeft genoeg gehoord over zijn slechte gewoontes. Hij gaat naar bed. Ik sta ook op in de hoop dat Kaan met me meekomt en dat we nog wat kunnen praten over Ilker. Maar als we in bed liggen kapt hij me af met 'welterusten, ik ben moe'. Ik had het kunnen weten; over gevoelige onderwerpen praat hij niet. Als ik het hem verwijt, antwoordt hij geïrriteerd. 'Ik werk als een paard en lig niet zoals jij tot 's middags in bed. Mag ik nu gaan slapen?'

De volgende middag staar ik met een witte wasmand in mijn handen door de vitrage naar het verlaten parkje aan de overkant. Het is dinsdag of misschien woensdag, maar het kan net zo goed donderdag zijn.

Elke werkdag is hetzelfde als de dag ervoor, alsof hij overgetrokken is met carbonpapier. Ik weet niet meer of ik het huis gisteren heb gedweild of eergisteren. Gelukkig is kaynanam niet erg precies in het huishouden. Zal ik vandaag stoffen of morgen? Dat is de belangrijkste beslissing die ik moet nemen. Elke dag sleep ik me naar onze matras nadat ik Kaan heb uitgezwaaid, om onder het dekbed mijn ogen stevig dicht te knijpen tot ik in slaap val. Zo dood ik in elk geval de helft van de tijd. De rest lijkt eindeloos. De hele middag loop ik heen en weer tussen woonkamer, keuken, badkamer en slaapkamers, als een muis die in een rad ronddraait. Als mijn schoonouders niet thuis zouden zijn, zou ik rond vijf uur opstaan om snel te koken, niet eerder.

Als ik in Turkije aan het leven dacht dat we in Nederland zouden leiden, stond ik er nooit bij stil dat Kaan elke dag naar zijn werk zou moeten. Elke ochtend smeek ik als zijn wekker gaat of hij zich ziek wil melden – hij wordt gewoon doorbetaald! – maar hij rijdt braaf naar zijn werk. Sinds hij van de sloop een schreeuwlelijke oranje Toyota heeft gekocht en opgeknapt, ben ik niet meer bang dat hij met zijn fiets zal verongelukken. Als hij thuiskomt, ren ik op hem af. Het liefst zou ik zijn gezicht schoonlikken. Ik noem hem *sebeb-i hayatim*,* wat Jasmijn belachelijk vindt. Dat ik dat meen, wil

* Reden des levens.

80

bij haar niet doordringen. Volgens haar is 'mijn overdreven aandacht' van tijdelijke aard, een maand of zes, zeven, hooguit twee jaar. Dan ben ik hem beu. Ik kijk uit naar de weekenden, maar ik haat ze tegelijkertijd. Als zijn beste vriend voor de deur staat om met Kaan naar het café te gaan, glundert hij alsof hij een gevangenis verlaat. Als ik zeg dat ik het niet leuk vind dat hij zonder mij weggaat, zegt hij dat ik niet moet zeiken. Zijn aandacht heb ik alleen in bed. Hij is gelukkig als hij met me vrijt. Ik maak hem gelukkig, zo vaak als het kan, al heb ik soms geen zin in douchen of voel ik me niet lekker. Ik lok hem en daag hem uit. Hij moet verslaafd aan me worden. Hij moet zich niet bezighouden met die domme auto's waar hij eindeloos over kan vertellen. Ik ondervraag hem uitgebreid over zijn jeugd, waarover hij alleen maar leuke dingen vertelt. Het voelt dan alsof we nog steeds verloofd zijn en ik kan mijn ogen niet geloven dat hij naast me ligt.

Weer of geen weer, in het weekend slapen we uit. Kaynanam geeft ons wat dat betreft alle vrijheid omdat ze zelf elke dag om zes uur op moest van haar eigen schoonmoeder. Deze onconventionele houding van kaynanam tegenover haar schoondochters roept verbazing op van dorpsgenoten en gezonde jaloezie van andere schoondochters. Hoe kan ze toestaan dat Emel en ik uitslapen? Sterker nog, ze laat ons niet alleen slapen 'nu we nog jong zijn en daar zin in hebben', met haar man bereidt ze elke zondag in de schuur Turkse broodjes. Ze opent het deeg en belegt het met gehakt, aardappelen of kaas en eieren en hij bakt die op een traditionele staalplaat op gas. Als we om een uur of twaalf onze nesten uit komen, veelal met natte haren van boy abdesti, zijn mijn schoonouders bijna klaar. Emel en ik dekken de keukentafel, maken thee en zetten onze witte krukken klaar voor een heerlijk ontbijt. Daar hoor je mij niet over klagen.

Soms gaan Kaan en ik naar de stad. Ik ben dol op de hele winkelstraat. In Turkije zijn de winkels verspreid over de stad. Ik kijk mijn ogen uit. Ik vind Miss Etam, H&M en V&D leuker dan de helverlichte Wibra. Nergens word je lastiggevallen door verkopers die je van alles proberen te slijten, maar je kunt ook niet afdingen. Aan alle kleren hangen kaartjes. In Turkije verandert de prijs per klant. Veel schoenenwinkels zijn te duur voor ons budget, die lopen we voorbij. Alleen als er schoenen buiten staan, bekijk ik ze vluchtig. Het voelt alsof ik ze niet mag bewonderen, omdat ik ze toch niet kan betalen. Andere schoenenwinkels lopen we in en uit. Kaan zeurt altijd dat hij rugpijn krijgt van het lopen, maar ik krijg niet genoeg van al die rekken vol schoenen in mijn maat. Op koopavonden kleedt hij zich expres niet om na zijn werk, zodat ik me ongemakkelijk voel door zijn vieze kleren en nergens lang blijf hangen. Als ik iets wil kopen zegt Kaan dat hij geen geld heeft, maar op de terugweg eten we wel bij McDonald's. Thuis zeggen we niet dat we iets hebben gegeten, dat vindt kaynanam zonde van het geld.

Na een wandeling of als we terugkomen van het doelloos winkelen, rennen we vanaf het park naar huis. Hij wint altijd. Soms geeft hij me tien stappen voorsprong. Ook dan belt hij eerder aan dan ik.

Als Kaan 's avonds even kan spijbelen van het rummikuppen, maken we een wandeling door het park.

Af en toe rijdt er een fietser voorbij of een auto. Met een diepe zucht gooi ik de witte was op Emels bed. Ze zegt altijd 'in mijn kamer' of 'op mijn bed' als ik iets voor haar moet gaan halen, alsof ze er alleen slaapt. Ik ga op de rand van het bed zitten en steek een sigaret op. Aan het idee dat ik ook voor de onderbroeken van Kaans vader en broer moet zorgen, heb ik nog niet kunnen wennen. Van wie zou dit hemd zijn? Ik draai het goed, houd het bij de schouders vast, sla het twee keer om, vouw het precies in het midden, strijk het glad met mijn handen, nog een keer dubbelvouwen, strijken, tot een perfect pakje. Naarmate de stapel hoger wordt, hoor ik het getiktak van de klok steeds harder. Alsof hij net als ik op het punt staat te ontploffen van verveling.

In plaats van hier in huis rond te hangen, zou ik ook naar Nederlandse les kunnen gaan, maar dat vindt kaynanam niet goed. 'Kaan spreekt genoeg voor jullie beiden. Bovendien is het zonde van het geld. Je zult het toch nooit leren. Als je je tijd goed wilt besteden, mag je gaan werken in een naaiatelier. Wat voor Emel goed is, is ook goed voor jou.' Ik vind het niet leuk als Jasmijn, Kaan en Ilker grappen maken in het Nederlands. Kaans ondertiteling komt altijd te laat en dus kan ik zelden meelachen. Als ik zeker wist dat ik de taal zou kunnen leren, zou ik mezelf beloven dat ik niet zal opgeven voordat ik het ken, maar ik ben bang dat het onmogelijk is.

'Je kunt er geen touw aan vastknopen,' zegt iedereen, 'ze hebben alles gemengd tot een onbegrijpelijk, onnavolgbaar mengsel en dat noemen ze Nederlands.'

Ik druk mijn derde sigaret uit in de asbak op Emels nachtkastje. Ik laat een stapel ondergoed achter op haar kussen en een op dat van Ilker. Badlakens en hoeslakens stapel ik in de kasten. In onze slaapkamer staar ik een tijdje doelloos naar de spiegel.

Dan denk ik aan de afgelopen nacht. Heb ik de pil nou ingenomen of niet? Op de een of andere manier lukt het me niet de dagen op de strip bij te houden. De afkortingen zeggen me niets. Bovendien weet ik zelden welke dag het is.

Ik moet iets doen. Iets wat vandaag zal onderscheiden van gisteren en morgen. Ik loop haastig de trappen af en spring van de laatste drie treden, zoals ik dat gewend was in ons appartement in Mersin. Mijn slippers klepperen op de gebarsten tegels. 'Wat is er?' roept kaynanam van haar plek.

'Ik ga appeltaartjes bakken!' roep ik enthousiast, alsof ik de ontdekking van de eeuw heb gedaan.

De appeltaartjes van mijn moeder bestonden uit een kruimeldeegje en een verrukkelijk zoete vulling van gebakken appels en kaneel. Maar hoe maakte ze ze ook alweer? Ik kan haar onmogelijk bellen voor het recept; kaynanam neemt ook de specificatie van de telefoonrekening door. Heb ik te veel boter of te veel bloem gebruikt? Waarom scheurt mijn deeg? Ik ga het niet aan kaynanam vragen. Als ik dit niet eens kan, zal ze denken dat ik nergens goed voor ben. Ik druk zachtjes op de bolletjes deeg en snijd er met een schilmesje vierkantjes uit. Voorzichtig leg ik de vulling in de linkerhoek en rol het op. Met een rood hoofd van inspanning en frustratie probeer ik de scheuren te repareren.

'Rüya!' roept kaynanam, zoals ik dacht dat alleen mijn moeder het kon. Ik ren naar de woonkamer. Mijn hart bonkt in mijn keel.

Ze kijkt over haar bril naar me. Ik durf haar bijna niet aan te kijken. Ze zegt dat ik een zakje gehakt uit de diepvries in heet water moet laten ontdooien. Dat ze zo gaat koken. Ik kijk naar de grond en daarna weer naar haar.

'Ik dacht dat je heel erg boos was,' beken ik, bijna huilend van opluchting.

'Waarom zou ik?' vraagt ze met een beetje medelijden en tegelijk verrukt over haar gezag.

In Turkije had ik Kaans moeder zelden achter het fornuis gezien, hoewel ze in hun huis in Ankara een complete keuken heeft. Ze aten in een restaurant of lieten eten thuisbezorgen. Waar zijn de afhaalgerechten gebleven? Verder dan onze vaste friettent van Johan komen we niet.

Hier kookt kaynanam iedere dag. De eerste paar weken had ik enorm last van mijn darmen. Oma ook. Het is de verandering van het weer, zei kaynanam. Taaie blokken aubergine die naar oude schoenen smaken, droge snijbonen met aan de zijkanten irritante sliertjes, hete pepers die op een voorproefje van de hel lijken. Met veel knoflookyoghurt probeer ik alles naar binnen te werken. Oma onthoudt zich van enig commentaar. De rest zegt: 'Dank je wel, het was lekker.' Later vertelde Ilker waarom. Zijn moeder had een keer gebroken tarwesoep klaargemaakt, een van haar specialiteiten. Ze begonnen allemaal te zeuren dat het nergens naar smaakte. 'Dan niet,' zei ze en pakte hun volle soepkommen en kiepte ze leeg in de gootsteen. Ze waren bang dat ze vuur uit haar ogen zou spugen. Dat was de laatste keer dat iemand klaagde over haar kookkunst.

Normaal gesproken smijt een Turkse man met het bord als het eten hem niet smaakt. Maar niet bij kaynanam. Kaynanam heeft ballen. Mijn vader zou zoiets nooit pikken.

Voor de late lunch zet ik een schaal groentesoep op tafel. Er zwemmen chips in. Die zijn over van gisteren en kaynanams motto is 'alles wordt toch gemengd in je maag'. Oma lepelt zwijgend haar soep naar binnen, nog boos van gisteravond, maar eigenlijk van jarenlang. Ik durf niet te zeggen dat ik de soep niet wil. Je weet nooit wanneer de stemming van mijn nieuwe moeder omslaat. Ik wil weg. Het maakt me niet uit waarheen, als ik maar weg ben. Mijn enige ontsnappingsmogelijkheid is het naaiatelier.

'Ik wil gaan werken,' zeg ik beslist. Kaynanam is aangenaam verrast. 'Maar je bent nog niet zo lang getrouwd. Wat zullen de mensen niet denken? Je ouders zullen denken dat we niet eens voor je kunnen zorgen.' Erg overtuigend klinkt ze niet. Ze glimlacht lief naar me. 'Oké, maar wacht nog een paar maanden,' zegt ze dan. Haar ogen glinsteren tevreden, trots dat ze toch een goede keus heeft gemaakt voor haar zoon. Oma klakt met haar tong en vraagt waar het heen moet met de wereld.

Na het avondeten praat ik Kaan in de keuken bij. Hij rookt zijn shagje op een krukje met zijn rug tegen de muur, terwijl ik de afwas doe. Hij vraagt of ik weet waar ik aan begin. Dat zijn moeder me niet meer zal laten stoppen als ik eenmaal begin. Dat het daar saai en vermoeiend is. 'Zeg niet dat ik je niet heb gewaarschuwd.'

Hij moet lachen om het verhaal over de groentesoep met chips. 'Dat is nieuw!' roept hij. 'Het was zo ontzettend smerig en zag eruit alsof iemand in mijn bord gebraakt had!' Toch moet ik lachen. 'Mijn arme vrouw in de klauwen van een leeuwin,' zegt hij troostend.

'Ze scheurt me in stukken als ze dit hoort.'

Zijn zwijggeld wil hij in natura. Ik zoen hem uitbundig en streel door zijn haren. 'De rest krijg je vanavond.'

Ik breng thee rond en twee borden vol appeltaartjes waarvan ik de barstjes met poedersuiker heb gecamoufleerd. De heel erg mislukte taartjes heb ik in de keuken opgegeten. Ik ga dicht bij de deur zitten, zodat ik snel kan opstaan als iemand zijn thee opheeft.

'Lekker die koekjes,' zegt kaynanam.

'Ik zal elke week een ander soort koekjes bakken,' beloof ik. Moederlijk zegt ze dat elke maand ook prima is.

Het is een goed moment om erover te beginnen, schat ik. Aan Emel vraag ik of ze iemand zoeken op haar werk.

'Zoek je een baan?' vraagt ze en kijkt naar kaynanam. Die knikt instemmend.

'Ik zal het morgen vragen. Volgens mij kunnen ze altijd een loper gebruiken.'

'Ik kan ook naaien,' zeg ik hoopvol.

'Die machines zijn industrieel. Daar laten ze je niet zomaar achter zitten.'

Ik informeer hoeveel ze betalen, alsof ik het geld zelf mag houden.

'Reken maar op vijf gulden per uur.' Kaynanam glimlacht tevreden.

'Vergeet het morgen niet te vragen,' druk ik Emel op het hart, 'Insallah mag ik snel beginnen.'

Ik zal niet meer die parasiet zijn die nooit geld heeft. Misschien dat Jasmijn me met wat meer respect zal behandelen.

Zoals gewoonlijk stormt Jasmijn net voor acht uur binnen. Ze zapt naar RTL4 om naar *Goede Tijden, Slechte Tijden* te kijken. We protesteren. 'Als je een tv voor me koopt, ben je ervan af!' zegt ze tegen haar moeder met de afstandsbediening stevig in haar handen gedrukt.

Na nog twee of drie potjes rummikuppen stuurt Kaan me subtiel als elke avond zijn boodschap: 'Welterusten. Ik ga naar bed.' Hij laat nooit meer op zich wachten sinds de ruzie in de tweede nacht van ons huwelijk. Voor mij is het een teken van zijn liefde. Volgens mijn schoonzussen is het vrouwenonderdrukking. Af en toe vragen ze pestend of het kinderbedtijd is. Emel zegt dat ik er spijt van zal krijgen als ik de touwtjes nu al uit handen geef. Ilker heeft niets te vertellen over wanneer ze naar bed gaat. Een paar minuten na Kaan zeg ik ook welterusten.

Kaan vraagt nooit direct of ik mee naar bed ga als zijn ouders erbij zijn. Het is alsof we toevallig bij elkaar slapen, verder hebben we niets met elkaar te maken. In hun aanwezigheid noemen we elkaars namen niet, een oud gebruik uit het dorp. Ik dacht dat die achterlijke regel niet voor mijn schoonouders zou gelden, dat ze inmiddels wel zo modern waren, maar 'we' of 'Kaan en ik' bestaan niet voor onze ouders. We zijn geen individuen, maar slechts een deel van een groot gezin en een hele gemeenschap. We lopen alleen hand in hand als we uit het zicht van bekenden zijn. Kaan is in de eerste plaats hun zoon, en pas dan mijn man. Ik ben eerst hun

schoondochter, pas daarna zijn vrouw. Hoewel deze regel tegenover Ilker en Jasmijn niet zo streng geldt, zeg ik meestal 'je broer',
uit gewoonte.

Met mijn naam is Kaan enorm spaarzaam. Mijn naam uit zijn
mond is een juweel, een geschenk dat hij 's nachts in mijn oor
kreunt.

Naaiatelier

Vandaag maak ik carrière! Na vier maanden draadjes geknipt te hebben, mag ik plaatsnemen achter een naaimachine. 'Je wilt toch niet eeuwig manusje-van-alles blijven?' grijnst de baas. Van zijn ouders kreeg hij de naam Paşa mee. Daar gedraagt-ie zich ook naar, alsof we hem moeten aanbidden, zei Emel. Juist daarom noemen we hem spottend baas. Als hij erbij is zonder ironie, tenzij hij goedgemutst is. Vandaag is hij gestoken in een zwarte, perfect gestreken pantalon, een overhemd en een rode jas uit zijn eigen naaiatelier. Rood staat hem goed. Het enige wat hij mist, zijn een rode fez en een statige wandelstok met fijne houtbewerking. Afgezien van zijn macho-uitstraling met zijn dikke gouden schakelketting en dikke ringen, is hij best knap voor zijn leeftijd: begin dertig. Hij is niet alleen glad geschoren, maar ook een gladde rokkenjager. Turkse meisjes, maar ook Nederlandse en Antilliaanse, hij pakt wat-ie maar krijgen kan. Liefst knapperig als jonge sla. Laatst kwam hij pronken met een beeldschone Hindoestaanse.

Ik was al een paar dagen aan het werk toen ik kennismaakte met het onafscheidelijke duo: Paşa en zijn luxe *komboloï*** met gouden verbindingsstuk. Hij kwam swingend op me af, terwijl zijn rechterhand continu met de kraaltjes speelde. In één beweging trok hij ze tussen zijn ringvinger en pink door, om ze vervolgens met een snelle beweging, alsof hij een vlieg uit de lucht ving, in zijn handpalm te sluiten en in zijn jaszak te laten glijden. Hij pakte een broekzak die ik had gedraaid en keurde het resultaat. Met een veelbetekenende blik zei hij dat hij me had gezien op mijn bruiloft, en dat ik er mooi uitzag. Ik keek ongemakkelijk naar mijn handen, maar toen hij over Kaan begon en hem lachend met een aap

---

* Snoer van gebedskraaltjes.

vergeleek, dacht ik dat de loods was ingestort en dat ik onder het puin bedolven lag. 'Nou,' riep ik kwaad, 'ik vind hem wel knap!' Woedend rende ik het atelier uit, maar waar ik naartoe moest wist ik niet. Al snel kwam Emel me achterna. Ze moest lachen toen ik vertelde dat Paşa Kaan had beledigd. 'Het was natuurlijk een grapje,' suste ze. Schoorvoetend keerde ik terug naar mijn plaats. Paşa kwam zijn excuses aanbieden voor zijn 'onhandige grap' en ik schaamde me dat ik zo'n scène had gemaakt.

Misschien wil hij dat voorval goedmaken door mij nu al achter een machine te laten zitten. Ik oefen voorzichtig in het temmen van het ding; het wil gaan vliegen als ik voorzichtig met mijn grote teen op het gaspedaal druk. Dat amuseert Paşa hoorbaar. Behalve zijn gelach werkt zijn onophoudelijke gespeel met zijn gebedskraaltjes op mijn zenuwen. Op een stukje zwarte stof probeer ik rechte witte lijnen te trekken. Dat gaat niet echt. 'Geen natuurtalent,' oordeelt hij, waarna hij tot mijn opluchting vertrekt.

Gelukkig is hij er niet vaak. Als hij er is, is er meestal iets mis, of het is tijd om ons onze enveloppen te geven. Het is altijd wachten op de chef die de uren van vandaag er nog bij moet rekenen, of op Paşa die het geld nog niet klaar heeft. We moeten altijd touwtrekken over de gewerkte uren. Net als Emel houd ik in mijn agenda precies bij op welke dag ik hoeveel uren heb gewerkt. Maar zelfs daarmee is het lastig te bewijzen dat je gelijk hebt. Al mag ik het geld niet zelf houden, ik wil wel krijgen waar ik recht op heb.

Als Naciye, die naast mij zit, haar mond vol puntige rotsen en paarsachtig tandvlees opent, moet ik op mijn tong bijten om haar niet dringend te adviseren om eindelijk eens een keer naar een mondhygiënist te gaan. 'Gepromoveerd?' lacht Naciye. Ze is vijf jaar geleden geïmporteerd uit Antalya, aan de zuidkust van Turkije, waar ze 's zomers in een hotel van kennissen werkte. Haar ouders in Noord-Turkije vonden haar toekomst in het onzedelijke Antalya niet veelbelovend en haalden haar op haar twintigste over om met haar neef in Nederland te trouwen. Ze heeft een dochter van ruim vier en een zoon van tweeënhalf. Ze woont in een van de op elkaar gestapelde sardineblikjesflats van Tilburg-Noord, op tien hoog. Haar schoonouders wonen een verdieping hoger. Op zich handig, vindt ze, dat ze bijna bij elkaar inwonen en dat haar schoonouders een sleutel hebben. Zo kunnen ze haar dochter naar school brengen en op haar zoon passen. Maar ideaal is het niet. Van elke stap die ze zet zijn ze op de hoogte, terwijl ze in Antalya gewend was aan vrijheid. Bij wijze van therapie én om te sparen voor een zomerhuis in Antalya mag ze van haar man werken. Het liefst zou ze voorgoed terugkeren naar het bruisende leven aan de Middellandse Zee, maar haar man heeft hier een vaste baan bij een tapijtfabriek en hij wil zijn toekomst en die van zijn familie niet op het spel zetten. Ze zegt dat als ze had geweten wat ze nu weet, ze nooit gekomen was. Stiekem ben ik toch blij, want ze is niet alleen mijn beste collega maar ook een vriendin. Met de rest van mijn collega's heb ik niet echt contact, behalve met Emel natuurlijk. Over de andere Turken in Tilburg praat Naciye me bij. Het lijkt erop dat er niets gebeurt zonder haar medeweten.

Ondanks het leeftijdsverschil van zeven jaar kan ik het ontzettend goed met haar vinden. Klagen over onze mannen die het café als hun tweede huis beschouwen, is een van onze favoriete bezigheden. Eén ding bewonder ik het meest in haar. Ze heeft haar man zover gekregen dat hij helpt in het huishouden! Maar ze kan ook opdringerig en achterdochtig zijn. Zo zegt ze dat ze me niet gelooft als ik zeg dat het inwonen bij mijn schoonouders samen met mijn schoonzussen me goed bevalt en dat ik een schat van een kaynana heb van wie we elk weekend mogen uitslapen. Naciye blijft maar vissen. Alsof ik de vuile was buiten ga hangen! Als kaynanam me niet vermoordt, doet mijn moeder het wel!

Meestal leid ik haar af door te beginnen over Antalya, waar ik ooit heen wil en waar ze uren over kan vertellen. Een keertje heeft ze me toevertrouwd dat ze daar stiekem een relatie had met een jongen. Dat ze eigenlijk liever met hem was getrouwd, maar ja. Ik moest op Kaan zweren dat ik haar geheim mee in mijn graf zou nemen.

Naciye legt een stapel jassen op de witte tafel naast mij en gaat zelf ook op tafel zitten. 'Na de zomervakantie ga ik stoppen,' zegt ze beslist, 'en Nederlands leren.' Onthutst roep ik dat ze me dat niet kan aandoen. Dat ze me niet alleen mag laten. 'Ga dan mee!' roept ze terug. Ik zou niets liever willen dan naar school gaan. Met haar klaagzang, dat ze het helemaal gehad heeft in het atelier, dat dit werk niets is voor haar en dat ze lang genoeg is gebleven, wrijft Naciye genadeloos zout in mijn wond. Ze blijft maar aandringen dat ik mee móét komen. Dat ik jong en intelligent ben en snel zal leren. Of wil ik mijn leven soms vergooien tussen de naaimachines en jassen? Nee, maar...

Ons gesprek wordt ruw verstoord als een paar naaiers door het raam vluchten. Terwijl de voetstappen op het dak nog naklinken, valt een aantal mannen het pand binnen. 'Politie!' hoor ik iemand roepen. Verschrikt staan we op. Een van de mannen roept streng dat we moeten blijven zitten. Een tolk herhaalt het in het Turks. Paşa, die zenuwachtig zijn gebedskraaltjes om zijn vingers laat zwieren, praat luidruchtig en snel tegen de voorste man. Ik kan niet volgen wat hij zegt. De hele zaal is in rep en roer. Hier heb ik vaak over gehoord, maar het zelf meemaken is anders. 'Godverdomme!' fluistert Naciye zenuwachtig, alsof ze haar anders zullen verstaan, 'mijn wao-uitkering!' Een agent in spijkerbroek en leren jas vraagt naar onze identiteitsbewijzen. Naciye zegt met trillende stem dat ze Zehra Karaca heet en geeft een geboortedatum op die wellicht ook niet van haar is. 'Maandag beginnen. Daarom geen contract,' mompelt ze nog. Zorgvuldig noteert de controleur alles op een notitieblokje. Als ik niet beter wist, zou ik denken dat hij een journalist was. Hij stelt me een paar vragen. De tolk heeft het te druk; Naciye vertaalt zo goed als ze kan. De man vraagt naar mijn verblijfsvergunning. Ik heb maar één pasje, en dat is het bewijs dat ik hier mag blijven zolang mijn man het goedvindt. Als een ervaren spieker schrijft hij mijn gegevens over.

De ondervragingen, paspoortcontroles en onderzoekingen in het kantoor duren, onder luid protest van Paşa, de hele ochtend. Vijf illegale collega's stoppen ze in een busje. Een van de weggevoerde vrouwen heeft haar man en kinderen in Turkije achtergelaten om hier geld te verdienen. Dat ze daar toestemming voor kreeg van haar man heb ik nooit kunnen begrijpen. Alleen voor een van de meegenomen collega's vind ik het zielig, een gemoedelijke huisvader. Soms kreeg hij tranen in z'n ogen als hij over zijn kinderen vertelde, zoals toen hij voor het eerst een brief kreeg van zijn zoon die in krakkemikkige letters 'papa, ik heb je heel erg gemist' schreef. Hij had een schijnhuwelijk gesloten met een Tilburgse, en zijn vrouw en drie kinderen in Turkije achtergelaten. Toen hij eenmaal hier was bleek de Tilburgse onberekenbaar: ze had zich bedacht en vroeg een echtscheiding aan. Teruggaan naar Turkije zou gezichtsverlies betekenen, dus bleef hij. Een keer liep ik langs het huis waar hij met tien anderen woonde. Verrotte kozijnen en een bruingrijs verkleurde vitrage die ooit wit geweest moet zijn. Misschien wordt hij vandaag nog op het vliegtuig gezet, terug naar zijn gezin. Het utopische beeld dat mijn schoonouders en anderen hebben gecreëerd zal hij bevestigen en hij zal alles op alles zetten om zo snel mogelijk terug te keren. Een van de meegenomen mannen pochte dat hij zich van tijd tot tijd liet oppakken voor 'een gratis vliegticket'. Nu moeten we dubbel zo hard werken tot ze terug zijn.

Paşa moet met de politie mee naar het bureau. Geschokt blijven we achter in de kantine. Met z'n allen. Hoewel de kantine groot genoeg is, komen de mannelijke collega's tijdens de lunch nooit bij ons zitten. Hun boterhammen eten ze in groepjes in de zaal, als ze niet naar een friettent gaan. Nu staan we gebroederlijk bij elkaar.

De chef vloekt aan één stuk door: 'Fascisten, ze willen ons klein houden. Ze kunnen toch niets bewijzen.' Hij denkt dat we verklikt zijn door concurrenten omdat we goed draaien en hun werknemers naar ons overlopen.

'Waarom is Murat gevlucht?' vraag ik. 'Hij is toch getrouwd met een Nederlandse?' Murat is de enige knappe man onder de collega's, met prachtige groene ogen, een hip, Amerikaans uitziend kapsel en sportieve kleding. Hij had in Istanbul een Hollandse vrouw gestrikt. Zij denkt dat hun huwelijk voor het leven is. Hij weet wel beter.

'Murat werkt zwart,' zegt Naciye. Ze is er goed van afgekomen en besluit gelijk te stoppen. Ik kan haar wel wurgen en dat zeg ik ook. Ze omhelst me en belooft een keer langs te zullen komen.

Alsof het geschreeuw van mijn baas en collega's niet genoeg is, jammeren thuis mijn schoonouders aan één stuk door, alsof ze aandeelhouders zijn. Dat Paşa een fikse boete zal krijgen. Gelukkig dat de zaak niet op slot gaat. 'Dan moeten ze maar niet frauderen en geen illegalen in dienst nemen,' zeg ik en ga naar boven voordat ze boos kunnen worden.

Hoe val je meteen in slaap na zo'n dag? De politie valt niet dagelijks binnen. Ik probeer niet te woelen, om Kaan niet wakker te maken – iets waar hij altijd heel pissig om wordt. Ik lig te malen hoe ik in deze val ben gelopen. Elke werkdag lijkt zo lang als een heel leven te duren.

Ik zou wel net als Naciye Nederlands willen leren, maar hoe krijg ik toestemming van kaynanam? Ik kan Kaan niet vragen om zijn moeder over te halen; we zouden alleen maar ruzie krijgen omdat ik niet naar hem geluisterd heb en zo eigenwijs was om te willen gaan werken. Dat hij me heeft gewaarschuwd dat er geen weg terug zou zijn.

Ik had naar mijn gevoel van onbehagen moeten luisteren toen Kaan Emel en mij die eerste werkdag met zijn kleine Toyota afzette voor de deur van de loods en wegreed na een vluchtig kusje op mijn wang. Mijn borstkast drukte onheilspellend op mijn hart en het waren niet de zenuwen of angst voor het onbekende. Ik voelde me als een kleuter die achtergelaten wordt. Ik wou hem achternarennen en roepen dat ik me bedacht had. In plaats daarvan sjokte ik achter Emel aan naar de kantine, waar alleen maar vrouwen waren. Ik schudde alle vrouwen beleefd de hand, en voelde me ondertussen vreselijk ongemakkelijk onder al die ogen die me van top tot teen opnamen. Die ochtend had ik ruziegemaakt met Jasmijn omdat ze mijn broek te strak vond om naar het werk te dragen. Misschien had ze toch gelijk. Ik trok mijn trui zo ver mogelijk over mijn billen.

Om vijf voor acht kwam de chef de kantine binnen. 'Aan het werk,' riep hij geërgerd en tikte op zijn goudkleurige horloge, 'het is allang acht uur!' Ik gaf hem, na een korte aarzeling of hij het wel op prijs zou stellen, een slappe hand. Hard in handen knijpen bij mannen zou de indruk kunnen wekken dat je meer wilt dan alleen handenschudden. Vliegensvlug trok hij zijn slappe vingers terug, alsof ik hem zou gaan bijten. Hij ging me voor naar de tafels waar stapels jassen lagen te wachten, heupwiegend en met zijn borst vooruit. Misschien geeft de chef liever een hand aan mannen, dacht ik terwijl ik beduusd achter hem aan liep.

Na naar mijn gevoel oneindig tevergeefs geprobeerd te hebben een hele jas door het mouwgat binnenstebuiten te trekken, trok een meisje dat zich als Naciye voorstelde zich mijn gestuntel aan. 'Houd hem maar stevig vast bij de kraag en trek de romp rustig naar buiten.' Gespannen probeerde ik het haar na te doen. 'De chef denkt dat je staand en zwijgend sneller werkt, maar ik vertik het,' zei ze op-schepperig als een stout kind, en ze sleepte ergens een stoel van-daan. 'Hier, ga zitten.' Ze lachte achter haar hand, en legde daar-bij een onregelmatig gebit bloot en een hoop rood tandvlees met paarse adertjes als wilde kronkelende beekjes.

In de pauze vroeg ze of ik al een beetje gewend was in Neder-land. Ik had haar kunnen zeggen dat er niets te wennen viel zolang ik niet verder kwam dan dat afschuwelijke huis, wat dorpsgenoten en het atelier. Maar dat doe je niet – de muren hebben oren, zeker als je met je schoonzus werkt. Ik zei dat ik het hier best leuk vond. Ze maakte daaruit op dat ik dan wel uit een of ander afgelegen gat moest komen, als ik het hier leuk vond. Ik ergerde me aan haar vooringenomenheid en arrogantie. Op mijn eerste werkdag wou ik geen ruzie met de baas, dus gaf ik korte antwoorden. Maar ze bleef vragen op me afvuren, als een woeste waterval. Ik vond haar maar opdringerig.

Mijn komst was aanleiding voor een klassenstrijd onder de ge-importeerde vrouwen. De hele lunchpauze ging het nergens an-ders over. Laatdunkend noemden ze me een groentje. 'Ik ben al twaalf jaar hier,' zei er een trots. Hoe langer je hier bent, hoe meer je voorstelt, is de gedachtegang. Degenen die hier geboren zijn minachten iedereen. Dankzij ons ben je hier, ken je plaats, stralen ze uit.

Van de lunchpauze van een half uur snoepte de chef een paar mi-nuten. Als een stel schapen liepen we zonder protest terug de zaal in. Ik ging op een tafel zitten naast de machine van die goeiige man die vanochtend werd afgevoerd, en begon de hoeken af te knip-pen van de kragen die hij in elkaar zette. Toen ik naar de wc ging, kwam Emel me achterna. 'Rüya, het zou goed zijn als je niet op de tafel ging zitten kletsen met die man,' fluisterde ze. 'Straks krijg je een slechte naam. Iedereen houdt jullie de hele tijd in de gaten. Je moet zelfs de schijn vermijden.' De rest van de dag zat en praatte ik niet meer. In de kantine zaten we niet bij de mannen, maar we gebruikten dezelfde wc. Voordat ik kon gaan zitten moest ik eerst de afdrukken van schoenen van de wc-bril poetsen met een stukje wc-papier. Van Emel begreep ik dat sommige mannen hun oude dorpsgewoonte niet los wilden laten en op de wc-pot hurkten! Rond half zes haalde Kaan me op. In de auto vroeg hij hoe het was gegaan. 'Vreselijk. Ik ben op.' 'Dacht je dat je de hele dag plezier ging maken?' Ik beet op mijn lippen om niet te gaan huilen. Onderweg naar huis leken de straten te baden in de rood-oranje gloed van een zonsondergang. De stad zag eruit als de winterplaatjes op de nieuwjaarskaarten die ik vroeger stuurde. Nu stemde de aanblik me nog treuriger dan ik al was.

Zwijgend reden we onze straat in. Thuis onthaalde kaynanam ons zo vriendelijk dat ik maar zei dat alles goed was gegaan. Toen Kaan me later die avond in bed begon te kussen, zei ik niet dat ik wou slapen, ook al was ik doodop. Als een vrouw haar man weigert, zullen de engelen tot de ochtend op haar toornen, zei mijn moeder vaak. Ik geloof er niet in, maar moet er toch elke keer dat ik geen zin heb in seks aan denken. Zolang ik kan, vermijd ik conflicten.

Om kwart voor zeven hoor ik in de verte de wekker zoemen. De man met de hamer is weer langs geweest, zoals alle nachten dat ik lig te tobben. Op de tast vind ik de oorzaak van de irritante piep en mep de wekker uit. Nadat ik dat een paar keer heb herhaald, gooit Kaan het dekbed van me af.

'Nog even,' smeek ik.

'Opstaan,' beveelt hij, 'anders ben ik ook te laat.'

'Laten we ons ziek melden? Alsjeblieft!'

'Eruit!' Slaapdronken loop ik naar de badkamer. Ik hang aan de deurkruk, maar die geeft niet mee. 'Bezet,' roept Jasmijn. Meestal slaapt ze in haar kleding, om 's ochtends tijd te besparen. Haar cowboylaarzen en vieze witte sportsokken slingeren rond haar bed. Ze wast haar gezicht, maakt haar haar een beetje nat en föhnt het alsof ze naar een bruiloft moet. Nog wat make-up, en klaar is ze. Alsof ze het aanvoelt, doucht ze uitgerekend op de ochtenden dat ik me moet haasten.

Ik maak het ontbijt klaar en broodtrommels voor Kaan en mij.

Emel roept van boven of ik ook haar broodjes wil klaarmaken. Kaan roept weer dat we moeten opschieten. 'Het zou helpen als jij jouw eigen broodtrommel klaarmaakt,' zeg ik tegen hem. 'Jij wou werken toch?' Ik duw hem zijn broodtrommel in zijn handen en ga op de bijrijdersstoel zitten.

De zaak is voor de helft leeg. Er is een nieuwe machinist gekomen, om de verwijderde illegale machinisten te vervangen. Bij zijn vorige werkgever verdiende hij naar verluidt achttien gulden. Alleen voor minimaal twee gulden per uur meer wilde hij hier komen werken. Maar hij doet het dan ook al tien jaar. In één keer stikt hij de zoom van een wijde rok. Met een hand hoog in de lucht houdt hij de rok bij de tailleband vast. Elke keer als hij een stukje naait, laat hij wat van het middel los en grijpt de stof een stukje verder, als een buikdanseres die soepel met haar polsen draait. Het stiksel is kaarsrecht. Hij zegt niet veel, maar is altijd bereid iemand te helpen met een moeilijk model of een ingewikkelde 'verborgen' zak.

'Eén minpuntje,' zegt Emel, 'hij rookt stikkies.' Af en toe verdwijnt hij in de flinke voorraadkast en komt met een zweverige blik in zijn ogen terug. Ze verzekert me dat hij ongevaarlijk is, maar ik mijd hem nu alsof hij een besmettelijke ziekte heeft. Emel moet lachen om mijn geschokte gezicht.

'Ben je mal, hasj kun je hier net zo gemakkelijk kopen als sigaretten.' Volgens mij zijn alle geestverruimende middelen gevaarlijk. In Turkse films loopt het altijd slecht af met meisjes die blowen. Eerst roken ze een joint, dan gebruiken ze cocaïne, vervolgens worden ze verkracht en in het laatste bedrijf leven ze op straat als heroïnehoer.

Na een paar weken wipt Naciye langs. Ze stormt op me af, als altijd zonder een greintje terughoudendheid. We geven elkaar drie kussen en een dikke omhelzing waarbij een buitenstaander wellicht zou denken dat we iets met elkaar hebben. Enthousiast vertelt ze dat ze zich heeft laten inschrijven bij de Volwasseneneducatie, bij het Wilhelminapark, waar het ook mag wezen. Daar gaat ze na de zomer Nederlands leren. Ze lacht van plezier dat ze dat helemaal zelf heeft geregeld. Automatisch slaat ze een hand voor haar mond. Dat ik jaloers ben laat ik niet merken en ik feliciteer haar hartelijk. Ze zeurt dat ik me ook moet inschrijven, net zolang tot ik beloof dat ik zal kijken wat ik kan doen. 'Wil je het of niet?!' Naast ambitieus en zelfverzekerd is ze enorm vasthoudend. Of dat bij haar leuke of vervelende eigenschappen hoort, weet ik nog niet. Ze laat me zweren op Kaan dat ik het echt ga proberen. Aangestoken door haar enthousiasme om dit samen te gaan doen, besluit ik haar te volgen.

Verleiden, lief aankijken, smeken, lippen pruilen, aandringen, ik haal alles uit de kast om Kaan over te halen me naar school te laten gaan. Ik dreig hem zelfs dat ik anders niet zal terugkomen van vakantie. Hij weigert erop in te gaan, zegt dat zijn moeder het nooit goed zal vinden. Hier kom ik niet verder mee. Ik laat hem met rust.

Mijn schoonouders gaan naar Turkije voor de bruiloft van een verre neef. Ze vertrekken met koffers vol cadeautjes en videobandjes van onze bruiloft voor mijn ouders. Oma zal met hen meereizen tot Bochum, waar ze haar andere zoon gaat bezoeken. Jasmijn maakt zodra ze weg zijn van de gelegenheid gebruik om bij een vriendin te gaan logeren. Lekker rustig, vind ik. Om te vieren dat we het rijk alleen hebben, besluiten we een buffet te maken, zoals op het bedrijfsfeest van Kaans werk. Kaan en ik doen de boodschappen. Ik duw het karretje langs de schappen. Garnalensalade wil ik en krab, zalm, kipsaté. Kaan leest de verpakkingen om te controleren of er geen gelatine, spek of iets anders van een varken in zit. Tosti's, stokbrood, cola, chips. Een krat Grolsch. Die moeten we niet vergeten terug te brengen voordat zijn ouders terug zijn. Als een losgeslagen kind gooi ik de wagen vol. Snoepjes in de vorm van roze en witte varkenskoppen, wie verzint zoiets? Het ziet er lekker uit, maar ik leg ze toch maar terug. Kaan pint bij de kassa.

'En je moeder?' vraag ik.

'We moeten toch eten,' grijnst hij.

Het brood snijd ik in keurige stukjes in plaats van het te scheuren zoals we gewoonlijk doen. Emel en ik dekken de salontafel met het witte linnen tafelkleed met geborduurde randen uit mijn uitzet, dat ik voor de gelegenheid tevoorschijn heb gehaald. Als we eromheen zitten proppen we ons vol tot we bijna barsten. 'Rummikuppen,' eis ik na het eten. Emel moet ik er letterlijk bij slepen. Na een paar potjes en heel veel pilsjes worden we melig. Ik lach zelfs om de scheetjes die Ilker in plaats van zijn vader laat nu die er niet is. Emel wil gaan slapen. Ik probeer nog dat we morgen niet hoeven te werken, maar ze staat al op. De tafel en de afwas laten we staan. Ik moet me aan de trapleuning omhooghijsen. Terwijl Kaan in de badkamer is, kleed ik me uit en ga zo verleidelijk mogelijk op het dekbed liggen. 'Kom, neuk me!' roep ik overmoedig als hij binnenkomt.

Die nacht moet ik drie keer naar de badkamer om te kotsen. 's Ochtends word ik wakker met bonkende hersens. Mijn mond voelt plakkerig aan. 'Je hebt een kater,' stelt Kaan vast, 'het beste is een biertje te drinken.'

'Nee, nooit meer!' Geen wonder dat alcohol verboden is in de islam. De duivel in je komt los als je dronken bent en je kent geen grenzen meer. Preuts ben ik niet, maar ik voel me er toch ongemakkelijk over dat Kaan me zo heeft gezien. Dat ik het woord neuken in mijn mond nam! Hij zegt dat het niets uitmaakt, dat hij toch mijn man is, maar ik laat hem zweren dat hij nooit zal zeggen – ook niet als we ooit zouden scheiden – dat ik toch een hoer was. Ik neem een pilletje uit de achterkant van de cassettespeler en laat dat onder de badkamerkraan mijn mond in spoelen.

Zonder kaynanam is er niemand die de regels handhaaft. Ilker is al twee dagen nergens te bekennen. Zijn chef denkt dat hij ziek is. Emel maakt zich om hem geen zorgen, maar wel om zijn bankpasje en de creditcard die hij in zijn portemonnee heeft. Die zijn goed voor enkele duizenden guldens, en Emel vraagt zich af hoeveel geld hij inmiddels vergokt zal hebben. Kaan is een paar van zijn vaste goktenten langs geweest, zonder succes.

Onze mannen gokken, drinken, hebben vriendinnen. Wij leren breien, koken en bakken, baren kinderen, bidden dat onze mannen zich mogen gedragen en hopen dat de jaren snel voorbij zullen gaan. Maar wat we vooral leren is onze mond houden. 'Over een jaar of vijfendertig is hij uitgeraasd en kun je van zijn pensioen genieten,' zeggen oudere vrouwen serieus. Tot die tijd moeten we geduld hebben.

Op een avond zit Ilker ineens op de bank, gewassen en geschoren, alsof er niets gebeurd is.

'Kon je niet even bellen?' schreeuwt Kaan. Dat pikt Ilker niet van zijn jongere broer en het glas dat hij door de kamer laat vliegen mist maar net Kaans hoofd. Nu moet ík de scherven opruimen!

'Waar was hij,' vraag ik Emel de volgende dag. Ze heeft het niet gevraagd. Dat doet ze al jaren niet meer.

'Heeft hij veel vergokt denk je?'

'Als het geld niet op was, was hij niet teruggekomen.' Ik snap niet hoe ze zo kalm kan blijven. Ik baal behoorlijk; het is ook mijn zuurverdiende geld dat hij heeft verbrast.

'Emel, wat gaan we tegen kaynanam zeggen?' Ze vindt dat Ilker het zelf maar moet uitleggen.

Kaan durft nu ook ineens wat. Hij neemt me mee naar Volwasseneneducatie, tegenover de moskee, blijkt. Hoewel ik blij en dankbaar ben, kan ik het niet laten hem uit te dagen.

'Wat doe je als je moeder boos wordt?'

'Dat zien we dan wel,' zegt hij gelaten.

Ik dacht dat Volwasseneneducatie in een enorm gebouw gevestigd zou zijn, zoals de school waar ik in Mersin naartoe ging en het enorme glazen pand dat Kaan me had aangewezen als zijn oude school, waarvan ik erg onder de indruk was. We moeten lang zoeken tot we het gebouw met afgebladderde kozijnen vinden.

'Wat een ruïne,' zeg ik. We bellen aan. De deur gaat automatisch open. Dat dan weer wel.

Mijn oog valt op een wit velletje waar met zwarte stift 'receptie' op geschreven staat. Een pijltje wijst naar de deur van een doorzichtig hok met postvakken en een balie. Kaan klopt aan. Ik stap achter hem aan naar binnen. Een dunne jonge vrouw met jongensachtige kleren en dito kapsel loopt naar de hoge balie.

'Goedemiddag, kan ik jullie helpen?' vraagt ze beleefd.

'Ja,' fluister ik tegen Kaan, 'doe mij maar een baan zoals deze.' Hij vertaalt het. Ze begrijpt de grap niet. Kaan legt uit waarvoor we zijn gekomen. Het inschrijvingsformulier vult hij in. Alleen de handtekening is van mij.

Ze legt vriendelijk van alles uit aan Kaan. Ik val ze vaak in de rede: 'Wat zei ze, wat zei ze?' Kaan maant me tot stilte. Dat ik er chagrijnig van word, laat ik niet merken, bang dat hij zich alsnog bedenkt.

Ondertussen lees ik de namen op de postvakjes met een mengeling van nieuwsgierigheid en verveling: 'L. van den Akker, T. Berkers, R. Kneepers, J. van Bezouwen.' Wie zal mij straks lesgeven? Kaan brengt verslag uit: ik kom op een wachtlijst. Misschien kan ik via het arbeidsbureau voorrang krijgen. Ze werken met vijf niveaus van taalbeheersing; één niveau per jaar. Met niveau 3 kun je je goed redden en een beroepsopleiding volgen, zegt het jongensmeisje.

'Ja, dat wil ik!' Als Kaan het heeft vertaald, glimlacht ze. Ik vermoed dat ze nu mijn grap begrijpt. Dat ik niet haar baan wil, maar wel daarvoor wil leren. Aan studentenadministratie komen veel cijfers te pas. Je moet er minimaal twee jaar voor studeren. Over vijf jaar kan ik dus achter zo'n balie staan. Ze hoopt dat ik het volhoud. Erg gemotiveerd zijn de studenten hier niet, de meesten komen de lessen volgen omdat het moet van het arbeidsbureau of de sociale dienst.

Kaan rijdt meteen door naar het arbeidsbureau.

We zitten verveeld te wachten tot iemand ons komt ophalen voor mijn inschrijving. Hoe zouden ze in godsnaam dit tapijt schoonhouden, als er elke dag honderden mensen overheen lopen? Ik boen thuis urenlang tevergeefs om alle vlekken eruit te halen. Af en toe gaat er een deur open en zie ik kort een glimp van een lichte kamer. Hier zou ik voor mijn plezier werken. Achter de computer zitten, briefjes sturen, een paar dossiers opbergen, telefoontjes plegen. Ik zou elke dag zonder zeuren vroeg opstaan, elke dag andere kleren aantrekken en laarzen met hoge hakken, mezelf een beetje opmaken. Als ik niet betaald zou worden, zou ik het niet eens erg vinden.

Ik ben verbaasd dat het bureau dat mensen aan het werk hoort te zetten hun de mogelijkheid biedt een taal te leren. Mij krijgen ze Nederland niet meer uit!

We worden te woord gestaan door een Turk met een haakneus en een zwart snorretje. Wat fijn dat hij mijn taal spreekt! Hij is de eerste Turk die ik hier in krijtstreeppak heb gezien. Ik betrap me op de gedachte: eindelijk een die zijn hersens heeft gebruikt. Hij belooft dat het arbeidsbureau er alles aan zal doen om te zorgen dat ik na de zomer met de lessen kan beginnen. Een beetje verwaand zegt hij dat hij er niet zo veel vertrouwen in heeft dat ik gemotiveerd zal blijven. Dat Kaan me moet dwingen om door te gaan. Ik beloof dat dat niet nodig zal zijn. Zelfverzekerd geeft hij me een stevige hand. Dat ben ik van een Turk hier niet gewend, maar het bevalt me. Zodra we buiten zijn, geef ik Kaan een kusje. 'Ik hou van jou!'

Ik kan het niet laten te mijmeren: 'Als je had doorgestudeerd, had je ook altijd nette kleren aan en geen zwarte handen vol wondjes.'

'Ik hou van mijn werk,' antwoordt hij kortaf.

Mijn schoonouders arriveren midden in de nacht samen met oma, die ze in Duitsland hebben opgehaald. Rillend sta ik naast de auto en kus na Ilker, Kaan, Jasmijn en Emel de handen van oma en mijn schoonouders. Nadat we uitgebreid geïnformeerd hebben hoe de reis was en of het iedereen goed gaat in Turkije, gaan we terug naar bed.

De gokschulden van Ilker worden geruisloos afbetaald. Wat hij heeft vergokt is kaynanams best bewaarde geheim.

Ik blijf braaf elke ochtend naar het atelier gaan. Elke dag wegen mijn schoenen zwaarder dan de dag ervoor. Na een tijdje vraag ik Kaan niet meer om zijn moeder te vertellen dat ik na de zomer naar school ga. Eerst wil hij zeker weten dat ik word 'aangenomen'. Bellen of langsrijden om dat te vragen wil hij niet. Volgens mij heeft hij zich bedacht en mij weer uit laten schrijven. Misschien ben ik nooit ingeschreven! Hij zegt dat ik niet goed wijs ben en vraagt waarom ik hem niet vertrouw.

Mijn schoonouders zijn amper terug of het huis zit alweer vol met dorpsgenoten. De bank bezwijkt bijna onder het gewicht van moeders, dochters, schoondochters en kinderen die op schoot hangen. Om de tafel zitten de rummikub spelende mannen. Hun zonen en schoonzonen staan eromheen en kijken wat de spelers voor stenen hebben.

Ik loop rond met een dienblad vol theeglazen en zet schaaltjes met koekjes voor de gasten neer. Wanneer ik weer koekjes ga bakken, vraagt kaynanam terwijl ze me over haar bril aankijkt. Ik knik beschaamd omdat niemand ons ooit kant-en-klare koekjes voorzet. Alle vrouwen bakken zelf, de ene nog beter dan de andere. Kaynanam zegt dat ik heerlijke koekjes bak en dat ze maar eens moeten komen proeven. Hoewel ze voor mijn part allemaal kunnen ophoepelen, zorg ik dat ik al opsta zodra iemand zijn laatste slok thee in zijn mond giet. Tegenover haar vriendinnen prijst kaynanam me de hemel in. Of ze wel zien wat een hardwerkende schoondochter ik ben? Kaynanam en haar vriendinnen staan erom bekend dat ze hun schoondochters plagen; ze grinniken als tieners. Behalve hun humor hebben ze hun zuinigheid gemeen. Alles vinden ze hier te duur, het liefst zouden ze alles opsparen om het in Turkije uit te geven. Ze tippen elkaar over afgeprijsde artikelen, van bankstellen tot roestvrijstalen pannen en kleding. Niet alleen voor eigen gebruik in Nederland en in Turkije, maar ook om weg te geven aan de armen thuis, en zo hun status van rijke Hollanders te bevestigen.

Ik ga naar de keuken en vraag de dochters en schoondochters of ze mee willen komen. De keuken is ons terrein, waar geen man of kaynanam onaangekondigd binnenvalt. Het zijn lieve meiden, en allemaal onder de twintig jaar. Onderling speelt zich een rare concurrentiestrijd af; niet om uiterlijk of de mooiste kleren, maar om te laten zien dat je de gelukkigste bent. Elk schaduwkantje van je leven zou onmiddellijk doorgekletst worden, en dan is het wachten tot een beledigde kaynana verhaal komt halen. Daarom bieden we tegen elkaar op met zonnige verhalen, hoe goed onze mannen zijn en hoe mild onze schoonmoeders.

Alleen via Emel en Jasmijn hoor ik weleens over scheldende schoonzussen, mannen met losse handjes, dictatoriale schoonouders en zelfmoordpogingen. Na zo'n gesprek wijst Jasmijn me er altijd fijntjes op dat ik toch maar bof met mijn man en schoonfamilie.

De kamer ligt vol gescheurde enveloppen, bankafschriften en mappen in alle maten en kleuren. Kaynanam onderwerpt de afschriften aan een diepgaand onderzoek en sorteert wat in de mappen opgeborgen mag worden en waar ze uitleg bij nodig heeft. Kaan, Ilker en Jasmijn hebben er allemaal een hekel aan als ze voor hun moeder moeten vertalen, want wie vertaalt moet ook de nodige actie ondernemen: nabellen, langsgaan, een brief schrijven. Een slachtoffer is snel gevonden. Jasmijn zit naast haar naar GTST te kijken. Met tegenzin werpt ze een blik op de brief die kaynanam haar voorhoudt. 'Ze roepen je schoondochter op om Nederlands te leren.' Kaynanam staart haar verbluft aan. 'Ze hebben haar geplaatst in een nieuwkomersgroep die na de zomervakantie van start gaat.' Ik vrees te zullen bezwijken aan een hartaanval. Jasmijn draait zich weer naar de tv. 'Daar zit haar man, vraag hém hoe het zit!'

'Toen jullie in Turkije waren kwam er een brief van de gemeente dat ze Nederlands moet gaan leren,' liegt Kaan zonder blikken of blozen. Hij kijkt niet eens op van zijn rummikubstenen. 'Ze willen tegenwoordig alle nieuwkomers laten inburgeren.' Ik kijk ademloos naar hem en vraag me af of hij dit verhaal hier ter plekke verzint of dat hij het tot in de puntjes heeft voorbereid. Vol verbijstering vraagt kaynanam of ze alle buitenlanders gaan verplichten naar school te gaan. Kaan legt een steen weg en kijkt zijn moeder recht in de ogen. 'Nee, alleen jonge nieuwkomers om te kijken of het werkt.' Zijn moeder sputtert ongelovig, maar Kaan gaat alweer op in het spel. Ik vlucht naar de keuken omdat ik de spanning niet aankan.

Als ik Kaan later in bed vraag hoe hij dat verhaal kon ophangen zonder een druppeltje zweet of een trilling in zijn stem, zegt hij trots: 'Als ik iets vertel, weet alleen ik of het waar is. Bovendien was het niet helemaal verzonnen. Ooit willen ze zo'n wet invoeren, maar dan val jij er allang niet meer onder.' Op mijn bezorgde vragen wat we moeten doen als zijn moeder erachter komt, gaat hij niet in. 'Dat zien we dan wel en als je eenmaal bent begonnen, ga je gewoon door,' vindt hij. Dat stelt me absoluut niet gerust. Ik wil precies weten waar ik aan toe ben.

'Vrouwen,' zegt hij, 'altijd wat te zeuren.'

Elke keer als de telefoon gaat prevelt kaynanam: '*Hayirdir Insallah**
is het goed nieuws.'
Nu rinkelt hij midden in de nacht. Kaynanam kan haar gebruikelijke schietgebedje wel achterwege laten. Niemand belt 's nachts
met goed nieuws. Ik hoop hoorbaar dat het Insallah niet iemand
van mijn familie is.

Het is een oom van mijn schoonouders, in Turkije. 'Och, mijn
broer, was jij een man om zomaar dood te gaan?' huilt oma. Ze wil
naar Turkije, naar de begrafenis, en daarna bij een van haar zusters
blijven. We zouden over tweeënhalve week met twee auto's naar
Turkije rijden. Nu mijn schoonouders oma naar Turkije moeten
brengen en Jasmijn mee moet omdat het met haar man niet zo geweldig gaat, kan ik morgenmiddag vertrekken.

In onze slaapkamer stampvoet ik dat ik niet vertrek zonder
Kaan, die net als Ilker nog geen vrij kan krijgen. Samen met Emel
moet hij me overhalen. Wat zouden mijn ouders ervan vinden als
ze horen dat ik eerder kon komen, maar het niet deed? Het betekent dat ik achttien dagen zonder Kaan moet overleven.

Binnen een uur heb ik mijn spullen gepakt. Dat zegt vooral iets
over mijn spullen. In een sporttas die ik van Emel heb geleend stop
ik mijn goede broeken en shirts. Emel brengt me een korte broek
en mouwloze topjes die ik mag lenen. Als ze haar roodfluwelen
sexy badpak, dat haar dierbaarder is dan haar hele garderobe, ook
geeft, bedank ik haar met een omhelzing voordat ze zich kan bedenken. Ik heb nog voor een week de pil. Die gooi ik weg en ik
verstop een strip in mijn koffer. In de vakantie zullen we toch niet
zo vaak de gelegenheid hebben om te vrijen. Intussen kunnen mijn
hormonen zich weer een beetje herstellen van de pil. Sowieso lijkt
het me raar dat we straks bij mijn ouders in één bed mogen slapen.

's Ochtends lopen Kaan en ik in razend tempo winkels af. Kaynanam is niet krenterig als Kaan en ik cadeautjes voor mijn familie
gaan kopen. Een overhemd voor mijn vader, een blouse voor moeder en parfum en make-up voor mijn zus omdat ik niets beters kan

* 'Met Gods wil'.

bedenken. Voor mijn liefje Didem een pop die huilt en plast en een rode racewagen met afstandsbediening voor mijn broer. Die had ik hem een keer beloofd, als hij niet zou klikken dat ik rook. Voor mijn ooms en tantes hebben we Nescafé – andere merken worden niet gewaardeerd – en melkpoeder ingeslagen. Ondanks dat ik niet veel heb kunnen kopen omdat we snel moeten vertrekken, voel ik me een uitverkorene nu ik cadeautjes mag uitdelen. Als de auto volgeladen is, raakt de bodem bijna de weg. Op zolder had kaynanam van alles klaarliggen voor hun huis in Ankara, borden waarop nog stickers van de uitverkoop zitten, een enorme rol blauw tapijt met fabrieksfoutjes. Hier is alles beter, zegt ze steeds. Onze voetenruimte is volgepropt met vuilniszakken vol oude kleren voor arme mensen.

De afscheidskus die Kaan en ik elkaar achter de keukendeur geven, is haastig. Mijn wangen gloeien daarna alsof we net verloofd zijn. Jasmijn fluistert of we elkaar nu nog niet opgevreten hebben. Hij kust haar, en ook de handen van zijn ouders en van zijn oma, die nog steeds huilt. Mij raakt hij niet meer aan. Een hand zou hij me wel mogen geven, maar dat slaat nergens op. 'Dag,' zegt hij droevig.

'Ga je ons geen water nagooien?' vraagt zijn moeder. Een oud gebruik, om iemand een voorspoedige reis te wensen. Ik loop met Kaan mee omdat ik hem een laatste keer wil omhelzen en zijn geur zo diep wil opsnuiven dat ik hem kan ruiken als ik aan hem denk. Zijn vingers vegen mijn tranen weg. Zwijgend lopen we met een theepot vol water naar buiten.

Vertrekken en achterblijven zijn net twee helften van een zure appel. De nare nasmaak blijft hangen in je mond.

De eerste keer terug

'Stop de auto! Ik wil eruit. Laat me hier achter of bind me op het dak!' Jasmijn legt haar benen over de mijne; als ik ze rustig opzij duw, schreeuwt ze dat ze gek wordt. Kaynanam vraagt of ik een beetje wil opschuiven. Waarheen? Naar buiten? Oma zit op de bijrijdersstoel. Dag en nacht klinkt haar zangerige gehuil om haar overleden broer. 'Wat had ik in Holland te zoeken? Was ik maar thuisgebleven, dan had ik je nog een laatste keer gezien. Mijn moeder had zeven kinderen. Was het jouw beurt, mijn broertje, terwijl al je zussen nog leven?' Ze huilt en slaat zich op haar dijen. Alleen als ze bidt, is ze stil.

De reis naar Ankara duurt ruim twee dagen. De achterbank is gauw te klein als je die met zijn drieën moet delen en er zittend moet slapen. Soms legt Jasmijn haar voeten tegen het raam, bijna in de nek van haar vader. Als ze eindelijk met haar oma van plaats ruilt omdat iedereen haar gezeur zat is, strekt ze haar benen uit op het dashboard. Wat een verwend nest!

We stoppen alleen als we moeten plassen. Al rijdend smeren we broodjes op de achterbank en eten die zwijgend op. Oma moet af en toe overgeven en ze heeft zere benen. Kaynanam geeft haar pilletjes, die in haar keel blijven hangen. Kwaad vraagt oma of kaynanam haar probeert te vergiftigen. Soms leg ik mijn hoofd tegen het raam, maar dan voel ik elke bobbel op de weg. Af en toe dut ik even in, maar dan word ik al snel weer wakker, met hevige pijn in mijn nek. Mijn kont en benen voelen aan als bevroren vlees, je zou ze met gemak kunnen amputeren.

Als we eindelijk een keer stoppen, gooien we onszelf uit de auto, nadat we een gevecht met de spullen onder onze voeten hebben geleverd om onze schoenen te vinden. Jasmijn en ik gaan meteen naar de wc om te roken. Tot irritatie van mijn schoonvader zet kaynanam naast de auto een campinggasje op om thee te gaan maken. Hij moppert dat we hier over drie dagen nog zullen zitten als zij niet opschiet.

Op de snelwegen mag kaynanam af en toe rijden, en dan komt mijn schoonvader een paar uurtjes oorverdovend naast mij liggen snurken. De scheten die hij laat zijn net gifgasaanvallen. Zodra hij wakker is, neemt hij het stuur weer over. Ik vind het maar eng dat hij achter het stuur zit met zo weinig slaap. Als een auto vóór ons te langzaam rijdt, vloekt hij luidkeels alsof ze hem kunnen horen. Als hij denkt dat iedereen slaapt, zoekt zijn hand stilletjes onder zijn stoel naar de fles die hij daar verstopt heeft; om er met stiekeme slokjes van te drinken. Soms zet hij een cassettebandje met Turkse volksmuziek op, om wakker te blijven. Het is meer gejank dan zingen. Als er een lied komt waar je op kunt dansen, spoelt hij paniekerig door. Als er iemand dood is, draai je geen muziek. Maar als hij geen muziek draait, valt hij geheid achter het stuur in slaap. Het is kiezen of delen.

Met elke meter die de reis me dichter bij mijn ouders brengt, raak ik verder verwijderd van Kaan. Hij is het ijkpunt van mijn bestaan geworden, het voelt alsof ik zonder hem in het niets zal oplossen. In mijn agenda, waarin ik anders mijn gewerkte uren bijhoud, schrijf ik voor hem op hoezeer ik hem nu al mis. Dat ik niet kan wachten tot we weer samen zullen zijn.

Bij wijze van tijdverdrijf knijp ik mijn ogen tot spleetjes en stel ik me voor dat de wereld plat is en dat we nú bij het einde zijn gekomen. Steeds als er toch weer een stukje asfalt vóór ons ligt, voel ik een mengsel van opluchting en teleurstelling.

Tegen de ochtend passeren we de Turkse grens, en ondanks mijn gemis voelt het toch een beetje als thuiskomen. In Edirne zoeken we een restaurant op waar we na twee dagen brood, thee en koffie eindelijk iets behoorlijks gaan eten. Iedereen neemt penssoep met knoflook, behalve ik. Ik walg al bij het idee. Als mijn moeder dat vroeger klaarmaakte, liep ik demonstratief met een wasknijper op mijn neus. Ik neem rodelinzensoep.

Vanaf een minaret zingt een prachtige stem de oproep tot het ochtendgebed. Ik krijg kippenvel. '*Aziz Allah*,'* zeg ik automatisch. Driekwart jaar lang heb ik geen ezan gehoord, realiseer ik me. Wanneer ik ouder ben, ga ik bidden en een hoofddoek dragen, en later een keertje naar Mekka. Als ik een jaar of vijfendertig ben, denk ik, hoewel ik weet dat ik alleen mezelf voor de gek houd, en niet Allah.

Terwijl mijn schoonouders en oma in de moskee aan het bidden zijn, zitten Jasmijn en ik op de parkeerplaats van het gebedshuis ongestoord te roken.

's Middags stoppen we in Bolu, aan de Zwarte Zee, waar we ons tot barstens toe vol eten bij de kebabzaak waar de familie onderweg altijd stopt. Als we vertrekken zwaait de eigenaar ons hartelijk uit. Ik zou ook blij zijn met zulke klanten met een geel kenteken die niet op een lira kijken. We proppen ons weer in de auto, die inmiddels doordrenkt is van onaangename lichaamsgeuren. Ik hunker naar een uitgebreide douche.

Ankara is amper veranderd. Hoge, chique gebouwen, hordes winkelende mensen, maar ook opengebroken trottoirs, gebarsten asfalt, bestelwagens die steile straatjes proberen te beklimmen en een groepje discussiërende oude mannetjes met wandelstok, pet en gebedskraaltjes. Ik probeer alles met mijn ogen in te drinken. Wat ik zie laat mijn hart sneller kloppen dan het het afgelopen jaar gedaan heeft. Ik steek mijn hoofd uit het raam. Welkom, fluistert een zomerbriesje tussen de jonge populieren.

Ik zie niet alleen de gebouwen en de mensen op straat, maar vooral de herinneringen die met deze stad verbonden zijn. De lange zomeravonden dat ik buiten speelde, de lieve juffrouw die me leerde lezen, het door mijn moeder genaaide zakje met de honderd witte bonen voor de rekenles.

Ik voel de tranen prikken achter mijn ogen, alsof ik mijn geboortestad een eeuwigheid heb moeten missen.

Hoewel we moe zijn, een uur in de wind stinken en ik mijn lange rok niet kan vinden, gaan we rechtstreeks naar het huis van de overleden oom. Mijn schoonvader loopt naar de woning van de

* 'Allah is groot'.

buren waar alle mannen zitten. Als verwilderde bosbewoners gaan we naar binnen. Zodra de verse weduwe ons ziet, begint ze te huilen. De rest doet haar na. Ze omhelzen oma en kaynanam en jammeren dat hij nog maar vijfenvijftig was, te jong om dood te gaan. Ik vind vijfenvijftig stokoud. Ik zit stil tussen al die onbekenden en luister naar hun geïmproviseerde gezang. Zoals bij alle begrafenissen drinken de huilende vrouwen thee alsof ze het reservoir van hun tranen willen bijvullen. Ik kan alleen maar denken aan hoe ik mijn huid tot bloedens toe schoon zou willen schrobben en daarna zou willen slapen.

Bijna al mijn familie woont verspreid in deze stad. Na twee dagen van bliksembezoekjes voel ik me net een staatshoofd. Ik word duizelig van het herhalen dat het dankzij Allah goed met me gaat en ook met Kaan en Emel, dat ik nu een beetje gewend ben aan mijn nieuwe leven, dat mijn bruiloft leuk was, dat ik werk, dat ik niet zwanger ben en Emel helaas ook niet. Bij elk bezoek speel ik het bandje af, waarna ik word overspoeld door informatie die langs me heen glijdt. Niet omdat het me niet interesseert, maar omdat mijn harde schijf vol is. Het belangrijkste is dat er niemand van onze naaste familie dood is en dat ze allemaal de groeten doen.

Voordat we naar Mersin vertrekken, gaan we bij Jasmijns schoonouders eten, waar Jasmijn zelf logeert sinds we hier zijn. Bij de deur kussen mijn schoonouders haar aanstellerig alsof ze haar jaren niet hebben gezien. In de woonkamer ligt Jasmijns man Kadir in een bed onder het raam. Hij is gekrompen tot de afmetingen van een kind, en hij kijkt dof uit zijn diepliggende ogen. Zijn dikke zwarte haar dat ik me herinner van toen we op weg naar Nederland bij de familie langskwamen, is afgeschoren. Ik probeer mijn schrik te verbergen en aarzel om hem te kussen. Maar als hij me vrolijk groet en rechtop gaat zitten, vind ik de moed mijn hand naar hem uit te steken en me naar hem toe te buigen. Ik voel zijn jukbeenderen in mijn wangen prikken. Het gaat goed met hem, zegt hij, en zijn ouders beamen het gretig. Ze beweren dat de artsen nog niet weten wat het is, maar verwachten dat hij binnenkort weer helemaal de oude is. Ik merk dat ik hen graag wil geloven.

Jasmijn is stil. Ze helpt met koken, gaat uit zichzelf afwassen. Mij behandelt ze alsof ik een goede vriendin ben, ze vraagt hoe het met me gaat, informeert uitgebreid naar de bezoeken die ik heb afgelegd, hoe het is om weer terug te zijn. In de keuken sla ik haar op haar kont en zeg: 'Je lijkt de ideale schoondochter wel!' Ze grinnikt, maar haar ogen staan niet vrolijk.

'Kanker?' vraag ik voorzichtig.

'Zijn ouders ontkennen het in alle toonaarden. En ík weet niet of ik verdrietig of blij moet zijn dat hij niet met me kan vrijen.' In haar stem klinkt medelijden en verwarring. Een keer heeft hij haar gevraagd bij hem te komen liggen en heeft hij haar zachtjes geknuffeld. Ze vond het eng, dat iele lichaam tegen het hare aan, maar probeerde niets te laten merken.

'Insallah wordt hij beter,' zeg ik. Ze knikt afwezig. Wat er in haar diepste gedachten omgaat durf ik niet te vragen. Zijn dood is voor haar de enige mogelijkheid om zonder kleerscheuren van hem af te komen. Misschien probeert ze elke gedachte aan een vrij bestaan te onderdrukken in de vrees dat Allah het hoort en inwilligt.

Zwijgend vult ze de theeglazen en neemt die mee naar binnen. Over de ziekte van Kadir wordt verder niet gesproken, we doen alsof hij volkomen gezond is. Bij de deur kus ik Jasmijn drie keer en ik fluister dat Allah groot is. Ze beaamt het, maar haar stem trilt een beetje.

Als ik met mijn schoonouders door het Taurusgebergte afdaal naar Mersin, begint mijn hart sneller te kloppen en doordat ik zweet begint alles te plakken. Mijn ouders kunnen uitrekenen dat ik over een paar uur thuis zal zijn. Hoe zullen ze op mij reageren? Voordat we voor ons appartement uitstappen, geeft kaynanam me honderd gulden zakgeld. Ik neem me voor het goed te besteden.

'*Abla*?'* vraagt Bahar door de intercom.

'Ja, ik ben het.' Ik kan het maar moeilijk uitbrengen. Ze drukt op de knop en terwijl ik de zware deur openduw hoor ik haar al naar beneden stormen. Ze vliegt me om de nek. Ik kus haar: 'Ik heb je gemist, gemene meid.'

Mehmet kijkt van een afstand toe, verlegen en stil als altijd.

* 'Zus?'

'Wat sta je daar te kijken?' zeg ik terwijl ik naar hem loop, 'heb je me niet gemist?' Hij haalt zijn schouders op en knikt. Ik knijp hem fijn in mijn armen. Mijn ouders verschijnen in de hal. Mijn moeder met Didem in haar armen. 'Ze is van de trap gevallen omdat ze naar je toe wilde rennen,' huilt moeder en ze omhelst me alsof ze me een eeuw niet heeft gezien. Uit respect loopt mijn vader rechtstreeks naar mijn schoonouders, heet hen welkom en informeert naar hun gezondheid. Mijn moeder droogt haar tranen met de twee uiteinden van haar hoofddoek, zoals ze altijd deed. Geef haar maar aan mij, gebaar ik naar mijn moeder. Ik kus Didems blote knie. 'Doet het zeer?' Ze knikt en zit als een vreemd kind op mijn arm.

'Je bent gegroeid,' snik ik. 'En je haren zijn langer.' In niets is ze meer het meisje dat ik heb achtergelaten, ik herkende haar alleen omdat ze een kopie van me lijkt.

Ik kus de hand van mijn vader en hij kust mijn wangen. Ik sla mijn armen om zijn nek. Hij wrijft zachtjes over mijn rug en klopt een paar keer. Met moeite kan hij glimlachen: 'Welkom, mijn dochter.' Snel laat hij me weer los.

Mijn moeder kust kaynanam. 'Ik dank Allah dat jullie haar hebben meegebracht.'

Voordat ik mijn schoenen heb kunnen uittrekken, legt Bahar slippers voor mijn neus, alsof ik bezoek ben. Mijn moeder heeft druivenbladen gerold, aubergine gevuld, rijst, yoghurtsoep en griesmeeltaart gemaakt: mijn favoriete gerechten. Van Bahar mag ik niet helpen met de salade. Aan de keukentafel, met mijn zusje op schoot, kijk ik verwonderd hoe zelfstandig Bahar in bijna een jaar is geworden. Haar lichaam vertoont ook al wat rondingen.

'Vertel! Hoe gaat het met je?' zegt mijn moeder met een zachte stem die ik van haar niet gewend ben.

Ze praten over mijn bruiloft alsof ze erbij waren. De videoband kennen ze uit hun hoofd. Mijn moeder is tevreden: 'Je hebt je keurig gedragen, niet uitbundig gedanst of constant zitten huilen.' Ik had verwacht dat ze op zijn minst zou vragen wat Kaan en ik zaten te fluisteren.

Ik pak mijn handtas om naar het achterbalkon te gaan, maar ze zegt: 'Rook maar hier, maar vertel het niet verder dat je mag roken waar ik bij ben.' Ik steek geroutineerd een sigaret op. '*Eşşeksipa*,'* zegt ze liefkozend en geeft me een asbak.

Mijn vertrek heeft voor Bahar goed uitgepakt. Van papa mag ze doorstuderen en om kleren hoeft ze niet te zeuren. Ze gaat vaak naar haar vriendinnen of die komen langs, en ze weet moeder tevreden te stellen met een schoon huis. Ze doet alles wat haar gevraagd wordt zonder dat moeder zich eerst kwaad hoeft te maken. Als Didem vanaf de wc mijn moeder roept om haar billen af te vegen, zeg ik dat ik wel ga. Ze is nog steeds mijn kleine lieveling die liever bij mij op schoot zat dan bij mijn moeder. Als ik de wc-deur open om haar te helpen, kijkt ze verschrikt en vraagt of ik moeder wil gaan halen. 'Je dochter roept jou,' geef ik mijn moeder boos door. Zelfs tussen mijn zusje en mij is het niet wat het is geweest. Terwijl ik hier ben, ligt er nog steeds een afstand van zo'n drieduizend kilometer tussen ons. Ik probeer het te onderdrukken, maar het is alsof ik in een vreemd gezin ben, alsof ik hier niet meer thuishoor. Het is een oncomfortabel gevoel. Ze hebben een nieuw bankstel. Dat wist ik, maar ik was het weer vergeten. In mijn herinneringen zaten ze nog op onze oude, vertrouwde bank.

Onze oom en tante, de ouders van Emel, komen eten. Ze vertellen hoe geweldig hun verblijf in Nederland was en dat ze de afwezigheid van mijn ouders voor mij hebben geprobeerd te verzachten. Ik heb daar bar weinig van gemerkt, maar ik knik instemmend '*Allah razi olsun*'.** De ironie in mijn stem ontgaat mijn ouders, die hen nogmaals bedanken.

Na het toetje help ik met opruimen, ondanks Bahars protesten. Terwijl zij de afwas doet, loop ik met een dienblad vol kleine theeglazen naar de salon. Ik was vergeten hoe vol de vloer ligt met matjes en tapijten, waardoor ik bijna struikel. Met moeite herwin ik mijn evenwicht en ik begin met serveren bij de oudste, mijn schoonvader. Zigzaggend loop ik naar mijn oom, vader, kaynanam, tante, moeder. Voor iedereen zet ik op strategische plekken tafeltjes neer waarop ze hun glazen kwijt kunnen. Ik pak een mok thee en ga op de melkchocoladebruine slaapbank zitten. Zwijgend kijk

---

* 'Ezelsveulentje', ook liefkozend gebruikt.
** 'Moge Allah tevreden zijn over jullie'.

ik naar de beige bankstellen met hun houten versieringen. Geen stof te bekennen. Van moeder moest ik eens per week een stofdoek om een breinaald wikkelen en alle rondingen in het hout een voor een afnemen.

Kaynanam bedankt mijn ouders dat ze me als een keurig meisje hebben opgevoed. Dat ik haar moeder noem zoals alleen een echte dochter dat zou kunnen doen. Dat ze me eigenlijk niet wilde laten werken, maar dat ik erg aandrong. Dat ik na mijn werk mijn best doe in het huishouden en dat ik ze nooit tegenspreek. Haar grote verbazing probeert mijn moeder te verbergen met een nog grotere glimlach. Mijn oog valt zoals altijd op het handgeknoopte tapijt dat oma ons gaf voor ons nieuwe huis. Met mijn ogen trek ik de anjers over en kleur ze in. Dat meisje dat nu bejubeld wordt, heeft mijn moeder vroeger nachtmerries bezorgd. In haar ogen zie ik de opluchting van iemand die net zijn schuld heeft afgelost en niet meer bang hoeft te zijn voor de schuldeisers. Ze hoeft zich niet meer voor mij te schamen en kan met opgeheven hoofd aan vriendinnen en buren vertellen hoe blij kaynanam met mij is.

Van de gelegenheid gebruikmakend vertel ik dat ik na de zomer Nederlands ga leren bij de Volwasseneneducatie. Kaynanam vindt het opeens vanzelfsprekend dat ik naar school ga. 'Tuurlijk, mijn kind, je moet de taal leren. Kaan kan toch niet de hele tijd bij je zijn?'

Wanneer mijn schoonouders met mijn oom en tante, bij wie ze blijven logeren, vertrokken zijn, laat ik mijn familie de Nederlandse snoepjes proeven: hard, zacht, plakkerig, zuur, verschrikkelijk zuur. Engelse dropjes, een goed compromis tussen drop en rozegele sponzige zoetigheid, vinden ze lekker.

Papa berispt me dat ik zo veel cadeaus heb meegenomen.

'Dat je gekomen bent is het beste geschenk,' vindt mijn moeder.

Mijn broer speelt met zijn auto, we laten de pop van Didem plassen. Ik heb ook wat van mijn overvloedige bruidsschat mee teruggebracht: handgeborduurde kussenslopen, dekbedovertrekken, geborduurde witte hoeslakens. Als een meisje hier trouwt, zorgen haar ouders voor het keukengereedschap en de slaapkamer- of salonmeubels. Omdat kaynanam dat overbodig vond, kreeg ik een aanhangwagen vol handgemaakte kleedjes, wollen matrassen, dekbedden en kussens mee. Zelfs genoeg voor mijn kleinkinderen. Moeder vindt het niet leuk dat ik mijn kleedjes nu terugbreng. 'Ik gebruik ze niet. Je kunt ze beter aan Bahar geven,' dring ik aan. Ze zijn benieuwd naar mijn leven. Ik vertel ze dat Nederland groen is, dat er overal bomen staan, zelfs voor de huizen. Maar dat de straten heus niet zo schoon zijn als mijn schoonvader vertelde. Mijn vader wist allang dat mijn schoonvader een opschepper is. 'Heb je geld nodig, jongen?' hoorde ik hem een keer aan mijn vader vragen toen we nog verloofd waren en papa krap bij kas zat. 'Ik kan het je lenen, vuilniszakken vol.'

'Hij zei dat er nooit iets lag, maar ik zie soms lege sigarettenpakjes, lege colablikjes, kauwgum en niet te vergeten heel veel hondenpoep!' Walgelijk, zeggen ze als ik vertel dat niet alleen ik maar ook mijn tante er een keertje in heeft getrapt. 'Hoe is de "villa" van je dromen?' vraagt moeder. 'Het huis kan zo uit elkaar vallen!' Ze moet er minachtend om glimlachen.

Mijn broer en zusje vallen in slaap op de bank. Ik druk Didems kleine lichaam tegen het mijne en draag haar naar bed. Precies zoals ik het me herinnerde vraagt papa ten teken dat hij gaat slapen of moeder het bed wil openmaken, dat ze 's ochtends strak als een cadeau inpakt met een roze beddensprei en sierkussens. Even voelt het alsof ik nooit ben weggeweest.

Ik durf niet op te blijven, maar kan ook moeilijk naar bed gaan. Mijn moeder zegt ineens: 'Ik ben zo trots op je dat je het volhield tot je bruiloft. Ik maakte me daar echt zorgen om, jullie waren net knaagdieren. Maar je vader had vertrouwen in je.'

Ik probeer niet te slikken. 'Hoe zou ik jullie eer kunnen schenden?' In gedachten dank ik Allah dat Kaan me niet in de steek heeft gelaten.

'Abla, je wordt rood,' merkt Bahar op.

'Het is raar dat ik nu getrouwd ben,' zeg ik.

'We weten hoe je de dagen aftelde,' spot mijn zus. 'Weet je nog hoe ik je betrapte toen je aan een wollen deken snoof en zuchtte: "Nog even, dan liggen we er samen onder!"' Aan de grijns van mijn moeder te zien is zij het ook niet vergeten.

'Mijn lammetje,' zegt ze en ze omhelst me, 'ik heb niet kunnen wennen aan je afwezigheid.'

Mij bevalt het prima zonder jou, denk ik. Ik laat me niet zo snel inpalmen.

'Vertel,' zegt moeder, 'wat heb je allemaal gedaan?' Dat er niet zo veel te vertellen valt, wil ze niet geloven. Wat heb ik dan een heel jaar gedaan? Wie heb ik allemaal gezien van onze dorpsgenoten?

Om van haar af te zijn zeg ik dat zij maar moeten vertellen wat er allemaal is gebeurd sinds ik weg ben. Niets noemenswaardigs. Over een paar weken komt haar oudste zus met haar gezin uit Berlijn. Ze doet wat geheimzinnig, vindt mijn moeder. Laatst informeerde ze uitgebreid naar Bahar.

Ik voel het al aankomen, maar denk: ze willen niet nog een dochter nu al kwijt, en zeker niet aan iemand in het buitenland.

'Ma, zou het?'

Dat denkt ze niet, anders had mijn tante het haar wel verteld. Er zelf naar vragen zou hetzelfde zijn als Bahar aanbieden op een presenteerblaadje. Mijn zus luistert zwijgend, knikt instemmend. Ik weet niet wat er in haar hoofd omgaat. Een echte band hebben we eigenlijk nooit gehad. Door alles aan Allah over te laten, zet mijn moeder een punt achter het onderwerp.

'En wat heb je nog meer meegemaakt?' Het is na drie uur 's nachts en ik kan mijn ogen nauwelijks openhouden. 'Koffie?' biedt ze aan. Want ze willen nog lang niet naar bed.

Het is in huis een drukte van belang als ik me 's ochtends van de salon naar de badkamer sleep. Met de afstandsbediening in zijn handen racet mijn broer opgetogen door de hal achter zijn auto aan. Het huis is al schoongemaakt, zodat we onbezorgd kunnen ontbijten. Gefrituurde schijfjes aubergine, courgette, aardappelen en hete paprika's liggen op keukenpapier uit te lekken. Van geweekt oud brood en gehakt rolt mijn moeder köfte. Naast haar staat mijn zus in tomatensaus te roeren. Ik pik een balletje en doop het in de saus. Nergens smaakt dit zoals thuis. Voor mezelf maak ik een kopje koffie. Ik steek een sigaret op en ga aan tafel zitten. Mijn moeder vindt het een slechte gewoonte om voor het ontbijt koffie te drinken en te roken. Ik pik nog een köfte.

Haar omgang met mijn zus is veranderd, milder geworden. Ze luistert naar wat Bahar te zeggen heeft in plaats van meteen boos te worden. Dat ik dat opmerk, vindt ze niet leuk. Op haar gezicht tekent zich een bittere glimlach af. Zonder iets te zeggen verlaat ze de keuken. Dat ze in zo'n situatie zwijgt, ben ik niet gewend. Terwijl ik olijven, feta, tomaten en brood op tafel zet, vraagt mijn zus of ik niets heb geleerd in *gurbet*.* Dat mijn moeder al maanden op mij heeft zitten wachten alsof ik elk moment kon komen. Ze vindt dat ik moeder moet roepen voor het ontbijt. Met tegenzin loop ik naar de slaapkamer. Ze reageert niet als ik zeg dat het eten klaar is. Tegen Bahar zeg ik nors dat ze niet komt en ik steek nog een sigaret aan. Ze zegt dat moeder me echt heeft gemist, en dat ze spijt heeft van hoe ze me heeft behandeld. Dat ze zelf heeft gezien hoe mijn moeder haar gezicht in mijn oude kleren stopt. Kan ik niet wat milder zijn?

Na de middag komt de onderbuurvrouw de situatie redden. We doen alsof er niets is voorgevallen. Ik serveer mooie praatjes bij de koffie. Dat het leven ver van huis even wennen was, dat het er koud is. Dat de buren elkaar niet kennen, de mensen binnen zitten en alleen maar friet eten. Met trots haalt mijn moeder kaynanams lovende woorden aan, en zegt dat ik bof met hoe ik terecht ben gekomen. Ik beaam dat ik het geweldig naar mijn zin heb. Dat Kaan me op handen draagt, evenals mijn hele schoonfamilie. 'Moge Allah alle dochters net zo'n goed lot geven.' Amin.

's Avonds ben ik blij mijn vader weer te zien. Ook hij is zichtbaar trots en blij voor mij. Ook bij hem voel ik me verplicht dag in dag uit over mijn geluk in Holland te overdrijven. Hoe meer ik erover vertel, hoe enthousiaster ik word. Ik zou bijna wensen dat ik mij was!

Soms zit ik naast hem op de bank met zijn arm in mijn nek. Dan kruip ik dicht tegen hem aan om mijn hoofd op zijn borst te leggen. Alleen bij hem is een stilte niet een dreigend, ongelukkig gat dat met prietpraat gevuld moet worden.

*Een ver oord, ver van huis.

Elke dag wekt mijn moeder me om half tien met de opmerking dat ik er niet ben om te slapen. Haar schoonmaakdrang zet zich al in bij het natafelen aan het ontbijt. De armen van de engelen worden moe als we niet snel opruimen. Samen met Bahar probeer ik het steevast nog even te rekken. 'Deze tafel heeft poten,' grap ik nog terwijl ik er op tik. Dan begint ze boos en teleurgesteld alvast met opruimen. Als we klaar zijn gaat ze moe maar voldaan op het tapijt liggen en vraagt wie vandaag op haar rug wil lopen. 'Rustig. Iets naar boven, links. Ja, daar. Ik ben op!' zucht ze. Na de middag duikt ze de keuken in; Turkse gerechten kook je niet in een uurtje. Voor de afwisseling maak ik iets simpels klaar: nasiballetjes met sambal en mayonaise. Ze zijn even snel verdwenen als geroosterde kikkererwten. De zakjes nasikruiden worden bewaard voor speciale gasten.

Onze handelingen zijn hetzelfde als vroeger, maar de verhoudingen liggen anders. Ik ben tegelijkertijd lid van het gezin en buitenstaander. Straks als ik weg ben gaat moeder alles grondig schoonmaken, en dan gaan ze weer over tot de orde van de dag. Nooit zal ik hier meer thuis zijn. Als ik ooit voorgoed zou terugkomen na een scheiding, zou ik mijn ouders tot last zijn. Ik weet zeker dat ik het nooit zover zal laten komen, hoe moeilijk ik het leven in Nederland soms ook vind.

Kaan is onderweg. De dagen zijn lang, de nachten eindeloos. Het is wonderbaarlijk hoe snel je aan iemands aanwezigheid went. Ik tel de dagen en uren af dat hij zal komen. Ik mis Kaans hartslag onder mijn handpalm, zijn zweet, zijn geur. Het lukt me niet in slaap te vallen. Ik adem diep in en uit, zoals hij doet als hij slaapt, en hoop op een onzichtbare band of een telepathische nabijheid. Ik schrijf een brief vol verlangen, die ik zorgvuldig verstop in mijn koffer, in de wetenschap dat ik die niet zal posten. Ik moet er niet aan denken dat iemand anders die leest.

Dat ik me constant hardop afvraag hoe het met Kaan zou zijn en wat hij op dat moment zou doen, drijft mijn moeder tot razernij. Ik had bij hem moeten blijven als ik zo ziekelijk op hem gesteld ben. Ze dankt Allah dat hij op tijd een man voor me zond. Wat zou ik allemaal uitgevreten hebben als ik niet zo jong was getrouwd? Ik laat haar woorden langs me heen glijden en ga met Didem spelen. Als iedereen slaapt en ik op de bruine slaapbank in de salon lig te roken, komt ze in een versleten gebloemde pyjamabroek en een knalgeel T-shirt naast me zitten. Ik wil vragen of ze van plan is carnaval te gaan vieren, maar ik houd me in als ik zie dat ze tranen in haar ogen heeft.

'Mijn kind, waarom doe je zo?'

Ik haal mijn schouders op en neem een trek van mijn sigaret. Ze herhaalt wat Bahar al heeft verteld. Het doet me deugd dat ik sterker ben dan zij. Het voelt goed dat ik haar op afstand kan houden, en kan doen alsof haar genegenheid me niets kan schelen. Hoewel ik vaak huilend met haar foto op bed heb gezeten, zeg ik tegen iedereen dat ik hen heb gemist, behalve tegen haar. Als ik naar haar kijk, komen de herinneringen boven. Hoe ze me het huis uit heeft gejaagd. Dat ze me geen jeugd heeft gegund. Nu kan ik haar kwetsen.

'Dan moet je me niet op deze manier behandelen,' zeg ik ongeïnteresseerd. Ze zegt dat ik sinds mijn komst alleen bezorgd over Kaan ben, dat hij zich heus wel even zonder mij redt.

'Wat kan het jou schelen! Jíj hebt toch nooit van me gehouden,' snauw ik haar toe. Ze bijt op haar lip en zegt dat het niet waar is. Ze geeft toe dat ze een harde hand niet schuwde als ik haar woedend maakte.

'Ik was een kind!'

'Je luisterde nooit,' zegt ze hulpeloos.

'Ik deed mijn best, maar je was nooit tevreden.'

Ze trekt de gebloemde katoenen hoofddoek van haar hoofd en gebruikt hem als zakdoek. Tussen haar zwarte haren blinken grijze. Sinds wanneer heeft ze die? Ik heb je niet grijs zien worden, wil ik huilen.

Ze weet nog dat ik vaak moest zeuren en huilen om nieuwe kleren, zelfs voor het suikerfeest of het slachtfeest. Als ze zegt dat ze dat mijn vader kwalijk heeft genomen en dat ze er alles voor over zou hebben om het weer goed te maken, rollen de tranen zomaar over mijn wangen. Vroeger werd ze altijd woedend als ik huilde. Nu kust ze mijn tranen. Ik trek haar hoofddoek uit haar hand en snuit mijn neus erin. Wijzend op haar kleren lach ik dat het lijkt alsof ze uit een inrichting is weggelopen. 'Een trechter en je outfit zou compleet zijn! Gooi die pyjama weg, die komt amper tot je schenen.'

De volgende middag zegt papa dat we met zijn tweetjes gaan winkelen. Hij overlaadt me met broeken, truien en T-shirts. In een van de vele leerwinkels van Mersin zie ik een stoere, zwarte leren jas met gespen en ritsen als bij een motorjack. Papa vindt een andere jas beter, eentje met een nepbonten kraag die mijn billen bedekt. 'Echt niet,' roep ik. Alleen bij hem durf ik de toon van een opstandige puber aan te slaan. Zijn ogen glinsteren vol weemoed en ik kus zijn wang. De verkoper noemt een veel te hoge prijs en ik zeg dat ik de jas niet per se hoef te hebben. Maar mijn vader staat erop en betaalt het volle pond.

Voor de nieuwe slaapkamer van Kaan en mij bestellen we gordijnen en een beddensprei van dezelfde stof. Papa lijkt zijn best te doen om de jaren dat ik om alles moest smeken goed te maken. Van mijn zakgeld koop ik voor moeder een pyjama.

Ik heb de bel niet gehoord en word wakker van een kus in mijn nek. Nog nooit was ik zo blij om gewekt te worden. Ik rek me uit en zeg dat ik me eigenlijk nog had willen opmaken. Kaan zegt dat ik altijd mooi ben en dat hij het liefst onder mijn nachthemd kruipt. 'Mijn moeder,' fluister ik, maar ik ben blij dat hij niet luistert. Zijn handen kennen de weg, maar voelen als nieuw aan. Ik voel het bloed naar mijn oren stijgen. Dan roept mijn moeder vanuit de keuken dat het ontbijt klaar is. Sinds mijn vertrek uit Nederland snak ik naar mijn man, en nu gunt ze me hem nog steeds niet! Ik zou het Kaan niet kwalijk nemen als hij me nu naar een hotel zou meenemen. Maar daar zijn we veel te braaf voor.

Onder tafel kietel ik hem met mijn blote tenen; ik kleed hem uit met mijn ogen. 'Abla,' stoot Bahar me zachtjes aan om me eraan te herinneren dat Kaan en ik niet alleen zijn. Mijn moeder kijkt me boos aan en vraagt of ik me niet schaam om zo te flirten waar zij bij is. 'Ja, mam,' zegt Kaan quasi geschokt, 'zeg iets tegen je dochter!'

'*Terbiyesizler*,'* zucht mijn moeder afkeurend.

Na een uur natafelen kondigt Kaan aan dat hij gaat douchen. 'Het stof van de weg en de vermoeidheid van me afspoelen.' Ik wacht tot mijn moeder zegt dat ze met Didem en Bahar haar gebruikelijke bezoek aan de buren gaat brengen, maar dat doet ze niet. Ik zucht en steun demonstratief. Ze probeert me van Kaan weg te houden alsof we nog steeds verloofd zijn. Misschien is het nog niet tot haar doorgedrongen dat we getrouwd zijn; ze was tenslotte niet op de bruiloft. Het is blijkbaar niet makkelijk je dochter toe te staan in je huis te vrijen, ook al is ze getrouwd. Ze loopt onrustig heen en weer in de keuken, ruimt van alles op, wast schone pannen af. Haar krijg ik niet weg, besef ik.

'Ik ga zijn rug wassen,' zeg ik. Bahar giechelt. Grinnikend geef ik haar een klap op haar kont. Moeder doet alsof ze me niet hoort of ziet. Als het aan haar ligt, sta ik over een week nog droog.

Zachtjes klop ik op de badkamerdeur.

'Waar bleef je!' fluistert Kaan. Zijn handen zijn gerimpeld van het water. Nauwelijks heb ik de deur achter me op slot gedaan, of hij rukt me mijn nachthemd van het lijf en duwt me tegen de koude tegels. Mijn god, denk ik, dit moeten we vaker doen. Even schiet het door mijn hoofd dat er hier geen strip pillen achter in de cassettespeler zit. Gulzig neemt hij hapjes van mijn lichaam en ik lik hem droog. 'Rustig,' fluistert hij, 'straks hoort ze ons.' Ik trek hem mee onder de douche en laat het water lopen, hoewel ik er niet van houd om onder de douche te vrijen; nood breekt wet. Kletterend valt het water op onze lichamen en op de tegels. Als al mijn spieren samentrekken, mijn ziel met schokjes mijn lichaam verlaat en ik lijk te zweven, weet ik niet wat me overkomt. Langzaam zak ik op de blauwe tegelvloer.

Hij knielt bezorgd naast me neer. 'Gaat het?'

Mijn borst gaat nog hevig op en neer en ik probeer weer normaal adem te halen. Vol ongeloof schud ik mijn hoofd, terwijl ik met mijn hand een geruststellend gebaar probeer te maken. Het is nog nooit zo goed met me gegaan. Meestal als we vreeën dacht ik dat ik klaarkwam, deze keer weet ik het zeker.

*'Onopgevoeden'.

'Wat glunder je?' spot Bahar als ze me op de gang gewikkeld in een badhanddoek tegenkomt. Ik voel me licht in mijn hoofd. Het is alsof ik high ben maar tegelijkertijd doodmoe, alsof ik tien keer de trappen op en af heb gelopen. Kaan heeft een lange reis achter de rug en gaat naar bed. Wat is mijn excuus? De wereld kan me gestolen worden, en mijn moeder helemaal. Ik kruip dicht tegen hem aan, mijn hoofd op zijn schouder en mijn hand op zijn hart en fluister 'dankjewel' in zijn oor. 'Niets te danken,' straalt hij trots, 'het was me een genoegen.'

Als mijn moeder op de deur klopt en roept dat mijn vader zo thuiskomt, sta ik op, na een kus en een knuffel. Het geduld van mijn moeder durf ik niet langer op de proef te stellen. Mijn binnenpret probeer ik voor mezelf te houden als ik met de salade help. Mijn vader komt binnen, Kaan kust zijn hand. Een déjà vu van de schaamte van bijna een jaar geleden toen we de handen van zijn familie moesten kussen na onze zogenaamde 'eerste nacht'. De gêne is dubbel zo groot omdat het voelt alsof hij kan zien dat we vanmiddag hebben gevreeën. Terwijl ik mijn soep oplepel en mijn vader en Kaan beleefdheden uitwisselen, probeer ik een brede glimlach te onderdrukken.

Het is een komen en gaan van bezoek. 's Middags buurvrouwen, vriendinnen van mijn moeder, kennissen, dorpsgenoten, en 's avonds komen de vrouwen met hun mannen en kinderen samen. Rijen tuinstoelen op het balkon alsof ze naar een voorstelling zijn gekomen. Allemaal om mij welkom te heten en me alsnog huwelijkscadeautjes te geven. Een paar vrouwen vinden dat ik dikker ben geworden: 'Het huwelijk heeft je goedgedaan.' Het is leuk en aardig dat ze me willen zien, maar Bahar en ik worden er niet goed van zo veel gasten te bedienen. Nadat ze vertrokken zijn, blijven wij nog lang op het balkon zitten, de enige momenten dat het gezin rustig bij elkaar zit.

Lang duurt het niet, ook die momenten moeten we afstaan. De zus van mijn moeder komt met haar gezin een paar weken logeren. Mijn tante en haar man hebben hun leven aan Allah gewijd en leven zo goed als mogelijk in de Middeleeuwen. Het tengere lichaam van mijn tante is gehuld in lange wijde gewaden die zwaarder zijn dan zijzelf, en haar man ziet eruit alsof het scheermes nog niet is uitgevonden. De hoofddoek van de jongste dochter van zes valt om haar schouders tot haar middel; ze is net een kaboutertje. Hun zoon van zeventien mag geen spijkerbroek dragen, omdat dat een product is van het verderfelijke Westen. Op andere punten lijken ze met dat Westen niet zo'n moeite te hebben. Hun Mercedes met navigatiesysteem is in Turkije nog niet verkrijgbaar. In gedachten zie ik ze eerder in een houten kar die door twee flinke stieren wordt voortgetrokken en met jutezakken in plaats van Samsonite-koffers.

Met die dikke auto laten ze iedereen zien dat ze het goed hebben in Duitsland. Mijn oom heeft in Berlijn een winkel met Turkse producten, zo groot als een half voetbalstadion, zoals hijzelf zegt. In een buurt met een naam waar we onze tong op breken, Kreuysberg of zoiets, vlak bij een Turkse markt. De omgeving waar ze wonen hebben ze omgedoopt in 'Klein Istanbul', iets wat ze met trots uitspreken. Daar doen dönerwinkels hun zaken zonder tussenkomst van een Duitser. Van de servetjes tot de papieren zakken waar ze hun broodjes in wikkelen, alles is van Turkse makelij. 'Laat een Turk maar geld aan ons verdienen.'

Mijn oom vertelt dat hij blij is dat er zo'n grote Turkse gemeenschap is in hun deel van de stad. De Duitsers minachten Turken en discrimineren ze waar ze kunnen. Met enige regelmaat gaat er een moskee of een Turks koffiehuis in vlammen op. Zouden Turken in Nederland ook zulke Turkse enclaves vormen als ze zich bedreigd en ongewenst voelen? Hoe zouden Nederlanders daarop reageren?

Logisch, denk ik, dat ze hier zes weken komen opscheppen en zich superieur voelen. Maar van mij hadden ze in Klein Istanbul mogen blijven of na mijn vakantie mogen komen.

In de keuken eist mijn moeder fluisterend dat ik rokken draag tijdens hun verblijf. Het liefst zou ze me ook een hoofddoek aansmeren. Ze vindt het schandalig dat ik me als getrouwde vrouw niet wat meer bedek waar mijn oom bij is. Hij zal het niet laten mijn vader aan te spreken op mijn kleren, want dat ziet hij als zijn moslimplicht. Daarmee zal ik mijn vader in verlegenheid brengen. Tot frustratie van mijn moeder vertik ik het mij aan te passen.

'Zeg iets tegen je vrouw,' zegt ze tegen Kaan.

'Iets,' zegt hij.

Kwaad zegt ze dat Kaan en ik allebei wel ongelovigen lijken te zijn geworden in Nederland, en ze vraagt of Kaan het zelfs goed zou vinden als ik bloot zou rondlopen. 'Ja,' beaamt hij. 'Heeft je dochter je niet verteld dat ze daar zonder kleren rondloopt?' Volgens mijn moeder zal Kaan met mij in de hel branden omdat hij verantwoordelijk voor me is.

Het is inschikken met meer dan tien mensen in huis. Mopperend verhuis ik naar de kinderkamer die ik moet delen met mijn zussen en mijn twee nichtjes. Kaan gaat braaf op het ruime balkon slapen bij mijn broer en mijn neef. Mijn tante overlaadt Bahar met parfums, leren tassen en schoenen. Ze prijst haar dat ze een mooie, welopgevoede dame aan het worden is, en Bahar glundert van Mersin tot aan Berlijn.

Als de gasten een middagje naar de stad gaan, komt de aap uit de mouw. Mijn moeder vertelt dat tante voor mijn neef een zorgzame huisvrouw en een goede moeder voor zijn nazaten zoekt. Mét hoofddoek welteverstaan. Een vrouw die naar de regels van de islam leeft, zoals hij dat doet. In Bahar ziet mijn tante de perfecte kandidate. Bovendien weet ze met haar wat ze in huis haalt, geen onprettige verrassingen later dat ze te brutaal is of niet bij de familie past. Bahar hoeft van hen haar middelbare school niet af te ronden, in Duitsland heeft ze er toch niets aan.

'Niet zolang ik leef!' schreeuw ik. Hebben ze dan niets geleerd? Is het niet voldoende dat één dochter naar een ver land vertrokken is? Moeder schreeuwt terug dat ik me koest moet houden. Dat het niet aan mij is om erover te beslissen. Ze doet alsof dit het beste is wat Bahar ooit kan overkomen.

'Beleefde jongen, goede familie. Ons kent ons.' De zegen van mijn moeder heeft ze. Vader zegt hetzelfde als hij tegen mij zei: ze mag het zelf weten, maar hij wil haar later niet horen klagen. De macht van mannen in zulke zaken wordt zwaar overschat. Mijn moeder is de enige die dit kan voorkomen, maar ze doet het niet. We mogen niet bepalen wat voor kleren we dragen, maar wel op ons dertiende beslissen of we willen trouwen! Het is haar keus. Als ze wil, kan de bruiloft volgende zomer gevierd worden. In de kinderkamer probeer ik Bahar te weerhouden van de misstap van haar leven, maar het haalt niets uit. Ik zeg dat ze zelfstandig kan worden en haar eigen beslissingen kan nemen als ze wacht met trouwen en gaat studeren, maar het lijkt wel of dat niets voor haar betekent. Mijn angst dat ze, als het huwelijk mislukt, niet zal kunnen scheiden vanwege de familiebanden, vindt ze nergens op slaan. Ze vindt onze neef best aardig en denkt dat ze met hem een lang en gelukkig leven tegemoet gaat. Waarom zou ze zich zorgen maken?

'Misschien omdat ze je in een tent willen stoppen?'

'Is in zonde leven misschien beter?' vraagt ze. Ze beweert dat ze toch al van plan was een hoofddoek te gaan dragen, niet vanwege onze neef of zijn familie, maar voor Allah.

Ten einde raad schreeuw ik: 'Denk je dat die snotneus met jeugdpuistjes je zou kunnen beschermen, dat hij voor je kan opkomen? Hij heeft niet eens een tong in zijn mond!' Ze antwoordt rustig dat het toch niet nodig zal zijn met onze tante als schoonmoeder.

Ze weet niet waar Berlijn ligt, maar denkt dat we elkaar vaak zullen zien en zo de heimwee voor ons allebei dragelijk kunnen maken. 'Ja, Berlijn ligt vlak bij Tilburg,' zeg ik, 'bijna in onze achtertuin.'

Blij verrast kijkt ze me aan: 'Meen je dat?'

Kaan is op het geschreeuw afgekomen en vraagt Bahar of ze goed heeft nagedacht. Ze knikt. Daarna zegt hij dat ik me er dan niet mee mag bemoeien en dat ik zelf ook zo jong wilde trouwen. Ik roep dat dat anders was. Dat ik niet mocht studeren en dat hij vrijzinnig is in plaats van streng gelovig.

'Wie zegt dat Bahar een vrijzinnige man wil?' vraagt hij. Ik mag mijn denkbeelden niet op haar projecteren.

'Ze is míjn zus, houd je erbuiten!' snauw ik.

'Jij ook,' schreeuwt hij terug. 'Het is háár leven.'

Na Bahars jawoord loopt Ankara leeg: mijn opa van vaderskant, oma van moederskant, ooms en tantes, nichten en neven rukken op naar Mersin voor de verloving. Rijen witte tuinstoelen staan elke avond tot diep in de nacht op het balkon. Daarna stapelen we ze op en leggen we de matrassen en dekbedden overal in huis, op het balkon en het dakterras. Na vier nachten is Kaan het zat dat al die andere koppels een eigen kamer hebben, behalve wij. Moeder vindt het ongepast. 'Als je zo graag met je vrouw wilt slapen, ga je maar bij je tante logeren,' roept ze. 'Morgen,' belooft mijn tante, 'is het kamertje op zolder van jullie.' Het zolderkamertje heeft een eigen douche en wc en is erg gewild. Als mijn opa de volgende avond de trappen beklimt, roept mijn tante hem terug. 'Vanaf vandaag slaapt er een ander koppel.' Opa wil weten wie. Ik geneer me dood als hij mij met een gebogen hoofd passeert.

De volgende ochtend zal een oom die imam is ons huwelijk 'verversen' door het opnieuw uit te spreken. Na de boy abdesti ga ik naar moeder om een hoofddoek van haar te lenen. Mijn natte haren! Of ik wel heb gezien hoe mijn imam-oom heeft gekeken? Of ik me nergens meer voor schaam? 'We hebben alleen maar gedoucht,' lieg ik, 'het is hier zo warm.' Moeder gooit een hoofddoek naar mijn gezicht. 'Bravo,' zegt ze sarcastisch, 'je bent nu al zoals de *gavurlar*.'*

Ik val het liefst gelijk na de seks in slaap, tenminste als het goed was!

'Je moet je schamen,' maande Emel me een keer na een discussie bij een Turkse buurvrouw thuis over het vrouwelijk orgasme. 'Ik heb het nog nooit meegemaakt,' zei een vrouw die al heel lang getrouwd was, maar getraumatiseerd was geraakt door haar eerste nacht. Ze deed alsof ze moest braken toen ik zei dat seks hemels kan zijn. 'Hoe weet je dat je bent klaargekomen?' vroeg ze. 'Als je het eenmaal hebt meegemaakt, wil je het nooit meer missen,' zei ik zelfverzekerd. 'Maar dan moet je niet verkrampt liggen wachten tot de marteling over is.' Ze zei dat hij dan maar naar de hoeren moest: 'Ik ga niet liggen kreunen, of hem pijpen!' 'Moet je daarvoor een hoer zijn?'

*Niet-moslims.

'Rüya, Allah weet het,' zei Emel. 'Volgens mij pijp je je man.'

'Ssst,' schaterlachte de mooiste vrouw uit het gezelschap, 'als mijn man hoort dat er zulke vrouwen bestaan, wil hij het ook van mij.' Wat zonde, dacht ik. En wat dom van hem dat hij haar gelooft. Als moeder en haar vriendinnen vroeger over 'volwassen zaken' praatten, moesten Bahar en ik de kamer verlaten. Een keer moesten we zelfs gaan buiten spelen. We deden de voordeur hard open en dicht en bleven stiekem luisteren. Ze hadden het over een pornofilm die ze blijkbaar samen hadden bekeken en evalueerden schaamteloos. 'Heb je gedoucht,' vroeg een vrouw gierend van de lach aan een ander, 'je zat te kwijlen!' Daarna barstten ook andere vrouwen los. Wij begrepen niet waar ze het over hadden en wat er zo grappig aan was. Het hele huis hebben we later overhoopgehaald, maar een pornofilm konden we niet vinden.

Voor de verloving nemen mijn oom en tante mijn neef en Bahar mee naar de stad. Ik ga mee als 'toezichthouder'. In elke winkel trekt de vader zonder uitzondering ouderwetse, allesverhullende deux-pièces uit de rekken. Geen van alle pakjes vindt mijn zus mooi.

'Dat krijg je ervan,' verwijt ik haar in de paskamer.

'Houd toch op!' sist ze en geeft me het zwarte pakje dat ze net heeft gepast. 'Deze mogen ze afrekenen.' Vergeefs protesteer ik dat ze daarin op een weduwe lijkt.

'Bemoei je er niet mee,' snauwt ze. De vader pakt een bijpassende hoofddoek en legt die op de toonbank.

Thuis schrikt moeder omdat we met een 'begrafeniskleed' zijn teruggekomen. 'Konden jullie niet iets vrolijks vinden?' Mijn zus en ik zwijgen. Bahar gooit de volle tassen in een hoek van de slaapkamer en werpt zichzelf op het bed. Ik zou haar willen troosten, maar weet niet hoe.

'Huil nou niet,' zeg ik onbeholpen, 'straks krijg je dikke ogen.'

'Ga weg,' smeekt ze.

In de keuken slooft moeder zich uit voor de gasten. Het is alsof we moeten koken voor een heel weeshuis. Ik help zwijgend. Voor vandaag heb ik genoeg aangericht met mijn scherpe tong.

In een grote plastic bak snijd ik sla in lange dunne sliertjes. Moeder denkt dat andere vrouwen zo beoordelen of je een goede huisvrouw bent. Voor de kaptafel van mijn moeder maakt Bahar zich gereed. Ik bied aan haar te helpen met haar make-up. Haar gezwollen ogen en bovenlip camoufleer ik. Ik breng oogschaduw, rouge en lippenstift in lichte kleuren aan, bijna alsof ze niets heeft gebruikt. We willen geen commentaar. Ze lijkt gerustgesteld. Losjes sla ik haar hoofddoek over haar haren. Onwennig kijkt ze naar de vreemde in de spiegel. 'Het voelt alsof straks iedereen naar me zal staren als ik met een hoofddoek op straat loop.'

'Het went wel,' zeg ik laconiek, 'zoals alles in het leven.'

Bij haar toekomstige schoonouders en haar verloofde oogst ze veel bewondering. In haar ogen glinsteren sterretjes en ze belooft dat ze de hoofddoek nooit meer zal afdoen. Het is een plechtig feest. Moeder drapeert mijn sjaal over mijn haren; ik stribbel niet tegen. Mijn oom reciteert uit de Koran en bidt dat mijn zus en neef gelukkig mogen worden. Als we allemaal tegelijk van harte 'amin' zeggen, krijg ik van mijn hoofdhuid tot aan mijn tenen kippenvel. Even is er geen afstand meer tussen mij en Allah. Ooit ga ik leven naar zijn wensen. Nu ben ik op vakantie. Hij ook.

Bij het afscheid zegt mijn moeder in tranen dat de dagen voorbij zijn geraasd als water in een rivier. Papa zet mijn spullen in de kofferbak. Hij is stiller dan anders. Als ik hem om zijn nek vlieg en snik dat ik ontzettend veel van hem houd, dat ik niet genoeg van hem heb kunnen genieten en hem nu al mis, houdt hij zich in. Ik word treurig van het afscheid, maar ben ook opgelucht dat mijn zomervakantie voorbij is.

Er komt geen einde aan de versleten koffers, kartonnen dozen en plastic tassen die we in de auto proppen. Hoewel Kaan dit keer naast me zit, duurt de terugweg eindeloos. Om de haverklap moeten we stoppen omdat ik moet overgeven. Ik stink een uur in de wind naar braaksel. Het glazuur van mijn tanden is eraf; ik durf ze niet op elkaar te zetten omdat ze verschrikkelijk knarsen. In de wc vraagt kaynanam voorzichtig en hoopvol of ik misschien zwanger ben. Ik ontken stellig, ik weet zeker dat het van de reis is. Dat ik de pil slik kan ik haar niet bekennen.

Als mijn schoonvader twee dagen later voor de deur parkeert, gooi ik me uit de auto voordat hij de sleutel uit het contact heeft getrokken. Huilend kots ik de wc onder. Het is alsof mijn maag zich binnenstebuiten wil keren en via mijn mond uit mijn lichaam probeert te komen.

Kaan roept me naar boven. Met twee zware tassen in mijn handen duw ik onze slaapkamerdeur open. 'Een bed!' roep ik uit. 'Verrassing,' zegt hij. Ik leg de tassen op de grond en laat mezelf op het bed ploffen. Wat ligt dit lekker na een jaar op een matras! Het is zo breed dat we er aan één kant amper meer langs kunnen. Dat wordt Kaans kant. De witte kaptafel past net achter de deur. Opgetogen kijk ik in de drie enorme spiegels op de deuren van de garderobekast; mijn spiegelbeeld ziet er niet florissant uit.

Maandag beginnen de lessen bij Volwasseneneducatie. Met de auto gaan Kaan en ik zaterdag de route verkennen die ik straks elke dag alleen moet afleggen. Paniekerig probeer ik mijn weg door de Tilburgse jungle in mijn geheugen te prenten. Straatnaambordjes zeggen me niets. Alleen ons adres ken ik. Ik oriënteer me primitief: eerst die nauwe steegjes met aan beide zijden van de straat half op de stoep geparkeerde auto's, dan de etalage van Piet Klerkx met altijd knipperende kerstverlichting, of de Kerst nog moet komen of net is geweest, een friettent en het altijd tjokvolle Turkse koffiehuis waar Ilker vaak zit.

Hoe verder we van huis raken, hoe waziger alles wordt. 'Na Scapino ga ik rechtdoor, bij de kerk links. En dan? Shit!'

'Tot het kerkhof rechtdoor.'

'O ja, en dan weer rechts,' zeg ik blij alsof ik iets heb gevonden wat jarenlang zoek was.

'Je kunt ook langs de Bristol,' bedenkt Kaan, 'dat is veel korter.'

'Nee, dan verdwaal ik beslist.'

'Dat kan niet, het is zo simpel,' verzekert hij me en slaat af naar Bristol. Kwaad schreeuw ik dat hij terug moet naar de weg die ik ken. 'Dit is veel korter,' herhaalt hij. Voor rede ben ik even niet vatbaar en ik schreeuw driftig dat hij me helemaal niet helpt en dat we de andere weg moeten nemen. Als we inderdaad veel sneller bij de school aankomen, ben ik weer bij zinnen en schaam ik me voor mijn kinderachtige gedrag.

Vergevingsgezind neemt hij me mee naar de stad. In een kantoorboekwinkel zoek ik tevreden een schrift uit, een fijnschrijver, een potlood en een gum. Even waan ik me weer het meisje van elf dat voor het eerst naar de grote school gaat. De dag dat we nieuwe schoolboeken, een tas en een uniform kochten, kon ik mijn geluk niet op. Ik kaftte de boeken zorgvuldig en schreef mijn naam en studentnummer in mijn mooiste handschrift op de etiketten. De nacht voor de school begon, kwam ik meerdere keren uit bed om mijn schooltas te controleren. Met mijn schoolbenodigdheden was ik minstens zo blij als met de nieuwe kleren die ik voor het suikerfeest en het offerfeest kreeg. De eerste schooldag was voor mij het derde feest in het jaar en minstens zo heilig als die twee religieuze feestdagen.

Bij de kassa begroet Kaan een knappe blondine in strakke broek en dito topje. 'Een oud-klasgenote,' beweert hij. Ik versta natuurlijk niet wat hij tegen haar zegt, misschien wel dat ik zijn zus ben. Ik moet nog een woordenboek en een schooltas hebben, zeur ik. Het meisje begrijpt dat ik niet zal ophouden tot ze vertrekt en neemt afscheid. Kaan zegt kwaad dat ik niet zo kinderachtig moet doen en geeft me een boek van Jip en Janneke. Ik vind die tekeningen van pikzwarte kinderen raar, maar Kaan zweert dat het een erg populair boek is.

Thuis zoek ik alle woorden van de eerste bladzijde op en wat ik kan vinden noteer ik met potlood in het boek. Mijn woordenboek is incompleet: 'liep', 'verveelde', 'hielp' en nog meer van zulke woorden zijn nergens te vinden.

Na het eten ren ik weer misselijk naar de wc. Kaynanam is er inmiddels van overtuigd dat ze aan me kan zien dat ik zwanger ben. Volgens haar is het zo duidelijk als wat: mijn ogen kijken anders. Ik zie er moe uit, niets meer en niets minder. Toch ben ik opgelucht als ik later die avond zie dat ik ongesteld ben. Een zwangerschap kan ik nu echt niet gebruiken.

'Ik zei toch dat ik niet zwanger was,' meld ik beweterig.

Verbaasd schudt kaynanam haar hoofd. 'Allah, Allah, hoe kan dat nou?'

Voordat ik naar bed ga, ruim ik mijn nieuwe tas zorgvuldig in en zet die naast het bed. Elke keer als ik ernaar kijk, geef ik enthousiaste kusjes aan Kaan, ook als hij eenmaal slaapt.

Maandagochtend krijg ik twee losse guldens van kaynanam voor de koffie. De les begint om negen uur; voor het geval ik verdwaal vertrek ik een uur eerder. Het is druk op straat. Steeds als auto's me in een smalle straat passeren, ben ik bang om geplet te worden. Van mijn moeder mocht ik niet vaak fietsen; ze vond het niet bij een meisje passen. Hier zitten vrouwen met een kort rokje op de fiets. Als mijn moeder het zou zien, zou ze een koortslip krijgen van schrik.

Bij de grote kerk stap ik af voor de drukke kruising. Benauwd kijk ik naar links en naar rechts voor ik begin te rennen met mijn fiets aan de hand. Zwetend van angst haal ik de overkant.

Ik hoor opgetogen te zijn, maar ik voel me goed beroerd. Misselijk. Als ik niet ongesteld was, zou ik denken dat ik misschien zwanger ben. De reis heeft me beslist geen goedgedaan.

In de kantine staan de lichtgrijze tafels er verlaten bij. Ik ben veel te vroeg. In het damestoilet bestudeer ik mezelf in de spiegel, daarna het plafond, en ik tel langzaam de wandtegels: 238. Nu moet het bijna tijd zijn. 'Zal ik nog even wachten?' vraag ik hardop aan mijn spiegelbeeld. 'Je moet toch ooit gaan,' zegt het terug, op hetzelfde moment dat er een vrouw binnenstapt. Die denkt natuurlijk dat ik gek ben. Om haar te ontwijken ga ik snel terug naar binnen.

Soort zoekt soort in de kantine. Aan een tafeltje zitten twee Chinezen, hoewel ze ook uit Japan, Korea of Vietnam kunnen komen. Verder een groepje zwarten, die allemaal op elkaar lijken. Het handjevol Europeanen zit verspreid en alleen, behalve een man en een vrouw die met handen en voeten een conversatie proberen te voeren. Aan de langste tafel zijn een paar Turkse vrouwen geschoven. Tot mijn teleurstelling zie ik Naciye er niet bij.

Weifelend loop ik naar ze toe. Misschien is het een hechte groep. Ze ontvangen me hartelijk met drie kussen. 'Jij bent toch de schoondochter van tante Zeynep,' vraagt een aantrekkelijke vrouw. Ze is van top tot teen in het zwart gehuld. Alleen op haar hoofddoek heeft ze kleine rode bloemetjes in dezelfde kleur als haar mooie volle lippen. Ze zegt dat ze op onze bruiloft was. Ik kan me haar niet herinneren. 'Het was erg druk,' mompel ik. 'En gezellig,' vult ze aan. 'Jammer dat we vroeg moesten vertrekken. Neem een keertje de videoband voor me mee!' Ik beloof dat ik hem morgen bij me zal hebben.

Er wordt op mijn schouder getikt. Een mond vol rotte tanden en ontstoken tandvlees onder twee pretoogjes. 'Waar bleef je!' Opgelucht vlieg ik haar om de hals.

Terwijl we naar buiten lopen om te roken, vertelt ze uitgebreid over haar geweldige vakantie in hun zomerhuis in Antalya. Om niet over mijn vakantieperikelen te hoeven praten, vraag ik haar naar de vrouwen in de kantine. Haarfijn legt Naciye me uit wie wie is, waar ze wonen, hoeveel kinderen ze hebben, hoe hun mannen heten, en ze verschaft me gevoelige informatie over hun privélevens. 'Is er iets in Tilburg wat jij niet weet?' Haar hand bedekt haar mond, haar oogjes glimmen. We trappen onze peuken uit en lopen terug naar de kantine.

Op dat moment komt een Nederlandse vrouw hijgend binnen met rode wangen en een volle rieten fietsmand aan haar arm.

'Hoi,' roept Naciye die kennis met haar heeft gemaakt toen ze zich kwam inschrijven.

Als dit de docente is, waarom komt ze dan niet met de auto, vraag ik me af. Zou ze die niet kunnen betalen? Ze komt ook slordig over. Haar rijkgeborduurde paarse blouse is asymmetrisch en twee maten te groot. Vriendelijk geeft ze ons een hand. Esther, heet ze. Mijn naam vindt ze moeilijk en ze herhaalt hem een paar keer. Ik voel me opgelaten door haar overdreven moeite voor iets wat haar niet zal lukken. Ze haalt een sleutel bij de conciërge en de lijst van haar nieuwe groep. In de kantine verzamelt ze haar leerlingen. Als jonge eendjes volgen we haar.

In het lokaal zet Esther alle ramen wijd open. Aan de muur hangt een wit bord waar ze met stiften op schrijft. Schoolbord en krijt kennen ze hier blijkbaar niet.

Ik schuif onzeker ergens in het midden aan een tafel, Naciye komt ernaast. 'Op deze plek weet ik zeker dat ik niet hoef te beginnen als we ons moeten voorstellen,' fluister ik. We lachen zacht.

Een Chinese mag beginnen. Ze heeft een onverstaanbare naam

en een nog erger accent. Alleen van de andere drie Turken versta ik de naam. Ik ben zo zenuwachtig en bang om fouten te maken dat ik een minimum aan informatie verschaf. Ik zeg mijn naam, leeftijd, dat ik sinds een jaar in Nederland woon en dat ik getrouwd ben. Allemaal zinnen die ik foutloos uit mijn hoofd heb geleerd. Esther is verbaasd: 'Zestien en al getrouwd!' 'Bijna zeventien hoor,' stel ik haar gerust. Ik kom er op mijn beurt achter dat ze achtendertig is, vijf jaar getrouwd en moeder van twee dochters van acht en vijf jaar oud. Dat klopt niet. 'Kinderen en dan getrouwd?' vraag ik voor de zekerheid. Ik knik alsof ik haar uitleg begrijp. Naciye vertaalt dat ze acht maanden zwanger was op haar bruiloft! Mijn mond valt open. Een zwangere vrouw in een bruidsjurk, dat is te absurd voor woorden.

Esther houdt een boek in de lucht. Het Groene Boek, noemt ze het. Langzaam en duidelijk articulerend legt ze uit hoe we het boek gaan behandelen. In het boek staan teksten met gaten die we moeten invullen. En een lange lijst woorden waarvan we elke week een deel uit ons hoofd moeten leren. Ze gaat ons overhoren en dicteren. Schrik borrelt in me op en blokkeert mijn luchtpijp. 'Koffiepauze,' stelt Esther voor na haar uitleg van wat ons nog meer te wachten staat. We zijn allemaal blij dat we even op adem kunnen komen.

We krijgen ook gekopieerde plaatjes om thuis mee te oefenen: een vliegtuig, een kat, een brug. Esther krabbelt van alles op het bord. Af en toe roept ze 'Stil dames' tegen Naciye en mij. Als ze komt vragen of ze ons kan helpen, schudden we streberig ons hoofd.

'Naciye, het is toch niet te geloven dat we hier zitten!' Ze rolt overdreven met haar ogen. Volgens haar heb ik dat al tien keer gezegd. Ik mag een map meenemen en die de volgende dag betalen. Ik verzamel mijn plaatjes, druk de map tegen mijn borst en hang mijn tas over mijn schouder. Zo slenter ik naar mijn fiets, trots alsof ik op een campus loop.

Na de afwas begin ik meteen aan mijn huiswerk.
'*Massallah*,'* zegt kaynanam, 'wat een leergierigheid. Ik ben be-

---

* 'Moge Allah van boze ogen behouden', 'bravo'.

nieuwd hoelang je dat volhoudt.' Ik doe alsof ik het niet hoor en dreun mijn woordjes op.
'Vliegtuig,' verbetert Kaan lief, 'niet fligtuig. En vis is met een v, niet met een f.' Ik hoor geen verschil. Na vijf minuten geeft hij het op. Kort daarna vraagt Emel of ik alsjeblieft wil ophouden. Ze krijgt er koppijn van. Ik ook. Wat een kuttaal! 'En ruim je zooi op!' bijt Emel me toe als ik naar boven wil gaan, op een toon die ik niet van haar ken. 'Ik ga het niet voor je doen!' Ze kijkt me aan alsof ze mij met mijn papieren in de prullenbak wil flikkeren. Met een wild gebaar raap ik alles bij elkaar en ren ermee naar boven.

De woordenlijstjes in twee talen plak ik op een keukenkastje en ik neem ze elke avond onder het afwassen door. Op de lange kast in de wc en op de watermeterkast hangt er ook één. Toch gaat mijn Nederlands niet merkbaar vooruit.

De talrijke avonden dat er bezoek is, probeer ik me zo goed en kwaad als het gaat op het Groene Boek te concentreren. Starend naar het plafond leer ik de woorden uit mijn hoofd. 'Staan ze daar op geschreven?' plaagt Ilker.

Meestal merk ik net op tijd dat er een glas leeg is en ga het dan met het boek in mijn hand bijvullen. Vaak kan ik op school tijdens de toetsen en invuloefeningen nog horen wat er om me heen gezegd werd en wat er op tv was toen ik dat ene woord probeerde te leren, maar wat het betekende is allang vervlogen.

Waar ben ik aan begonnen, vraag ik me af als Esther de vervoegingen van 'hebben' en 'zijn' op het bord schrijft. De werkwoorden veranderen constant. Wat heeft 'is' met 'zijn' te maken of 'heeft' met 'hebben'? Dat kan Esther me niet uitleggen. 'Zo vervoeg je die nou eenmaal.' Ik kijk haar wanhopig aan. Andere werkwoorden zijn simpeler, verzekert ze me. Ik begrijp nu waarom mensen afhaken. Deze taal slaat nergens op!

Met geesten in De Meiboom

'Mama,' huil ik aan de telefoon, 'de bevalling deed verschrikkelijk, onvoorstelbaar veel pijn.' Ook zij huilt aan de andere kant van de lijn. Ze zegt: 'Niet huilen mijn lammetje. Hoe dacht je dat jij op de wereld was gekomen?' Het schept een band dat ik die pijn nu ook ken, maar van mij had hij mogen uitblijven.

In de eerste veertig dagen na de bevalling kan een kraamvrouw bezoek krijgen van boze geesten, weet ik uit moeders verhalen. Nadat ze van mij bevallen was, is er een aan haar verschenen, vermomd als een lieve oude man met een mooie witte baard. Hij straalde licht uit zoals een heilige, en dat gaf haar vertrouwen. Hij zou haar naar prachtige tuinen leiden. Net toen ze opstond om hem te volgen, besefte ze dat hij een geest was. Als ze met hem mee was gegaan, zou ze nooit meer teruggekeerd zijn. Ze zou dood gevonden zijn terwijl haar ziel ergens tussen hemel en hel zou zijn blijven zwerven.

'Wees op je hoede en bid.' Moeders waarschuwende woorden zijn voor mij een nachtmerrie geworden.

Soms probeert een geest de vrouw te wurgen in haar kraambed. Dan ben je aan Allahs genade overgeleverd. Het helpt als je man bij je slaapt of zijn geur achterlaat, want het schijnt dat geesten niet zo van mannen houden. Daarom vraag ik Kaans onderhemd voordat hij naar huis gaat. Met tegenzin staat hij het af; het is vies van zweet en motorolie.

'Nog beter,' zeg ik en leg het onder mijn kussen.

Kaan wil aan het personeel van De Meiboom niet uitleggen waarom ik zijn vieze hemd onder mijn kussen bewaar.

De kraamverzorgsters weten dat ik 's nachts bang ben om alleen te zijn en beloven de eerstvolgende vrouw die komt bevallen naast mij te leggen. Voor de zekerheid speldt kaynanam een gouden muntstukje met een rood lintje op mijn pyjama. 'Dit schrikt ze af.'

Ik hoop het! Een mes onder het bed wil ook weleens helpen, maar daar zien we van af. We willen niet dat het personeel denkt dat we niet sporen. Ik huil omdat ik hier niet wil achterblijven. Wat moet ik doen als de geesten me komen halen? Kaynanam zegt dat ik moet bidden en vertrekt met Kaan naar huis.

Een zuster legt onze dochter in een glazen kuip op hoge stalen poten naast mijn bed. Met haar donkere haren lijkt ze daarin wel wat op Sneeuwwitje. Ze slaapt een beetje opgekruld, in geleende kleertjes. Ze heeft rode wangen, dikke ogen, roze rimpels in haar nek, zachte nagels en geballe vuisten: een echte baby. Op een polsbandje staat haar naam: Zeynep. Vóór de geboorte hebben mijn schoonouders al besloten haar naar kaynanam te noemen. Als het aan mij lag, had ik een andere naam gekozen. Maar dat ik haar heb gebaard, geeft me nog geen recht me met die dingen te bemoeien.

Ik denk dat ik best van haar hield totdat vier dagen geleden mijn weeën begonnen. Nu kan ik het niet helpen dat ik haar die ellende kwalijk neem. Bovendien, als zij er niet was, had ik me nu geen zorgen hoeven te maken over boze geesten. Ik word zenuwachtig van haar zachte, oppervlakkige ademhaling vlak bij mijn oor. Ik druk op de bel naast mijn bed. De zuster komt vragen wat ik wil. Zacht duw ik met mijn handpalm het glazen bedje van me af. 'Ik wil niet,' zeg ik hoofdschuddend, 'neem weg.'

Met grote ogen vol verbijstering rolt ze het bedje naar buiten. Zo! Nu kan ik tenminste rustig slapen. Door de dunne grijze gordijnen schijnt een aangenaam licht en ik ben te afgepeigerd om van angst wakker te blijven. *'Bismillahirrahmânirrahîm...'*

Na een paar uur word ik wakker, opgelucht dat ik niet gewurgd ben. Misschien slaan de geesten mij wel over.

'De bevalling is een pijnlijk wonder,' troost Kaan me later, zittend op mijn bed. Waar haalt hij zulke onzin vandaan?

'Flikker toch op! Het is een wonder dat ik nog leef.' Hij kijkt naar zijn stukgebeten handen.

Voor papa rijden ze de baby terug de kamer in. Raar dat we nu niet meer alleen zijn. Als hij haar voorzichtig uit het bedje tilt alsof ze elk moment uit elkaar kan vallen, en quasi boos preekt dat ze ons niet zo lang had mogen laten wachten, moet ik ondanks mezelf glimlachen.

Hij zal een goede vader zijn, maar over mijn moederschap heb ik zo mijn twijfels. Ze schijnt honger te hebben. Na vier dagen ellende ook dat nog. Met tegenzin leg ik haar aan mijn borst. Het lukt niet. Ze krijst alsof ze doodgaat. Ik moet haar voeden, maar hoe? Mijn borsten zijn enorm en doen verschrikkelijk veel pijn, alsof ze elk moment kunnen ontploffen, en mijn tepels zijn plat. Kaan helpt me mijn tepel in haar mond te proppen. Ik vond er nooit veel aan als Kaan aan mijn borsten zat, maar als Zeynep begint te drinken, raak ik helemaal in de war van de rare kriebels die ik voel. Ik durf het niet te laten merken en laat haar gulzig doordrinken.

Kaan neemt haar van me over en legt haar hoofd op zijn schouder. Met zijn hand wrijft hij zachtjes over haar rug. Ze lijkt tevreden. Als de deur na één keer kloppen openzwaait en de hele familie verschijnt, smijt hij haar bijna in haar bedje. Dat vind zelfs ik zielig. Het gebruik wil dat we haar voorlopig in het bijzijn van zijn ouders, niet mogen vasthouden. Mij zullen ze snel toestemming geven; iemand moet voor haar zorgen.

Jasmijn geeft me bloemen en ik ben ontroerd dat ze een klein teddybeertje voor Zeynep heeft meegenomen. Al snel begrijp ik dat ze het gratis bij het boeket heeft gekregen en ik voel me opgelaten over mijn uitbundige dankbaarheid. Een kraamverzorgster brengt beschuit met roze muisjes rond. 'Dat doen ze hier altijd na een geboorte,' legt Emel uit.

'Lekker makkelijk,' zeg ik. Wíj sloven ons uit met zelfgemaakte koekjes en broodjes.

Bij het raam staat mijn schoonvader met Zeynep in zijn armen, hun gezichten in de richting van Mekka. Hij doet een oproep tot gebed en fluistert haar naam. Ze gaat van hand tot hand, en van mond tot mond. De tere huid op haar wangen gloeit. Iedereen vindt haar geweldig. Ik ben trots op haar en ook op mezelf, omdat ik eindelijk iets heb gedaan waar niemand kritiek op heeft.

'Als je moet plassen,' waarschuwt kaynanam, 'moet je dat op het bidet doen met lauwwarm stromend water.'

'Dat had je me wel eerder mogen vertellen,' zeg ik vol ongenoegen, 'ik heb een half uur zitten huilen op de wc.' Maar echt geschrokken was ik van mijn gezicht in de spiegel. Mijn ogen zijn knalrood en ik heb dikke paarsige wallen; het ziet eruit alsof iemand me in elkaar heeft geslagen. Hoewel ik vrees dat het personeel het belachelijk zal vinden, smeek ik Jasmijn hun over geesten te vertellen. 'Hier geloven ze niet in geesten, ze noemen het kraamvrouwenkoorts.'

Ik moet weer voeden; de familie gaat. Blijf voor altijd, wil ik zeggen, laat me niet met haar alleen! Gelukkig blijft Kaan. Hij kruist op een lijst aan wat we willen eten. 'Geen varkensvlees toch?' weet de dame die het blaadje gaf. Wat kaynanam had meegebracht omdat ik 'goed moet eten' laten we staan. Hier koken ze veel lekkerder, alleen mogen ze wel wat meer zout en kruiden gebruiken.

Later zitten we in de rookkamer. Een ordinaire blondine van mijn moeders leeftijd komt binnen met een opgeblazen minireddingsboei die ze op een stoel legt. Langzaam laat ze zich op de boei zakken. 'Waarom?' vraag ik Kaan. Ze knopen een gesprek aan. Onbeschaamd vertelt ze dat ze daarbeneden negen hechtingen heeft. Dat haar 'kut' aan flarden is. Ze is gestoord, denk ik, en moet naar een gesloten inrichting. Ik wil niets met een vrouw te maken hebben die tegen een man die niet van haar is over haar bevalling en haar kut praat. O ja, ze heeft me horen gillen. 'Vier dagen weeën!' zegt ze medelijdend. 'Zestien jaar!' Ik wil weer janken.

Kaan houdt me na zijn werk gezelschap tot een uur of twaalf. Hij mag 's nachts niet blijven, of hij moet net zoveel betalen als voor mijn verblijf. Dat het tweede bed in mijn kamer anders toch leeg is, vinden ze geen goed argument.

Als hij weg is begint een lange nacht. De bonbons die hij voor me heeft meegenomen heb ik binnen een uur op. Daarna wacht ik bibberend op die vriendelijke opa die elk moment kan opdoemen. 'Wakker?' vraagt de nachtzuster die mijn temperatuur komt opnemen. Als ik het kon, zou ik haar vertellen dat ik bang ben voor boze geesten. Misschien zou ze dan bij me blijven.

In de kamer mag ik niet roken. Ik doe het stiekem toch, met het raam op een kier. Lopen gaat nog niet echt goed en ik ben bang dat een geest me volgt als ik moeizaam door de gang naar de rookkamer schuifel.

Om acht uur gaan de gordijnen open. Ik moet kort daarvoor in slaap gevallen zijn. Een vrouw schuift de baby naast mijn bed: 'Ze heeft honger.' Alsjeblieft niet wéér, denk ik. Na het ontbijt is de grote badkamer met douchehokjes vol wankelende vrouwen. Daar heb je die blondine weer met haar opblaaskussen.

'Mis je je mama niet?' Wat is missen in godsnaam? Ik kijk haar vragend aan.

'Missen, missen,' roept ze alsof dat haar verstaanbaar maakt.

'Missen?' herhaal ik.

'Ja! Moeder, missen!' Het lijkt op misschien, maar volgens mij bedoelt ze iets anders.

'Turkije,' probeer ik. Ze slaat haar armen om zich heen en schommelt zacht: 'Nee, missen.'

'O, ja! Tuurlijk,' zeg ik. Maar ik weet niet wat het betekent totdat Kaan komt en het me uitlegt.

Ik vraag hem de volgende keer mijn woordenboek en huiswerk mee te nemen.

Op de derde dag deelt kaynanam mee dat Zeynep toch maar Gül moet heten, naar mijn schoonvaders overleden zus die zelf geen kinderen had. Protesteren heeft geen zin. Onwennig kijk ik naar haar polsbandje waarop Zeynep is doorgestreept en waarboven met kleine letters Gül is geschreven. Ik begon net een beetje aan haar te wennen. Met haar nieuwe naam lijkt het alsof het een andere baby is. Dat vindt kaynanam onzin. Nadat ze is gefeliciteerd met haar nieuwe naam, moet ik haar in bad doen. Op het aanrecht, in een kuip.

'Ik wil niet.'

'Je moet het leren,' zegt de zuster. Maar waarom zou ik? Ik ga straks niet voor haar zorgen; dat gaat kaynanam doen. Volgens mij wil de verpleegster haar werk gewoon op mij afschuiven.

Na de middag komen Naciye en Esther langs met een bos bloemen en een kaartje van mijn klasgenoten. Dat vind ik bijzonder aardig. Op de borst van Gül speldt Naciye een gouden muntstukje. Zodra ze een baby ziet, wil ze weer kinderen. 'Neem mee,' stel ik voor. 'Gek!' lacht ze. Het doet me goed te horen dat Esther mijn inbreng in de lessen mist. Het is aanzienlijk stiller in de klas en zonder mij is er niets aan, vindt Naciye. Het liefst zou ze me nu meesleuren.

Ze vragen hoe mijn bevalling ging; als ik ze vertel hoe erg het was, doet Naciye alsof het niets voorstelt en begint over haar eigen bevalling te vertellen, zoals al die andere vrouwen die zogenaamd interesse tonen maar die eigenlijk alleen over hun eigen ervaring willen praten. De bevallingsverhalen die ik sinds Güls geboorte heb gehoord zijn genoeg voor mijn hele leven. Ik vind dat ík de medaille voor de afschuwelijkste bevalling heb verdiend.

Alleen Esther zeurt niet. Ze was thuis en het was binnen een paar uur gebeurd. Dat horen Naciye en ik met verbazing en ongeloof aan. Wanneer ze zegt dat van een kind bevallen het mooiste is wat haar ooit is overkomen, twijfel ik of we het wel over hetzelfde hebben, of dat er bij haar een steekje los is. Het personeel van De Meiboom had ook al van die reclamepraatjes over natuurlijk bevallen en het bewust meemaken. Ze kunnen de boom in. Bevallen doe je niet voor je plezier. Kon Allah niet een andere manier be denken om een kind op de wereld te zetten, of deze klus aan mannen geven? Wat bezielt die miljoenen vrouwen dat ze vrijwillig deze marteling ondergaan? De eerste kan je nog overkomen, maar daarna weet je door wat voor hel je moet. Komt het door het moederinstinct dat vrouwen de pasgeborene het gedane leed meteen vergeven, of is het aangeleerd?

Bij het afscheid voor de deur van De Meiboom beloof ik Esther en Naciye dat ik kom zodra mijn veertig dagen erop zitten en ik verlost ben van de geesten. Een half uur lang proberen Naciye en ik het Esther gezamenlijk uit te leggen. Ze snapt er geen bal van! Naciye zegt dat ik veel moet bidden en vooral voorzichtig moet zijn in de badkamer en de wc. Ze houden blijkbaar niet alleen van vrouwen, maar ook van water.

In mijn badjas schuifel ik naar de kamer waar ze de baby's naast elkaar hebben gestald zoals auto's in een showroom. Een vrouw in een spijkerbroek en een vrolijke trui houdt Gül in haar armen.

Waarom draagt deze verpleegster haar werkkleren niet? Haar collega maakt zich gereed om bloed te prikken uit Güls hiel. Een naald zien is normaal gesproken genoeg om me plat te krijgen, maar mijn dochter heeft me nodig. Nu moet ik flink zijn. Ik aai heel voorzichtig over haar donkere haren, want van mijn zusje weet ik dat de schedel bovenop nogal zacht is. Het is een vreselijk idee dat je met een vinger per ongeluk door de schedel van een baby kunt boren. Ik durf dat zachte gedeelte niet eens aan te raken. Gül zal zo gaan krijsen als de naald in haar hiel gaat. Ik troost haar alvast: 'Och mijn liefje, gaan ze je pijn doen?'

De vrouw in spijkerbroek kijkt me vreemd aan en draait Gül een beetje van mij weg. Ik laat me niet wegjagen en ga achter haar schouder staan waar ik Güls gezicht goed kan zien. Als ze begint te schreeuwen wanneer de naald in haar hiel glijdt, wrijf ik over haar vingers. Mijn oog valt op haar polsbandje: Sandra. Ik draai me om. O mijn god! Daar ligt ze. Het is onmiskenbaar mijn kind: 'Gül' staat er op het bedje. Moeders herkennen hun baby uit duizenden, maar van de bevalling word je dus nog geen moeder; misschien is het iets wat je in je hebt of niet. Voor het eerst pak ik haar vrijwillig op. Ik kus haar keer op keer en verontschuldig me hardop. 'Sorry, schatje. Sorry. Ik zweer je dat ik nooit meer zo dom zal doen. Vallaha, sorry.'

Ondanks Kaans vieze hemd onder mijn kussen lig ik elke nacht wakker. De achtste nacht krijg ik een onbedaarlijke huilbui. Ik wil naar huis! In plaats van hier uit te rusten ben ik uitgeput van slapeloosheid. Aan de nachtwaakster die paniekerig bij me komt, probeer ik uit te leggen dat ik bang ben voor geesten. Ze begrijpt er niets van. Het valt ook niet te begrijpen, al zou ik ze het in vloeiend Nederlands kunnen vertellen. Haar bezorgde blik, alsof ik geestelijk niet helemaal in orde ben, maakt me wanhopig.

Eindelijk is het de negende en laatste dag in De Meiboom; mijn schoonouders komen me ophalen. Kaynanam heeft een oud blauw met rood fluwelen pakje bij zich en niet zoals beloofd dat witte met het konijn op de borst. 'Je zou het kopen,' zeg ik niet te hard maar wel teleurgesteld.

'Kaan heeft de wandelwagen gekocht die jullie wilden.' Dat had ik niet verwacht. Die wagen kostte bijna achthonderd gulden.

'Kaan heeft zijn auto verkocht om een wagen voor zijn dochter te betalen,' zegt mijn schoonvader. De Meiboom is van mij en Kaans vuile onderhemd af, en ik ben verlost van de eindeloze nachten.

Na twee maanden misselijkheid zag ik geen reden om een zwangerschapstest te laten doen, omdat ik gewoon ongesteld werd. Ik dacht dat ik misschien een ernstige ziekte had. In bed reageerde Kaan enthousiast op mijn zure grapje dat hij na mijn begrafenis in Turkije meteen een andere importbruid mee naar huis kon nemen. Dat doen mannen vaak; het scheelt in de reiskosten. Ik zwoer dat mijn geest hem en zijn nieuwe vrouw het leven zuur zou maken, maar hij moest er alleen maar om lachen.

Kaynanam stond erop dat ik naar de huisarts ging met een plasje. Ik had geen zin om een les te missen, maar na een nachtmerrie over duizenden baby's die ik allemaal moest verzorgen, nam Kaan een ochtend vrij en sleurde me naar de huisarts, op mijn voorwaarde dat hij me daarna meteen naar school zou brengen.

'Proficiat,' zei de huisarts en gaf me een hand, 'je bent zwanger.'

'Zeg tegen hem dat het niet kan, dat zijn test niet deugt, dat ik aan de pil ben en ongesteld word,' steigerde ik vol ongeloof. Maar het kon dus wel degelijk. Mijn 'ongesteldheden' waren alleen maar de maandelijkse onttrekkingsbloedingen geweest die pilgebruik met zich meebrengt.

Kaans ogen glommen vol trots. Hij wreef over mijn buik en kuste me onderweg naar huis onophoudelijk. 'We krijgen een kind!' riep hij in de lege straat. Ik vond dat 'wij' goed klinken, maar moest daar nou echt een baby bij?

Toen kaynanam hoorde dat ik inderdaad zwanger was, haalde ze dolblij haar gelijk. 'Ik wist het al!'

Mijn eigen moeder reageerde aanvankelijk opgelucht en blij, totdat ze besefte dat ze oma werd. Daar vond ze zichzelf te jong voor op haar tweeëndertigste.

Ze waarschuwde me keer op keer dat ik me niet te enthousiast mocht tonen tegenover Emel; het zou niet gepast zijn als ik met mijn buik en de baby zou pronken. 'Moge Allah haar ook binnenkort een baby gunnen.' Alsof ik de baby besteld heb en het mijn schuld is dat Emel en Ilker nog geen kinderen hebben. Het voelde alsof ik had voorgedrongen. Als we mijn zwangerschap geheimhielden, konden we misschien nog een abortus laten plegen, treurde ik. Kaan vroeg of ik helemaal gek was geworden.

Het was kaynanam die me troostte. 'Allah heeft je een baby gegeven. Als in het lot van Emel staat dat ze een kind krijgt, gebeurt dat Insallah.'

De hele dag zocht ik naar de juiste woorden. 'Emel, ik ben zwanger' op een verontschuldigende toon? Eerst een hele verklaring afleggen dat het een ongelukje was? Niets zeggen tot zij het zelf zou merken? Gelukkig kwam ze er zelf mee.

'Dus toch zwanger?' vroeg ze me in de keuken. Ze had het gehoord van kaynanam. Ik knikte schuldig. Toen ze me hartelijk omhelsde begon ik te huilen, omdat ik dacht dat ze het erg zou vinden. Ze schudde nee en huilde mee.

'Mallerd,' zei ze en ze gaf me een troostend schouderklopje. Ilker, die de keuken binnenkwam, keek ons verbaasd aan.

'Je wordt oom,' meldde Emel op een blije toon die de onderliggende pijn niet helemaal kon verbergen. Even was hij stil, toen feliciteerde hij ons allemaal, inclusief zichzelf. Hij lachte vrolijk, maar het was te merken dat hij het moeilijk vond.

Ook Jasmijn had al van de baby gehoord, want ze kwam thuis met een poppenjurkje. Ze gaf me een knuffel en zei dreigend dat ik het niet moest wagen thuis te komen met een jongetje. Kaynanam eiste juist dat het een jongen werd en dat hij naar mijn schoonvader zou heten. In mijn handpalm liet Jasmijn een naald aan een draad slingeren. 'Het is een meisje,' zei ze stellig. Het deed er natuurlijk niet toe wat ik wilde, maar ik hoopte dat Jasmijn gelijk had. Het leek me leuk mijn dochtertje witte jurkjes aan te trekken en speldjes met lieveheersbeestjes in haar haren te steken. Kaan wilde het liefst een zoon, maar beloofde het niet erg te vinden als het een meisje was. Kaynanam grapte dat ze Kaan opnieuw zou laten trouwen als ik niet net zolang door bleef gaan met baren tot ik een zoon zou krijgen.

Aan tafel was Ilker stiller dan anders. In een poging om hem op te beuren en iets goed te doen in de ogen van kaynanam, zei ik dat zij Insallah ook snel een kind zouden krijgen. Met een ruk stond Ilker van tafel op. 'Ik ben dat gezeur over kinderen zat!' De buitendeur knalde hard achter hem dicht.

'Had maar je mond gehouden,' zei Emel terwijl ze ook opstond.

'Ik heb hoofdpijn, ik ga naar bed.'

De ogen van kaynanam boorden me de grond in. Ilker kwam pas tegen zes uur de volgende ochtend thuis. Waar hij was geweest, wist Emel niet.

Een van de dingen die me te binnen schoten toen ik hoorde dat ik zwanger was, was hoe ik naar school moest gaan.

'Gewoon,' zei Kaan, 'fietsen.'

Ik dacht dat kaynanam dat niet goed zou vinden, een zwangere vrouw op de fiets. Dat ze bang zou zijn dat ik zou vallen en een miskraam zou krijgen, of dat ze het niet gepast zou vinden. Maar zolang ik kon fietsen, mocht ik dat blijven doen. Tot de achtste maand heb ik het volgehouden. Op school of onderweg schaamde ik me tegenover Turken dat ik op de fiets zat met een dikke buik. Maar als iemand ernaar vroeg hield ik me groot met de opmerking dat een beetje beweging gezond is.

'Kom mijn kind, ik breng je weg,' zei mijn schoonvader soms. Af en toe stopte hij me ook een paar losse guldens toe voor de koffie. Elke week na het vrijdaggebed kwam hij me van school ophalen en legde dan zuchtend en steunend mijn fiets in de kofferbak. Ik begon anders tegen hem aan te kijken en zelfs iets van genegenheid voor hem te voelen.

De huisarts had gezegd dat ik zo snel mogelijk een afspraak moest maken met de verloskundige voor een eerste controle. Toen Kaan en ik op het punt stonden daar naartoe te gaan, zat kaynanam net te bidden. We konden haar niet storen om te zeggen dat we weggingen, maar zonder haar toestemming de deur uit gaan mocht ook niet. Aan Emel doorgeven waar we naartoe gingen was geen optie; het zou zijn alsof ik haar met mijn zwangerschap de ogen uit wilde steken. Kaan sleurde me mee: 'Kom op, straks komen we te laat!'

In de wachtkamer dacht ik eraan hoe boos kaynanam zou zijn

dat ik zomaar het huis uit was gegaan. 'Hadden we maar gewacht tot je moeder uitgebeden was,' fluisterde ik zenuwachtig tegen Kaan.

Toen we eindelijk binnen waren, vertelde de verloskundige over de ontwikkeling van de baby, die nu ongeveer drie maanden oud moest zijn. Ik was opgelucht toen Kaan vertaalde dat seks tijdens de zwangerschap geen kwaad kon, maar werd er zenuwachtig van dat ze zo lang praatte. Ik moest naar huis; hoe langer ik wegbleef, hoe kwader kaynanam zou worden. Toen ze eindelijk was uitgepraat wilde ze tot mijn afgrijzen aan me voelen hoe hoog de baarmoeder stond.

'Het is toch een vrouw,' probeerde Kaan me eerst gerust te stellen. Ik bond pas in toen hij dreigde de volgende keer niet meer mee te komen. Stel je voor dat ik met mijn schoonvader naar de vroedvrouw moest.

Ze liet ons naar het hartje van de baby luisteren. Ik had een duidelijk herkenbare hartslag verwacht, maar er klonk alleen een regelmatig zoemende ruis. 'Als dit een hartslag is, dan ben ik Madonna,' zei ik nijdig, ondertussen bijna ontploffend van de zenuwen.

'Waar zijn jullie geweest?' beet Emel ons bij de deur al toe. Ze hoopte duidelijk dat we een uitbrander zouden krijgen. Kaynanams breinaalden stopten met tikken ten teken dat ze een antwoord verwachtte, en ze keek me over haar bril streng aan. Met een rood hoofd vertelde ik waar we waren geweest. Ze knikte, kennelijk tevreden dat ik niet met mijn zwangerschap te koop liep, en daarmee was de zaak afgedaan. Geen van beiden vroeg hoe de controle was gegaan.

In de slaapkamer huilde ik omdat ik mijn moeder miste. Ik wilde dat ze me nu kon zien en aan me zou vragen hoe het met de baby ging en hoe ik me voelde. Zo had zij dus ook met mij in haar buik rondgelopen. Zou ze zich ook zo rot gevoeld hebben?

Zwangere vrouwen zijn heilig bij ons, en helemaal wat eten betreft. Zelfs mijn moeder kreeg van haar anders zo strenge schoonmoeder alles waar ze maar trek in had. 'Anders wordt de baby niet compleet geboren,' grappen vrouwen wel eens. Mijn opa heeft heel Ankara plat moeten lopen voor een ons zure pruimen, waar mijn moeder zo'n zin in had.

Een vrouw die ik een keer bij de dorpsgenoten had ontmoet, had in de keuken verteld over haar niet te stillen trek in witte kaas. Smeuïg vertelde ze hoe ze stuk na stuk de kaas in haar mond nam, op haar tong liet verbrokkelen en daarna smelten. Ik kon de zachte smaak bijna proeven.

Nu ik zelf zwanger was, wilde ik dat ook wel. 'Ik wil witte kaas. Kunnen jullie dat kopen als jullie boodschappen doen?' vroeg ik kaynanam. Wekenlang wachtte ik elke keer vol verwachting tot mijn schoonouders thuiskwamen met de boodschappen. Elke keer waren ze het vergeten. Toen ik erom bleef zeuren, vertelde ze het aan mijn moeder. Die riep vervolgens door de telefoon dat ik dom en gulzig was. Ik begreep er niets van.

Eigenlijk had ik helemaal geen trek in iets speciaals. Dus maakte ik mezelf wijs dat ik verlangde naar zure, ongerijpte pruimpjes, die zo felgroen en glanzend zijn alsof ze een voor een gepoetst zijn. Zo lekker vond ik ze eigenlijk niet, maar ik wilde kunnen meepraten met de andere vrouwen. En, net als míjn moeder, later weemoedig aan mijn kind vertellen: 'Toen ik zwanger was van jou, at ik alleen maar zure pruimen.'

Ik liet de taak deze keer niet aan kaynanam over, maar reed met Kaan alle Turkse winkels langs. 'Over een paar weken heb ik ze,' beloofde een van de winkeliers. Ik zei dat hij een pond voor me apart moest leggen omdat ik zwanger was. Buiten greep Kaan mijn bovenarm vast. Hij vond het ondeugdelijk dat ik mijn zwangerschap besprak met een vreemde man.

'Ik wilde alleen maar zeker zijn van mijn pruimen,' huilde ik in de auto. 'Nederlanders mogen openlijk op mij geilen, maar Turken mogen niet weten dat we een kind krijgen omdat ze zouden kunnen denken dat we seks hebben gehad!'

Kaan wreef over mijn arm waar hij geknepen had en vroeg of de pijn over was. Hij stelde voor op de markt een gebraden kip te gaan halen. 'Nee! Ik hoef niets meer van jou, geen pruimen, geen baby.' Vastbesloten niet toe te geven keek ik koppig voor me uit. Na vijf minuten stopte hij de auto midden op straat en zei niet door te rijden tot ik weer zou glimlachen. 'Kippetje? Alleen? In het park?' vroeg hij met zijn liefste stem, wetend dat ik niet lang boos op hem kon blijven.

Met een bloedhete kip in een papieren zak reden we naar het park. Het voelde als spijbelen, maar dan van thuis. Van opwinding stampte ik met mijn voeten en sloeg ik met mijn handen op het handschoenenkastje. Hij parkeerde de auto op het gras naast een sloot achter in het park, en wees naar een pluizig stuk touw dat aan een van de wilgen hing. Hij en zijn vrienden hadden daar ontelbare keren aan geslingerd in een poging om de overkant te halen, iets wat nooit lukte. Daarna legden ze hun natte kleren op het gras te drogen, vertelde hij, en zaten ze in hun onderbroek te zonnen. Ik hoorde de weemoed in zijn stem en verbeeldde me hem in zijn onderbroek over het gras te zien rennen met zijn vrienden.

Terwijl de zon de hemel oranje kleurde, voerde hij me zwijgend de beste stukken kip. Nog nooit had ik me zo geliefd gevoeld. Helaas werd ik weer misselijk en Kaan reed me naar huis. Ik keek treurig naar de fijngemalen resten in de wc-pot, alsof ook het gevoel van gelukzaligheid met de kip weggespoeld zou worden. We aten nog een keer om bij zijn moeder geen argwaan te wekken. Zoete Nederlandse paprika's, pittig gevuld op zijn Turks. Een slechtere combinatie is er niet.

Tijdens mijn zwangerschap waren babyzaken mijn lievelingswinkels. Kaan en ik slenterden urenlang van de ene naar de andere speciaalzaak. We aaiden fluwelen babypakjes, maar durfden zonder toestemming van zijn moeder niets te kopen. Ik bewonderde pastelkleurige babykameraccessoires, gordijnen met olifantjes en vlindertjes, een flesopwarmer en allerlei spullen waarvan ik niet wist dat ze bestonden. Een voor een schreef ik mijn wensen op een blocnote. Bijna zeshonderd gulden. Kaan keek met me mee op het blaadje. We schudden onze hoofden, wetende dat ze 'nee' zou zeggen. Onderweg naar huis pasten mijn voeten niet meer in mijn schoenen, zo erg waren ze opgezwollen. Kaan stelde voor om van schoenen te wisselen. Hij propte zijn voeten in mijn schoenen met strikjes; hij zag eruit als een travestiet. Hangend aan zijn arm kloste ik voort in zijn instappers, met krampen in mijn buik van het lachen. Voorbijgangers staarden naar ons. Omdat hij zich daar niets van aantrok, bewonderde ik hem nog meer.

'Is Emel ook zwanger?' vroeg elke vrouw die ik tijdens mijn zwangerschap tegenkwam. 'Moge Allah haar ook een baby schenken.' 'Insallah,' beaamde ik. Emel wilde graag een kind, misschien vooral om van de vervelende vragen af te zijn. Een vrouw zonder kind is als een boom zonder vruchten: nutteloos. Met veel pijn en moeite hadden Jasmijn, Emel en ik kaynanam overgehaald toestemming te geven voor een IVF-behandeling, maar de artsen vonden Emel met haar twintig jaar te jong. Ze zeiden dat ze zich er nog lang geen zorgen over hoefde te maken en dat een zwangerschap vanzelf zou volgen als ze er lichamelijk rijp voor zou zijn. Van dorpsgenotes hoorde kaynanam over een kwakzalver, van wie Emel allerlei planten moest koken die er goor uitzagen en verschrikkelijk stonken. Ze had het nog opgedronken ook.

Niets in huis wees erop dat Kaan en ik een kind verwachtten. 'Wanneer gaan we een babykamer kopen?' vroeg ik samenzweerderig aan kaynanam. Ze zei dat ik het babybedje van een kennis zou krijgen. Via Kaan probeerde ik tenminste een nieuw bedje te laten kopen, maar Kaan wilde niet meewerken.

Toen het arriveerde werd het gelijk naar boven gesmokkeld; Emel mocht het niet zien. Mijn kaptafel moesten we naar de zolder brengen; daar was nu geen plek meer voor in onze kamer.

Van de vrouw van Kaans beste vriend kreeg ik een boodschappentas vol kleertjes. Ruim een uur deed ik erover om al die poppenkleren te aaien en op te hangen.

'Ga je geboren worden en dit allemaal dragen?' murmelde ik met een kleuterstem. Ik weet niet of het rood op mijn wangen door de zon kwam of van de schaamte dat ik stiekem van mijn zwangerschap genoot. Het was alsof ik Emel daarmee verraadde.

Op een koopavond stelde kaynanam voor naar babykleren te gaan kijken. Opgewonden nam ik mijn schoonouders mee naar H&M en liet ze het witte pakje zien dat Kaan en ik hadden bewonderd. Als een volleerd verkoper wees ik ze op de zachte stof en liet ze voelen. Ik hield niet op over hoe schattig het konijntje was dat op de borst geborduurd was. Het leek me heerlijk straks de gerimpelde huid van mijn baby in nieuwe kleertjes te kunnen hullen. Kaynanam zei dat we nu geen geld hadden, maar beloofde het voor me mee te nemen als de baby geboren was.

Het zwaarst was de ramadan. Zwangere vrouwen zijn ervan vrijgesteld, maar kaynanam zei dat ik me niet moest aanstellen met mijn vijf maanden. De schoondochter van een dorpsgenote, die zeven maanden zwanger was, vastte ook. Bovendien, als ik nu niet zou vasten, moest ik het later inhalen. Niets is zo erg als in je eentje vasten. Het is een groepsgebeuren. Dat iedereen hongerlijdt geeft een gevoel van verbondenheid dat je de dag door helpt. Mijn schoonvader, die niet vast wegens een vage leverziekte, hield de familie elke nacht in gezelschap bij de *sahur*,* de maaltijd voor zonsopgang. Kaynanam bakte dan broodjes in de hete olie. Ik werd misselijk van de geur en bleef in bed met de slaapkamerdeur goed dicht. Alleen voor water ging ik naar buiten. In de badkamer dronk ik rechtstreeks uit de kraan mijn buik rond, alsof dat hielp tegen de verschrikkelijke dorst van de volgende dag. Als ik me in bed omdraaide, hoorde ik het water van de ene naar de andere kant plonzen. Ik was net een waterkruik.

Het heeft wel wat: na de middag fantaseren over allerlei gerechten, omdat je denkt dat je oneindig veel zou kunnen eten. De strenge oefening in zelfbeheersing om naar pannen vol heerlijk eten te kijken terwijl de scherpe nagels van de honger in je maag krabben. De dankbaarheid voelen dat we meer hebben dan we eten kunnen. Het kijken op de lijst met de zonsondergangstijden en gezeten aan een overvol gedekte tafel teletekst in de gaten houden – hier hoor je geen imam die tot gebed oproept. De laatste tien minuten voor zonsondergang duren langer dan je hele leven, en al die lekkernijen roepen 'eet me, eet me'. Van de zelfbeheersing blijft bij mij niets over als het eenmaal zover is. Ik prop alles snel naar binnen, alsof ze het elk moment voor mijn neus kunnen weghalen.

---

* Maaltijd tijdens de ramadan.

Op een ochtend bezorgde de postbode een pakje dat met spoed was verzonden. Er zat een kilo *kerebic* in, een toetje waar ik verzot op ben en dat alleen in Zuid-Turkije en alleen tijdens de ramadan verkrijgbaar is. Het witte schuim was bijna opgedroogd en ook het deeg was niet meer wat het moest zijn, maar toch at ik het op. Tot dan toe had ik nooit geweten dat je weemoed kon proeven. Ramadan was puur geluk toen ik nog thuis woonde, besefte ik nu. Mijn moeder wekte ons voor zonsopgang voor haar broodjes en kneep voor die gelegenheid een oogje toe als ik onder het afwassen uit wilde komen. Ik werd eigenlijk niet blij van mijn kerebic, alleen maar mistroostig.

De ochtend van het suikerfeest gingen de mannen samen naar de moskee. Daarna ontbeten we met zijn allen, in een euforische stemming omdat het dit jaar weer gelukt was onze plicht te vervullen. De hele dag was het een komen en gaan van bezoekers die in dezelfde overwinningsroes verkeerden. Ook Kaan, Ilker, Emel en ik gingen minstens tien huizen langs, waar zonder uitzondering iedere gastvrouw erop aandrong dat we ten minste een stukje van de zelfgemaakte zoetigheden moesten proeven. Overal dwongen gastvrouwen me om nog een stukje te nemen; zwangere vrouwen moeten eten voor twee, zeiden ze. Aan het einde van de dag had ik genoeg baklava op voor een jaar.

Op een zaterdagmiddag vroeg ik Kaan, die in de keuken een shagje zat te roken, of hij met me naar de stad wilde gaan. Hij schudde zijn hoofd: 'Geen zin.'
'Kom op, eventjes met de auto. Ik zit al dagen binnen.'
'Een andere keer,' zei hij. Ik drong aan. Het hielp niet.
'Stomme eşşoğlueşşek die je bent!' riep ik. Op een toon die ik niet van hem kende zei hij dat hij dat niet meer wilde horen. Anders zou ik er spijt van krijgen.
'Eşşoğlueşşek,' zei ik nadrukkelijk.
'Ik waarschuw je, Rüya,' dreigde hij.
'Kom dan,' zei ik dapper, in de veronderstelling dat hij zijn hand niet zou heffen tegen zijn hoogzwangere vrouw. 'Eşşoğlue...'
Voordat ik het helemaal kon uitspreken voelde ik zijn hand op mijn

rechterwang. Verbijsterd hield ik mijn wang vast.

'Zeg klootzak, eikel, gek, maar niet eşşoğlueşşek! Je weet wat dat betekent.'

'Ja, veulen van een... Oeps! Dan is je vader een...' Ik had er nooit zo over nagedacht.

'Ken je nog meer scheldwoorden,' vroeg ik onderweg naar de stad, 'die ik eventueel kan gebruiken?'

'Lul doet het altijd goed, maar gebruik het niet in het openbaar.'

'Dat vind ik geen scheldwoord.'

'Jawel, als je je ergert aan een man.'

'Wat heeft het voor zin om een man voor penis uit te maken! Daar zijn jullie toch juist zo trots op?'

We gingen naar H&M voor babykleren en kwamen zoals altijd met lege handen thuis. 'Kijken, kijken, niets kopen,' zei ik pissig, 'we zijn erger dan Hollanders!'

De laatste maand van mijn zwangerschap ging zoals bij mijn moeder, toen ze zwanger was van Didem. Die gooide eerst haar benen uit bed en dan moest ik haar optrekken als de rest niet wilde volgen. Ik moest die klus alleen opknappen.

Tegen eventueel lekken moest ik een zeiltje onder het laken leggen. Dat deed mijn moeder ook toen we nog klein waren en in bed plasten. Ik was terug bij af, leek het.

Ik haatte mijn lichaam, dat in een rap tempo uitdijde. Mijn borsten herkende ik niet meer. Het scheelde weinig of ik kon twee petten aan elkaar naaien en als bh gebruiken. Ik wilde mijn perzikborstjes terug! Om maar niet te spreken over de leverrode scheuren op mijn buik. Om die te verstoppen, droeg ik enorme onderbroeken, die wel van mijn oma hadden kunnen zijn.

'Eşşeksipa,' vroeg ik mijn grote bult soms kwaad, soms liefkozend, 'moet je mijn lichaam zo toetakelen?' Ik voelde me allesbehalve verleidelijk, maar Kaan hield vol dat hij mijn buik juist aantrekkelijk vond, inclusief de zwangerschapsstriemen, en hij zweerde dat hij die altijd mooi zou blijven vinden. Dat is hem geraden ook.

Kaan zou bij de bevalling zijn. Van die schrik was ik bijgekomen, maar het idee wilde maar niet wennen. Een man wil toch nooit meer met zijn vrouw vrijen als hij ziet hoe een baby naar buiten rolt? Kaan verzekerde me dat hij niet van me zou walgen, maar ik twijfelde eraan. De verloskundige vroeg of ik thuis wilde bevallen. Gadverdamme! Al dat bloed en vruchtwater en die viezigheid, dat wilde ik niet in mijn slaapkamer hebben. En ik moest er niet aan denken dat Ilker en mijn schoonvader me zouden horen gillen.

Alle jonge Turkse moeders die we kennen in Tilburg zijn in kraamhotel De Meiboom bevallen. Kaynanam wou niet voor hen onderdoen. Met Kaan ging ik me in laten schrijven. Bij de receptie stond een vitrine vol griezelig uitziende apparaten. 'Die gebruiken we niet,' probeerde een medewerkster me gerust te stellen, 'dat doen ze alleen in het ziekenhuis, als dat nodig is.' Ik wilde het liefst hard weglopen en tegen Kaan zeggen dat ik me had bedacht. Ik wilde niet bevallen. Nergens.

Het huis zat vol met bezoekers toen mijn weeën begonnen. Ik ging de woonkamer niet in. Af en toe stopte ik met de afwas om even te knielen. De vrouw van Kaans beste vriend zei dat ik moest ophouden.

'Dat kan ik niet!' snauwde ik verontwaardigd.

'Met de afwas!' riep ze.

'Het gaat wel,' loog ik. De verloskundige had gezegd dat we haar pas moesten bellen als de weeën om de tien minuten kwamen en wanneer dat langer dan een uur zo door zou gaan. Die nacht bracht ik slapeloos door; het leek alsof iemand me met een mes in mijn buik stak. Kaan werd wakker van mijn gespartel en vroeg of het heel erg pijn deed.

'Natuurlijk niet! Ik doe alsof!'

Of hij iets kon doen? 'Ja. Voortaan van mij afblijven!'

De volgende dag waren de leidingen in de wc bevroren en de ramen bezet met ijsbloemen. Er kwamen weer bezoekers, die allemaal bleven rummikuppen. Kaynanam vond dat ik mijn plek op de bank en mijn sprei moest verruilen voor onze ijskoude kamer en nog koudere bed. Met een colafles vol heet water vertrok ik naar boven. Terwijl ik de trap op liep, fantaseerde ik dat ik in de gevangenis zou bevallen, nadat ik haar vermoord had.

De derde nacht kwam de verloskundige op aandringen van Kaan kijken. Ik verwachtte dat ze haar naam eer aan zou doen door me te verlossen van de ellende. Ze luisterde naar de hartslag van de baby. Ze controleerde de ontsluiting. 'Je hebt nog zes centimeter te gaan,' meldde ze doodleuk. 'Vier centimeter in drie dagen?' vroeg Kaan voor de zekerheid. 'Gebeurt wel eens bij zwangerschappen op jonge leeftijd. Het kan nog een paar dagen duren. Neem maar een warm bad.' Ik begon te janken.

Gülten, een nicht van Kaan die vijf dochters had gebaard, was op bezoek en zei dat ik rondjes moest lopen om een stok. Ze garandeerde me dat dat de ontsluiting zou bespoedigen. Ik vond het belachelijk, maar ik wilde zelfs op mijn kop gaan staan, als ze maar zeiden dat het hielp.

Toen ik eindelijk naar De Meiboom mocht, gingen behalve Kaan ook kaynanam en Gülten met me mee. Daar aangekomen werd ik in een warm bad gezet. Het water spetterde naar alle kanten door mijn stuiptrekkingen, en kaynanam en Kaan moesten me uit de kuip hijsen voordat de badkamer onderliep.

Ik wist me totaal geen raad met de pijn. Af en toe kwam er een zuster kijken, die me waarschuwde dat ik absoluut nog niet mocht persen. Het was nog lang niet zover en de verloskundige zou straks komen. Lopen ging niet. Zitten ook niet. Liggen hielp voor geen meter. Gülten zat aan mijn voeteinde lekker een kopje koffie te drinken. Al zou de hele wereld toekijken, het kon me niets meer schelen. Kaynanam en Gülten vonden dat Nederlanders geen bal verstand hadden van bevallingen en zeiden dat ik alvast moest beginnen met persen, dan zou het vanzelf komen. De zuster die de ontsluiting kwam controleren, werd kwaad toen ze merkte dat ik had geperst: 'Lieg niet, ik zie het! Het bloedt. Nu duurt het nog langer. Het is je eigen schuld!' Daarna bleef ze langer dan een uur weg. Om mij te straffen, vermoedde ik. Ik huilde dat ik naar huis wou.

'Puffen, puffen, puffen. Nu mag je persen,' zei de verloskundige uren later. Ik stikte bijna in mijn ademhaling omdat ik niet meer wist hoe het moest. Kaan deed het me voor, inclusief puffen. Als de weeën iets zakten, schold ik huilend zijn huid vol. De hele buurt genoot mee. 'Het is allemaal jouw schuld. Klootzak. Vuile viezerik. Microbe. Beest.' Ieder scheldwoord dat ik kende gilde ik uit, behalve eşşoğlueşşek. Hij depte mijn voorhoofd met een nat washandje. Ik kneep zijn andere hand tot moes. Mijn tanden zette ik soms in mijn hand en soms in de zijne. 'Ik wil dood! Laat me doodgaan, alsjeblieft! Geef me een prik! Laat me inslapen!' Nooit van mijn leven had ik gedacht dat ik om een naald zou vragen. Hij tilde mijn hoofd op en gaf me een paar druppels water. 'Meer! Meer!' Dat mag niet van de vroedvrouw, verdedigde hij zich. 'Rot op! Ik wil je nooit meer zien! Rot op!!!' Ik gilde zoals ik nog nooit had gegild. Het voelde alsof een monster mijn lichaam open probeerde te rijten om vervolgens naar buiten te kruipen. Dat schepsel wilde me levend verslinden. 'Neem je kind mee! Dat hoef ik ook niet!'

Het hoofdje was te zien, zeiden ze. Nu moest ik wachten. 'Wat wachten! Haal dat ding naar buiten!' Mijn snot en tranen liepen door elkaar. 'Leugenaars! Jullie zeiden dat het snel zou gaan! Zien jullie het! Het komt niet!'

Iemand zette een enorme spiegel tussen mijn benen. Wat ik zag, kon niet van mij zijn. Geen wonder dat ze in Turkije geen echtgenoten toelaten bij de bevalling. Van schrik gaf ik een klap tegen de spiegel, die uit de handen van de zuster vloog. Hij viel in duigen op de tegelvloer. Als ik bij zinnen was geweest, had ik dat erg gevonden.

Toen ze tegen de ochtend geboren werd, piepte en krijste ze als een jonge poes. Kaan knipte de navelstreng door en haalde de knopen van mijn nachthemd los. Een zuster legde onze dochter tussen mijn borsten. Ik hoorde Kaans nicht Gülten tegen kaynanam fluisteren: 'De baby is vrij schoon. Als ze het vaak hadden gedaan, dan was ze vies.' Rot toch op, dacht ik, met je ouwewijvenpraat. Ze zag er eng uit, maar was toch een mensje. Ik gaf haar een kus op haar plakkerige hoofd. 'Hebben die hoeren jou pijn gedaan?' vroeg ik huilend. Ik schrok van mijn eigen woorden toen die mijn oren bereikten.

Thuisgekomen zet ik het bedje van Güls wandelwagen in de woon-kamer naast de zacht brandende kachel. De komende eenendertig dagen mag ik niet naar buiten. Pas als mijn veertig dagen erop zit-ten en ik ritueel gereinigd ben, ben ik van de geesten af. Om het boze oog te weren, draagt Gül een blauw oogje van glas aan een veiligheidsspeld. Vrouwen die ongesteld zijn mogen niet bij haar in de buurt komen. Verder moet ik dikke sokken dragen.

'Als je nu verkouden wordt, krijg je nooit meer kinderen,' zegt kaynanam streng. En natuurlijk bid ik als ik ga slapen, voor het ge-val dat. Waarom heeft Allah zulke geesten geschapen, vraag ik me af. Waarom moeten die zo nodig kraamvrouwen kwellen? Waar hebben vrouwen dit aan verdiend?

Ik loop hoopvol naar boven met mijn koffer. Teleurgesteld zie ik dat Kaan het ledikantje voor Gül niet geverfd heeft zoals hij be-loofd had. Onze kamer is net een zwijnenstal. Kaans vieze kleren slingeren rond, het witte laken is bijna grijs. Ik dacht dat ik in een soort bruidssuite zou komen. Een opgeruimde kamer, misschien een roosje op het bed. Zo nu en dan kwam hij vroeger met een ro-de roos thuis, tot zijn moeder het verbood. Ze zei dat het zonde van het geld was, maar volgens mij wilde ze voorkomen dat Emel jaloers werd. Die krijgt nooit rozen. Ik ook niet meer. Wel neemt Kaan stiekem honingdropjes of bonbons mee die ik in mijn lade bewaar. Die snoepen we 's nachts in bed.

Ik ruim de kamer op, verschoon het bed en duik erin. Eindelijk kan ik met een gerust hart gaan slapen.

Ik sluit mijn ogen, maar voordat ik in slaap kan vallen hoor ik de bel. Een goede vriendin van kaynanam komt me feliciteren en of ik thee wil serveren. Daarna moet ik helpen koken, afwassen, waarna nog meer bezoekers zullen komen en ik nog meer thee zal moeten serveren. Mijn geforceerde glimlach verdwijnt meteen zo-dra ik de woonkamer verlaat.

'Neem Gül mee,' beveelt kaynanam als ik eindelijk welterusten zeg. Ik was ervan uitgegaan dat ze de eerste tijd in het bedje van haar wandelwagen bij kaynanam zou slapen. Ik dacht dat we zou-den doen alsof ik niet de moeder ben, omdat Emel nog geen kind heeft. Bovendien wil de borstvoeding toch niet lukken.

Rond twaalf uur val ik in Kaans armen in slaap. Het duurt niet lang voor Gül begint te huilen. Kaan snurkt ongestoord door. Slaperig sta ik op, neem haar in bed en probeer haar te voeden. Wat raar, denk ik, dat niemand zegt dat dat niet mag. Als ik in slaap val, kan ik per ongeluk op haar gaan liggen. Van mijn moeder mocht ik nooit met Didem slapen.

De kamer is erg warm door het elektrische kacheltje dat kaynanam in onze kamer heeft gezet; Gül mag geen kouvatten. Mijn oogleden zijn zwaar, en Gül huilt van de honger. Ik voel me ongelukkig en hulpeloos.

Dan staat kaynanam naast het bed. Zodra ik haar zie, begin ik te huilen. Dat ik dit allemaal niet wil. Geen baby, geen borstvoeding. Rond mijn tepels heb ik pijnlijke wondjes die ik elke keer moet insmeren en weer schoonmaken. Het is een dagtaak. Ik wil uitrusten! Eindelijk een beetje fatsoenlijk kunnen slapen, met Kaan naast me en zonder bang te hoeven zijn voor geesten die me komen halen. Ze helpt mijn tepel in Güls mond te stoppen en blijft naast me zitten tot ze klaar is met drinken. Dan neemt ze haar mee. Ik ben toch wel blij dat ik bij mijn schoonouders inwoon. Ik zou het in mijn eentje nooit redden met een baby.

De volgende ochtend probeer ik Gül op de bank te verschonen. Mijn schoonvader komt de woonkamer binnen. Ik laat haar liggen en sta op, omdat het moet van de tradities. 'Ga door,' zegt hij. Uit beleefdheid blijf ik toch staan. 'Mijn dochter, ga door zei ik toch.'

Ze zijn bij de apotheek geweest. Kaynanam geeft me in de keuken een plastic tepelkapje. Dat vind ik lief van haar, maar het helpt niet echt. Af en toe vul ik een zuigflesje met moedermelk, om Gül maar niet aan mijn borst te hoeven leggen.

Sinds haar geboorte ben ik naar de achtergrond verschoven. Zo vol liefde als Kaan naar haar kijkt, heeft hij nooit naar mij gekeken. Hij kijkt alsof alleen zij op deze wereld ertoe doet. Daar hoor ik blij om te zijn, maar dat kan ik niet. 'Van wie houd je meer?' vraag ik in bed met een lieve stem.

'Van haar,' zegt hij zonder aarzelen.

'Veel meer?'

'Als er brand zou uitbreken en ik zou moeten kiezen tussen jullie tweeën, neem ik haar mee naar buiten.' Ik begin te huilen dat ik er eerder was dan zij en dat hij meer van mij moet houden. Ik vind het niet eerlijk; ik moest me uitsloven voor zijn liefde, zij hoeft er niets voor te doen.

'Kijk,' wijst hij naar Gül, die in haar bedje slaapt, 'ze is zo hulpeloos. Jij kunt je nog proberen te redden. Zij niet.'

In gedachten zie ik haar lijfje te midden van rook en vlammen. Ik schud met mijn hoofd om het beeld kwijt te raken. 'Dan maken we toch een nieuwe?'

Borstvoeding is de enige handeling die mij met haar verbindt, uit verplichting. Meestal neem ik haar mee naar onze slaapkamer en lig ik met haar op bed. Af en toe speel ik met haar gezichtje en denk: eigenlijk is ze best wel lief. Kaynanam verschoont haar en sust haar in slaap. Emel en Jasmijn ruziën over wie haar in bad mag doen. Dat Emel zelf geen kinderen heeft, is nu nog pijnlijker. Ze probeert niets te laten merken en is heel lief voor Gül, maar ik zie hoe ze haar soms vol verlangen naar een eigen kind tegen haar borst drukt en haar geur opsnuift. In de buurt van Emel doe ik alsof Gül niet meer dan een last voor me is en noem ik haar consequent eşşeksipa. Kaan heeft er geen moeite mee dat hij hier de ezel is, zolang zijn vader maar buiten schot blijft. Ik wil niet dat Emel denkt dat ik geen rekening met haar gevoelens houd of dat ik haar jaloers probeer te maken. Als ze opmerkt dat Gül geen schone kleren meer in de kast heeft en vraagt waarom ik ze nog niet heb gewassen, kijk ik haar verbaasd aan.

'Het is jouw kind,' zegt ze, 'moeten wij voor alles zorgen?' Ik bemoei me nergens mee, maar ook dat is kennelijk niet goed.

Namens Kaans collega's komen Fleur en Ad ons feliciteren. Ze nemen een jasje van zachte stof mee en een piepklein lila jurkje met kanten en strikjes. Het zijn de mooiste cadeaus die Gül heeft gekregen. Ze aaien haar voorzichtig. Lang willen ze niet blijven; het is een kraambezoek. Na de koffie met mislukte zelfgemaakte cake bedank ik ze hartelijk voor hun komst.

'Zullen we een keertje afspreken dat jullie bij ons komen koffiedrinken?' stellen ze voor. Ze moeten eerst kijken in hun gezamenlijke agenda!

'Doen we,' zegt Kaan. Als het kon, zouden ze volgens mij ook hun dood strak inplannen. 23 februari 2030 komt me goed uit en ik kan de hele dag.

Kaynanam heeft besloten samen met mijn schoonvader een centje bij te verdienen door thuis jassen te gaan keren voor het naaiatelier. 's Middags als ik wakker ben, moet ik hen helpen, maar zodra ik een paar minuten de kans krijg, zit ik met mijn schoolboeken op de bank of lig ik ermee op het bed. Het hele huis zit onder het kleurige stof dat van de jassen opstijgt. Elke dag alles stofzuigen en stoffen is vermoeiender dan het keren van de jassen zelf. Ze doen vijfhonderd jassen per week voor honderdvijftig gulden. Toen Paşa een keertje zelf kwam afrekenen was hij zichtbaar onder de indruk van Jasmijn, die zoals gewoonlijk languit op de bank lag. Hij haalde, met een gebaar dat te groot was om nonchalant te zijn, uit zijn broekzak een dik pak honderdjes en duizendjes en telde na lang zoeken het geld in kaynanams hand. Sindsdien stuurt hij niet meer een van zijn medewerkers om de jassen te brengen en te halen, maar komt hij in hoogsteigen persoon; samen met de chef, zodat zijn aanwezigheid minder opvalt. Toen de chef voor het eerst was geweest, vroeg mijn schoonvader aan kaynanam of zij ook had gezien dat de chef met zijn heupen wiegt. 'Ja, hij loopt een beetje raar, maar hij is getrouwd en heeft twee zoons,' stelde ze hem gerust.

Als het etenstijd is, blijven Paşa en de chef na aandringen van kaynanam eten en op dringend verzoek van mijn schoonvader rummikuppen. Mijn schoonouders vinden het goede kerels. 'Moge Allah tevreden over hen zijn.' Ze zijn er zo regelmatig, dat het lijkt alsof ze bij de familie horen. Paşa verkeert graag in de buurt van Jasmijn en imponeert haar met zijn nieuwe bmw, waar hij geen jassen in vervoert; dat vindt hij zonde van de leren bekleding. Volgens Jasmijn gaat er niets boven een bmw. Paşa belooft haar een ritje, samen met haar broer Ilker, met wie hij erg goed kan opschieten.

Onze vaste bezoekers beginnen zich aan hun aanwezigheid te storen. 'Waarom zijn ze constant hier?' vroeg laatst een van kaynanams vriendinnen, om vervolgens weg te blijven. Ik denk aan het Turkse gezegde 'Het bezoek wil de nieuwe bezoeker niet, de gastvrouw wil niemand'. Want het is nog steeds mijn taak iedereen te bedienen. In bed klaag ik tegen Kaan dat ik Paşa en de chef beu ben. Hij antwoordt dat hij er ook niets aan kan doen.

Mijn schoonouders gaan zo op in hun nieuwe bijverdienste dat ze de steelse blikken die Jasmijn en Paşa uitwisselen niet zien. Of misschien komt het doordat ze uitgaan van het goede in de mens: Paşa is immers een brave huisvader met drie kinderen. Steeds vaker kom ik Jasmijn en Emel fluisterend en giechelend tegen. Mijn vermoeden dat er meer dan een vriendschappelijke band is tussen Jasmijn en Paşa, durf ik met niemand te bespreken. Jasmijn zal het ontkennen; kaynanam zal het als hoogverraad beschouwen en vragen hoe ik de eer van haar dochter ter discussie durf te stellen. Kaan wil harde bewijzen voordat ik zijn zus beschuldig.

Op een avond vragen Jasmijn en Emel aan kaynanam of zij en Ilker naar een Turks concert in Amsterdam mogen. Paşa en de chef hebben hen uitgenodigd. Natuurlijk mogen ze, 'als Paşa de tickets betaalt'. Paşa komt met zijn rode, flitsende B M W. Zijn vrouw heeft hij niet meegenomen. Jasmijn mag rijden.

De afkeuring druipt van mijn gezicht, maar moeilijk doe ik er niet over. Straks blijven ze alsnog thuis. Dat wil ik niet hebben nu het huis de hele avond van ons is. Mijn schoonouders zijn naar een bruiloft in Rotterdam. Met vrijen moeten we wachten tot de veertig dagen verstreken zijn. Maar hoe vaak zijn we alleen thuis? Gül slaapt in haar bedje. Ik sta erop dat we met een sprei de tralies van het ledikantje bedekken. Het zou niet goed voor haar zijn als ze wakker wordt en ons ziet, ook al is ze net een maand oud. Ik probeer me te ontspannen, maar zodra ik mijn ogen dichtdoe, zie ik het beeld van de spiegel tijdens de bevalling voor me. Pas achteraf merk ik dat mijn kaken verkrampt zijn. Het zal nooit meer zijn zoals voorheen, en ik neem het Gül kwalijk dat ze niet alleen mijn lichaam maar ook ons seksleven heeft verpest.

Ik mis het naar school gaan en de lessen. Als Kaan naar zijn werk rijdt in het nieuwe wrak dat hij tegenwoordig heeft, kruip ik zoals gebruikelijk terug in bed. Opeens word ik wild hoestend wakker, mijn keel is uitgedroogd waardoor mijn luchtpijp aan elkaar geplakt is als een ballon die te lang is dichtgeknepen. Ik leg mijn hand op mijn keel en probeer rustig te ademen. Ik moet niet meer zoveel roken, denk ik, en ik wankel naar de badkamerkraan. Onderweg moet ik halt houden en mijn benen stevig bij elkaar doen om te hoesten. Na de bevalling ben ik in zulke situaties de controle over mijn blaas kwijtgeraakt. Wat een baby allemaal niet kan aanrichten! Na twee glazen water kan ik weer enigszins normaal ademhalen. Dan realiseer ik me wat er gebeurd is: een geest heeft geprobeerd me te wurgen! In paniek ren ik naar de woonkamer waar mijn schoonouders met Gül zitten. Ik wil vertellen wat me overkomen is, maar kan niets uitbrengen; het is alsof mijn tong weigert mee te werken. Als kaynanam me een klap in mijn gezicht geeft, kom ik tot bedaren. Gelijk daarna leest ze een paar soera's uit de Koran. Normaal gesproken zou ik woest zijn om haar mep, maar ik sta perplex. Het scheelde een haar of ik was gestikt. Kaynanam dankt Allah dat hij me heeft gespaard. Ik beken dat ik ben gestopt met bidden voor het slapengaan omdat ik me veilig waande. Nu voel ik me weer omringd door geesten die zachtjes in mijn nekharen blazen. De overgebleven vijf dagen vertoon ik me niet zonder 'lijfwacht' op de bovenverdieping. Alleen als kaynanam in de hal de wacht houdt, ga ik naar de wc, zonder de deur helemaal te sluiten. De lege theeglazen worden nu gevuld door Emel en Jasmijn. Kaan moet mee naar de badkamer, en slapen durf ik al helemaal niet meer. Het is zenuwslopend.

Op de veertigste dag verzamelt kaynanam in het park veertig stenen voor een reinigingsritueel. De emmer met stenen zet ze in de badkamer en vult hem met water. De stenen en het water erboven doen me denken aan het strand van Mersin op een windstille dag. Met Gül op schoot zit ik in de badkuip. Ik kijk naar mijn buik. Ooit dácht ik dat ik een buikje had, nu heb ik het echt. Gelukkig trekt de leverrode kleur van mijn zwangerschapsstriemen een beetje weg. Met een plastic bakje giet kaynanam door een vergiet het water uit de emmer met stenen over ons heen. Een vergiet heeft ruim veertig gaten; zo weet ze zeker dat er minimaal veertig waterstralen over mij heen vloeien. Godzijdank heb ik de veertig dagen achter de rug!

Een begrafenis en drie bruiloften

Tegen de ochtend gaat de telefoon. De scharnieren van de slaapkamerdeur van Emel en Ilker piepen. In de stilte die volgt wacht ik tot ik hoor wie er gebeld heeft zodat ik hem kan vervloeken. Dan schreeuwt Emel naar boven: 'Jasmijn sta op! Je man is dood!' We graaien naar onze pyjama's die in de kast op elkaar liggen gestapeld. Het zijn satijnen pyjama's: twee fluwelen setjes in donkergroen en oranje en een blauwe die ik voor Kaan heb genaaid toen we nog verloofd waren. Het lukt ons amper om een juiste combinatie uit de kast te pakken en het duurt even voordat mijn benen de gaten van mijn pyjamabroek gevonden hebben. Mijn schoonouders hollen van de zolder naar beneden. Iedereen staat nu in de hal. Ilker krabt verdwaasd in zijn blonde haren tot hij merkt dat hij in zijn onderbroek staat, waarna hij terug zijn slaapkamer in rent op zoek naar een broek.

Kadir was pas tweeëntwintig. Dat Jasmijn niet van hem hield was geen geheim; maar nu hij dood is, is ze er kapot van. Ze zit op de wc in haar blauwgebloemde pyjama terwijl ze jankend met haar hoofd tegen de wandtegels bonkt. '*Allah'im*, ik meende het niet! Vallaha! Mama, nu ben ik weduwe. Dat kan toch niet? Ik ben achttien!'

Kaynanam zakt naast Jasmijn op haar knieën en grijpt haar hoofd om te voorkomen dat ze zichzelf de hersens inslaat. Ze smeekt haar om te kalmeren en zegt dat het Allahs wil is en dat er niets aan te doen valt. Ze dwingt Jasmijn een slokje water te drinken, maar ze verslikt zich er alleen maar in. Ilker en Emel tillen haar op en dragen haar naar de bank in de woonkamer. Emel houdt haar hand vast. Ik zie Ilker op zijn lippen bijten, terwijl zijn ogen volschieten. Kaan belt de huisarts. Mijn schoonvader loopt heen en weer in de woonkamer met een gezicht vol ongeloof. 'Allah, Allah. Allah, Allah. Afgelopen week nog zeiden zijn ouders dat hij aan de beterende hand was.'

De huisarts, die Jasmijn vanaf haar geboorte kent, kijkt bedroefd. Hij geeft haar een injectie en schrijft kalmerende middelen voor. Binnen een paar minuten kijkt Jasmijn apathisch. We zullen zorgen dat ze geen pillen tekortkomt. Het verdriet verwerken moet ze maar een andere keer doen. Emel en ik brengen haar naar de badkamer. Emel wast Jasmijns gezicht. Ze moet wel veel van haar houden dat ze ook haar neus helpt snuiten. Zou ze dat voor mij ook doen, vraag ik me af, en ik voel me heel ongemakkelijk en triest bij deze gedachte. Emel duwt Jasmijn zachtjes op haar bed en kamt haar haren. Ik zoek haar kleren bij elkaar. 'Een lange rok zou nu passender zijn dan een zwarte broek, maar niet comfortabel in het vliegtuig.'

Als een baby zit ze erbij; haar armen zakken steeds willoos omlaag terwijl Emel haar aankleedt. Een dikke trui weigert ze, hoewel het buiten vriest. Nooit gedacht dat ik haar ooit in deze toestand zou zien. Geen grote mond. Alleen maar tranen en een lopende neus.

'Had ik maar een kind van hem,' zegt ze.

'Die pillen hebben je hersens wel erg snel aangetast,' flap ik eruit. Kwaad wordt ze niet. Misschien moet ze die pillen blijven gebruiken.

In de keuken staat Kaan een shagje te roken. Op het gebloemde vinyl tafelkleed staat een propvolle asbak. Hij knippert met zijn mooie lange wimpers en er rollen twee tranen over zijn wangen die hij snel afveegt. Kadir was niet alleen zijn neef én zwager, ze konden het ook goed met elkaar vinden.

'Hij was een goed mens,' zucht hij. 'Zijn vlees is nog warm en ik praat al in de verleden tijd over hem!'

Hij schudt zijn hoofd en laat zijn tranen gaan. Ik omhels hem zwijgend. Hij is nu zo kwetsbaar. Ik zou hem voor alle verdriet willen behoeden.

'Hij smeekte me vaak iets tegen Jasmijn te zeggen,' zegt Kaan, 'zodat ze ophield hem wreed te behandelen. Maar ze vertikte het om van hem te houden! Zo'n goede man als hij vindt ze nooit meer!'

'Misschien kon ze echt niet van hem houden.'

'Het is een beslissing,' zegt hij vol overtuiging, 'of je met iemand gelukkig wilt worden of niet. Ze is gewoon te koppig.'

's Avonds brengen Emel en Ilker mijn schoonouders en Jasmijn naar het vliegveld van Düsseldorf, waar de eerstvolgende vlucht naar Ankara vertrekt. Als ze terug zijn vertelt Emel hoe Ilker en zijn vader Jasmijn overeind moesten houden. De andere passagiers bleven naar hen kijken en fluisterden tegen elkaar wat er aan de hand kon zijn.

'Kaan, zullen ze je zus dwingen met haar zwager te trouwen?' vraag ik.

'Hoe kom je daarbij?' briest Ilker onverwacht fel. Kaan zegt dat trouwen met de vrouw van je overleden broer achterhaald is, en dat zijn ouders dat echt niet zullen doen.

'Insallah,' hoop ik, 'hebben jullie gelijk.'

Emel neemt een week vrij, uit respect. Anders denken haar collega's dat de dood van Kadir haar niets kan schelen. Ik besluit om dezelfde reden een dag niet naar school te gaan.

Nadat we gretig gevreeën hebben alsof het onze allerlaatste keer is, voelen Kaan en ik ons allebei schuldig. Je vrijt niet als er net iemand dood is. Maar de behoefte om te voelen dat we leven is groter. Niemand weet immers hoeveel tijd Allah ons nog gunt.

Alles aan Kaan komt me vandaag mooier voor dan gisteren, zelfs de enorme poriën op zijn magere wangen. Met mijn vingertoppen ga ik over zijn wenkbrauwen, zijn scherpe kaken, zijn lippen en de brede neusvleugels. Blind zou ik hem nog uit duizenden herkennen. Ik wil niet gaan slapen en prent steeds weer zijn gestalte en alle trekken van zijn gezicht in mijn geheugen.

Bij het ontbijt huil ik weer om de jonge dode, maar misschien is het meer van opluchting dat Kaan leeft. Ze zeggen dat bij een dode iedereen om zichzelf huilt, behalve de moeder.

Kaans handen bewegen geruststellend heen en weer over mijn rug, zijn lippen drukt hij op mijn voorhoofd. Als ik Gül boven hoor huilen, vloek ik dat ik, nu ik een dagje niet naar school ga, ook niet terug naar bed kan. Zuchtend breng ik een paar verveelde uren met haar door totdat ze godzijdank weer slaapt. 's Middags neemt Emel haar van mij over.

Een ochtendmens ben ik niet, en als ik niet meer dan voldoende heb geslapen ben ik de hele dag chagrijnig en prikkelbaar. Het helpt niet echt dat ik nu een baby heb.

De eerste week dat mijn schoonouders met Jasmijn in Turkije zijn, kan Emel voor Gül zorgen als ik op school ben, maar dan gaat ze weer aan het werk en moet ik thuisblijven. Naciye vindt het maar niks. In de kantine verwijt ze me fluisterend dat ik na de bevalling ook al te lang ben weggebleven. Dat ik straks het examen niet haal en dat we niet meer in dezelfde klas zullen zitten. Ze vraagt of ik Gül niet naar een buurvrouw kan brengen. Ik roep dat ze haar kop moet houden. Dat ik mijn best doe en niet meer kan doen dan dat. Alleen Ilker is thuis wanneer hij nachtdienst heeft op de fabriek, maar ik kan hem toch niet vragen op haar te passen? Wat als haar luier verschoond moet worden? Dat laat ik Kaan niet eens doen. Als ik Güls billen afveeg, zit ik een kwartslag gedraaid tegenover Kaan, zodat mijn rug haar aan het zicht onttrekt. Mijn moeder ging met Didem altijd aan de andere kant van de kamer zitten als vader erbij was. Als mijn zusje zonder onderbroek door het huis holde, riep moeder streng: 'Je vader is er. Schaam je je niet?'

Zonder kaynanam moet ík de hele dag voor moedertje spelen. Ik kan er niet tegen en word om alles wat Gül doet kwaad. Als ze huilt, als haar luier vies is, als ze aandacht vraagt. Ik voel me schuldig, omdat ik niet wil zijn zoals mijn moeder, maar toch in haar voetsporen treed. Ik ben kwaad op mezelf dat ik zo'n slechte moeder ben, en kwaad op haar omdat ze ongewenst ons leven is binnengedrongen. Ik besef nu pas hoe ingrijpend ze ons leven heeft veranderd, dat ik er niet onderuit kan, dat ik echt haar moeder ben. Ik ben aan handen en voeten gebonden; nu zal ik nooit verder komen dan lopendebandwerk in een fabriek. Natuurlijk weet ik dat ik het haar niet kwalijk mag nemen dat ze is geboren, en dat ze huilt, honger heeft en verschoond moet worden. Dat het niet haar schuld is dat mijn leven heel anders is uitgepakt dan ik had gehoopt. Als ik de Nederlandse buurmeisjes, die even oud zijn als ik, met naveltruitjes om hun strakke buiken vrolijk naar school zie fietsen of in het park zie hangen met vriendjes, voel ik een steek van jaloezie om hun onbezorgde puberteit.

Kaynanam belt op. Wat zouden de jongens ervan vinden als Jasmijn met haar zwager ging trouwen? Het is meer een mededeling dan een vraag. Jasmijns schoonouders willen dat ze in de familie blijft. Jasmijns zwager houdt zich afzijdig. Volgens Jasmijn heeft hij het verzet opgegeven nadat ze grote druk op hem hebben uitgeoefend. Jasmijn huilt door de telefoon alsof haar doodvonnis getekend is en smeekt Ilker om het tegen te houden. Mijn schoonouders beloven dat ze erover zullen nadenken.

Ilker smijt de hoorn op de haak. Woedend vraagt hij zich af of zijn ouders Jasmijns leven nog niet genoeg verpest hebben. Als een dolle stier raast hij door het huis, terwijl hij tegen de meubels schopt en snuisterijen op de grond smijt. Ik schrik er best van. Kaan zou nooit zo reageren als iets hem niet bevalt, toch?

Ilker komt pas tot bedaren als zijn vuist door het vitrineglas heen gaat. Bloed sijpelt op het tapijt. Het kan hem niets schelen. Ik ren naar de keuken voor een handdoek en pleisters. Emel maakt zijn hand schoon, ik het tapijt. Bezorgd kijk ik naar de vitrinekast, waar het stof voortaan vrijelijk op de uitgestalde thee- en whiskyglazen kan neerdalen. Nu moet ik nog meer afstoffen.

'Allah roept zijn lievelingen snel bij zich,' verklaart mijn schoonvader eenmaal thuis de dood van Kadir, en kaynanam valt hem bij. Jasmijn vertrekt meteen naar bed. Waarschijnlijk heeft ze genoeg van de praatjes over het lot en Allah. Ze is afgevallen en haar ogen schitteren niet meer vol zelfvertrouwen.

Emel en ik dragen nu ze terug zijn hoofddoeken en lange rokken, als rouwvertoon. Het is een constant komen en gaan van bezoek dat mijn schoonouders komt condoleren. In de hal zijn alle twintig haken die als kapstok moeten dienen permanent bezet. Er ligt een schoenenzee die we overzichtelijk proberen te houden. Elke familie overhandigt ons volgens het gebruik een doosje thee en suikerklontjes. Je kunt de vieze smaak in je mond van het huilen wegspoelen met zoete thee. In de kelder stapelen we de doosjes op tot bijna aan het plafond; er zijn er genoeg om de hele straat drie maanden te laten drinken.

Alleen Jasmijns collega's uit de kapsalon, Nederlandse meisjes, nemen iets anders mee: een bos witte rozen en een kaartje. Ze zijn verbaasd Jasmijn met een hoofddoek te zien. Gauw legt ze uit dat het tijdelijk is.

Jasmijn gaat weer aan het werk. Haar schoonouders bellen voortdurend uit Turkije dat ze niet langer willen wachten met het huwelijk van Jasmijn en haar zwager. Mijn schoonouders verzinnen smoesjes dat het hier een heel geregel is met de papieren; ze durven hun oom niet te vertellen dat Jasmijn niet wil hertrouwen.

'Mijn oom heeft al een zoon verloren en jou beschouwt hij als zijn schoondochter,' dringt mijn schoonvader aan.

De druk op Jasmijn wordt met de dag groter door de condolerende bezoekers, die zeggen het aanzoek te begrijpen. Misschien beweren ze dat omdat mijn schoonouders dat willen horen. Ik kan me niet voorstellen dat ze echt vinden dat dit walgelijke gebruik in stand gehouden moet worden. In de keuken vragen de dochters en schoondochters van het bezoek zich samen met Emel, Jasmijn en mij af wat die oude gekken bezielt.

Uit de niet-aflatende bezoeken concluderen mijn schoonouders dat ze erg geliefd zijn. 'Op bruiloften en begrafenissen leer je je vrienden kennen.'

Natuurlijk moeten Emel en ik voor de 'catering' zorgen. Als ik tegen twaalf uur 's nachts in bed lig, ben ik uitgeput. Mijn hielen en mijn tenen kloppen alsof ik een marathon heb gelopen. Soms masseert Kaan mijn voeten. Dat maakt veel goed.

Het dagelijkse leven hervat zich snel. Van de veertig 'verplichte' rouwdagen, halen we zelfs tweederde niet. We zappen niet meer weg als er muziek op tv komt en de rummikubtafel wordt weer gedekt. Dat mijn schoonvader zich wil amuseren terwijl het vlees van Jasmijns man nog niet van zijn botten is gevallen, en dat er weer plezier wordt gemaakt in huis, moeten we voor het bezoek verbergen.

Emel en ik grijpen niet meer snel naar een hoofddoek en een lange rok als er een auto voor de deur parkeert; wel ruimen we haastig stenen en houders op, die we met tafelkleed en al snel in de kast gooien. Meestal staat de vaas met kleurige kunststof bloemen net op tijd op tafel; en anders doen we alsof we die net aan het af-stoffen waren.

Soms wordt mijn schoonvader moe van deze taferelen en zoekt hij zijn toevlucht in een Turks café waar hij ongestoord kan spelen. Kaynanam geneert zich dood wanneer er aangebeld wordt terwijl hij er niet is. Als hij wel thuis is, loopt hij geregeld de schuur in om zijn 'verdriet' weg te drinken. De alcohol zou helpen zijn sui-kerspiegel te verlagen. Goed voor zijn gezondheid, houdt hij ons voor.

Ondertussen wordt Jasmijn nog meer dan gewoonlijk ontzien. Ze raakt geen vuil bord meer aan. Kaynanam herinnert me er con-stant aan dat haar man is overleden en dat ik haar niets mag weige-ren. Haar maandsalaris mag ze nu zelf houden, en ze besteedt het geld aan kleren, een cd-speler, make-up en parfums. Voor Emel heeft ze de laatste cassette van haar lievelingszanger gekocht.

Een van de dingen die het leven anders dragelijk maken en die we nu moeten missen, is het vieren van bruiloften. Sinds de dood van Kadir slaan we de meeste huwelijken over. Emel en ik bezoeken alleen de bruiloften van heel goede kennissen die we niet kunnen 'missen'. Met tegenzin, want dansen mogen we voorlopig niet. Anders zingt het al de volgende dag rond dat we ons niets aantrek-ken van de dood van Jasmijns man. Aan iedereen die het horen wil, vertellen we hoe erg het allemaal wel niet is. Hoe we er allemaal onder lijden, maar dat het de wil van Allah is. We zeggen steeds 'moge Allah alle andere jongeren ontzien', en zitten aan een tafel-tje treurig te wezen. Dat zijn we ook wel, maar we zijn ook jong. Als aanstekelijk op de darbuka wordt geslagen, tik ik onder de tafel de maat met mijn voeten. Niets is zo ergerlijk en saai als een brui-loft waar je zit te kijken hoe anderen zich amuseren en uit hun dak gaan. Het doet me denken aan mijn eigen bruiloft. Meestal wil ik dan heel snel naar huis. En dat doen we ook nadat we aan onze ver-plichting hebben voldaan, namelijk laten zien dat we er zijn.

Normaal gesproken genieten we van deze huwelijksfeesten, die ons een tijdelijke ontsnapping bieden uit ons saaie leven en ons de gelegenheid geven om onze frustraties weg te dansen. Als we wil-len, kunnen we bijna elke zaterdagavond naar een bruiloft ergens in Nederland, België of Duitsland. Vooral na de zomervakantie, als de importbruiden en -bruidegommen komen, trouwt de jeugd aan de lopende band. De meisjes stemmen vaak met het huwelijk in om onder het juk van hun ouders en broers uit te komen. De jongens zijn meestal bezweken onder de familiedruk. Zij zijn veelal zo vrij als een vogel en hebben geen zin die vrijheid op te geven. Als een jongen op het verkeerde pad raakt of een serieuze relatie krijgt met een Nederlands meisje, toveren zijn ouders gauw een importbruid tevoorschijn om hem tot inkeer te brengen. Onder die categorie valt Ilker. En dan zijn er de gevallen zoals Kaan. Voordat dit type afdwaalt – wat voor de ouders onvermijdelijk lijkt zolang hun zoon ongetrouwd blijft – hopen zijn ouders hem braaf te kunnen houden door een huwelijk.

Meestal is er geen weg meer terug. Een meisje uit Den Bosch dat met de beste bedoelingen werd uitgehuwelijkt aan een neef in Duitsland, smeekte haar ouders jarenlang om te mogen scheiden. Die wilden daar niet van horen; ze moest bij haar man en schoonfamilie blijven om de familie niet te schande te maken. Op een dag keerde ze toch terug naar haar ouders: gewikkeld in witte lakens. Zelfmoord was de enige ontsnappingsmogelijkheid die haar restte.

Het besluit valt ter plekke als Jasmijns ex-schoonvader wéér belt om naar de voortgang van de zaak te informeren. Ilker en Kaan hebben niets kunnen uitrichten. Geven mijn schoonouders het jawoord of niet? Mijn schoonvader kijkt naar kaynanam die bij wijze van nee een paar keer zachtjes met haar hoofd heen en weer beweegt, alsof ze haar anders vanuit Turkije ervan zouden kunnen beschuldigen dat ze tegenwerkt. Misschien voor het eerst in zijn leven durft mijn schoonvader zijn vrouw te negeren. Hij neemt de beslissing helemaal alleen: zijn oom mag de huwelijksaangifte bij de gemeente indienen.

Kaynanam vliegt hem niet naar de keel, wat me niet verbaasd zou hebben, maar zegt dat ze niet instaat voor de gevolgen. Jasmijn die het nieuws in haar kamer hoort van Emel, laat de hele avond Müslüm, haar lievelingszanger en de vader van de arabesk, op zijn hardst krijsen over een onverteerbaar lot en een onmogelijke liefde. Hoewel mijn schoonvader arabesk normaal niet kan aanhoren, maakt hij er geen einde aan. Ook als de buren komen klagen, weigert ze het geluid zachter te zetten.

De volgende ochtend ontstaat er paniek in de keuken als we ontdekken dat Jasmijn niet thuis is. Haar moeder was, nadat de muziek was gestopt, nog een paar keer naar haar kamer gegaan om er zeker van te zijn dat ze in bed lag en nog leefde. Niet vaak genoeg, blijkbaar. De helft van haar kledingkast is leeg. Geen afscheidsbrief.

'Waar is ze?' vragen mijn schoonouders radeloos aan Emel. Maar die zweert dat ze geen idee heeft. De politie waarschuwen heeft geen nut, weet Kaan. 'Ze is achttien en vrijwillig vertrokken.'

Ook haar collega's weten van niets. Emel vertrekt naar haar werk en vertelt later dat haar collega's geschokt hebben gereageerd, maar dat ze Jasmijn bijna allemaal gelijk gaven. In bepaalde omstandigheden mag je dus weglopen, zonder dat dat schade toebrengt aan je reputatie. Dat had ik niet verwacht van al die traditiegetrouwe vrouwen. Opeens vind ik al mijn ex-collega's lief.

Mijn schoonvader belt zijn oom op en zegt verontschuldigend dat ze een andere schoondochter zullen moeten zoeken.

Het is Naciye, die met het nieuws komt. Via via heeft ze gehoord dat Jasmijn met Paşa is weggelopen. Dat weiger ik te geloven. Dat ze wat voor elkaar voelden was duidelijk, maar hij is getrouwd en heeft drie kinderen.

Totdat mijn schoonvader me komt ophalen, zit ik met Naciye in de kantine voor het raam zodat ik hem aan kan zien komen rijden. Naciye benut de tijd om me te informeren over wat er zoal gedacht wordt over de banden tussen Paşa en mijn schoonfamilie.

'Ik zeg het voor jullie eigen bestwil, want we zijn vriendinnen. Het was toch niet gepast dat Paşa en de chef bijna elke dag bij jullie waren?' Van je vriendinnen moet je het hebben, denk ik. En hoe weet ze dat in godsnaam?

'Jasmijn is jong en mooi. Iedereen spreekt er schande van dat ze samen naar dat concert in Amsterdam zijn gegaan. Iemand heeft Paşa en Jasmijn op de achterste rij zien zoenen.'

O, o, denk ik, hoe brei ik dit recht? Jasmijn is mijn schoonzus en haar eer is de mijne. 'Wie heeft dit verzonnen? Van wie heb je het?'

Ja, namen kan ze niet noemen.

'Leugens,' zeg ik, 'als ze iets hadden, had ik het zeker gemerkt!' 'Vallaha,' zegt ze, 'ik wil niemands zonde op mij nemen.' Als iemand dat zegt, is hij niet zeker van zijn zaak.

'Laat ze maar komen dan, als ze durven om deze verzinsels ook aan mij te verkopen!' Liegen en bluffen ligt me niet. Ik hoop dat ze niet merkt dat mijn wangen gloeien. Mijn schoonvader toetert. Ik ben blij dat ik weg kan.

In de auto zit ik op spelden als mijn schoonvader zich hardop ergert aan medeweggebruikers. Hij gaat maar door. Ik knik instemmend en zeg op alles 'ja'. Ik voel een hevige hoofdpijn aankomen waardoor ik niet helder kan nadenken. Hoe moet ik dit nieuws thuis ter sprake brengen? Ik wil niet de boosdoener zijn en besluit het aan Kaan over te laten. Het is zijn zus. Aan hem de taak de familie-eer te bewaken.

Kaynanam weigert het te geloven, totdat Jasmijn via Emel laat weten dat ze inderdaad bij Paşa is. Mijn schoonouders hadden liever dat ze dood was. Althans, dat beweren ze waar goede vrienden bij zijn, die langs zijn gekomen om hen te troosten. Als we onder ons zijn, huilt kaynanam dat haar vriendinnen drie, vier, vijf meiden goed hebben kunnen laten trouwen, maar dat het haar niet is gelukt met haar enige dochter. Dat ze verlegen zit om een schoonzoon met wie ze kan pronken. In haar klaagzang en tranen klinken teleurstelling en een berusting in haar machteloosheid. Dat het lot Jasmijn niet heeft gegund oud te worden met haar eerste man. Dat een leven als *kuma** haar *alınyazısı*** was.

Mijn schoonvader schudt vol ongeloof zijn hoofd zachtjes heen en weer. Het is aandoenlijk hoe hij zijn vrouw onbeholpen probeert te troosten: '*Kadın,*** je hebt genoeg gekermd. Je ogen zijn opgezwollen als een grote trom.'

* Tweede vrouw.
** Lot.
*** Vrouw, wijf.

Mijn lieve Naciye kan het niet laten haar gelijk te halen bij de koffie met sigaretten. 'Proficiat,' zegt ze en probeert niet eens de heb-ik-het-niet-gezegdtoon in haar stem te onderdrukken. 'Het ziet ernaar uit dat Jasmijn Paşa toch heeft gestrikt. Ga je haar nog steeds verdedigen?'

Ik zweer dat ik het niet wist.

'Ben je soms blind?' vraagt ze.

Gezien de druk die op Jasmijn werd uitgeoefend om met de broer van haar overleden man te trouwen, hadden de meeste jongeren haar niets kwalijk genomen als ze er met een jongen vandoor was gegaan. Dat hoor ik terloops van vriendinnen van Jasmijn als ik die tegenkom, van de importbruiden in onze keuken, maar ook van goede vrienden van Kaan. Dat het uitgerekend een getrouwde man betreft, maakt de situatie extra gevoelig, zodat ook de jonge mensen nu geen begrip kunnen opbrengen voor wat ze heeft gedaan.

Het wemelt van de geruchten in Turks Tilburg. Dat de relatie tussen Jasmijn en Paşa al voor de dood van haar man aan de gang was. Dat Ilker en Kaan Jasmijn en Paşa zoeken om hun eer te redden.

Dat heeft ook Paşa in de gaten. Vanuit hun schuilplaats laat hij weten dat zijn gevoelens voor Jasmijn niet van tijdelijke aard zijn. Alleen een bruiloft kan het gezicht van de familie (deels) redden. Wat beschadigd is, kan onmogelijk worden gerepareerd, maar een bruiloft zorgt er in ieder geval voor dat de roddels stoppen. Bovendien is Ilker een heethoofd. Kaynanam vreest dat hij naar een pistool zal grijpen. Hij was tenslotte bevriend met Paşa en vertrouwde hem.

Ten teken van verzoening mogen Jasmijn en Paşa komen om de hand van mijn schoonouders te kussen. Aanvankelijk is mijn schoonvader ertegen en vindt hij dat niemand van het gezin nog iets met Jasmijn te maken mag hebben. Maar kaynanam laat haar autoriteit gelden: 'Jij hebt haar ertoe gedwongen. Straks sleep je ook Ilker de afgrond in!'

Met een doosje bonbons en een bosje bloemen komt schuchter en schuldbewust eerst Jasmijn binnen. Achter haar Paşa. Erg boos zijn mijn schoonouders niet. Jasmijn verontschuldigt zich en zegt dat ze nooit weggelopen zou zijn als ze niet werd gedwongen met haar zwager te trouwen. Ilker scheldt Paşa uit en vraagt kwaad of we hem gastvrij in ons huis hebben onthaald om Jasmijn te versieren. Paşa ondergaat de vernederingen zwijgend en Ilker vertrekt met slaande deuren.

In de keuken leest Kaan Jasmijn de les: 'Hoe durf je iets met een getrouwde man te beginnen? Ben je gek! Hij speelt met je. Zijn vrouw en kinderen zal hij nooit verlaten. Officieel trouwt hij nooit met je.'

'Wat kan mij een stukje papier schelen,' antwoordt ze, 'we zijn verliefd.'

'Verliefd?' schreeuwt Kaan en geeft haar een harde klap in haar gezicht. 'Kon je niemand anders vinden?'

Emel en ik kijken toe. Het valt nog mee, voor wat ze heeft uitgespookt.

Als Kaan naar de kamer gaat, kijkt Jasmijn me brutaal aan. 'En? Tevreden?' vraagt ze me, alsof ik Kaan heb opgefokt.

Deze keer laat ik het er niet bij zitten. 'Jij speelt voor hoer en dan maak je mij verwijten?'

Ze probeert haar gewone stoerheid te hervinden. Wat ze denkt houdt ze voor zichzelf, maar ik zie de angst nog in haar ogen en het trillen van haar handen.

'Het zou jou ook kunnen overkomen, als je Kaan niet had.'

Ik kijk haar minachtend aan. 'Laat me niet lachen!'

Voor de wet trouwen op het Turkse consulaat kunnen Jasmijn en Paşa niet, omdat zijn vrouw niet instemt met een scheiding. Dat er alleen een inzegening door de imam zal plaatsvinden, doet mijn schoonouders weer aan de intenties van de baas twijfelen, maar geeft hun tegelijkertijd de mogelijkheid de familiebanden met hun oom en tante, de ex-schoonouders van Jasmijn, te herstellen. Als Jasmijn officieel met de broer van haar overleden man trouwt, zodat hij in Amsterdam bij familie kan gaan wonen, zijn zij bereid Jasmijn en mijn schoonouders alles te vergeven. Mijn schoonouders accepteren het onwettige samenzijn van Jasmijn en Paşa alleen als ze jazegt tegen dit huwelijk op papier.

Wat mensen je allemaal niet vergeven in ruil voor een verblijfsvergunning. Lelijke meisjes worden overspoeld met huwelijksaanzoeken. 'Ach, met haar paspoort kan zelfs zij aan een man komen' is een grap die iedereen hier kan waarderen. Als de bruid geen maagd meer is, levert dat geen enkel probleem op. Zolang ze de bruidegom maar meeneemt naar Europa.

Een bruidsjurk voor een verse weduwe is niet gepast, dus draagt Jasmijn een rood mantelpakje. Echt gelukkig met het feit dat haar 'bruiloft' thuis wordt gevierd ziet ze er niet uit, maar wel zelfgenoegzaam dat ze uiteindelijk toch haar zin krijgt. De imam huwt haar en Paşa in een kamer met twee getuigen. Dat haar ouders met de zegen van Allah volstaan vind ik niet te geloven. In Turkije propageert de overheid juist dat vrouwen een huwelijksakte van hun man moeten eisen en geen genoegen moeten nemen met een belofte bij de imam. Voordat je het weet huwt hij je man met nog een vrouw, en nog een vrouw, en nog een vrouw.

De woonkamer zit vol familieleden en kennissen. De mannen vertrekken om elders feest te gaan vieren zodat wij vrouwen kunnen dansen. De sfeer op deze bruiloft heeft iets weg van een begrafenis met Turkse volksmuziek uit de stereo in plaats van korantekststen. Niemand danst uitbundig. Ik zit op een krukje met Gül op schoot om niet te hoeven dansen. Ineens stormt de vrouw van Paşa binnen met haar drie kinderen in hun beste kleren. Een golf van onrust en gefluister gaat door de kamer. Jasmijn houdt op met dansen en met haar de rest. De vrouw schuift haar zoontje naar voren. De jongste houdt ze op haar arm, terwijl ze tot de aanval overgaat.

'Schaamteloos sta je te dansen, hoer!' schreeuwt ze boven de muziek uit, die ik gauw uitzet. 'Kijk naar mij! Kijk naar deze kinderen! Teef! Moest je met je staart naar een getrouwde man zwaaien!'

'Ik heb hem niet verleid!' gilt Jasmijn. 'Wat hij bij jou niet kon vinden, zocht hij bij mij: liefde! Als je een goede vrouw was geweest, had je hem nog.' Het jongste kind begint te krijsen. De vrouw ziet eruit alsof ze Jasmijn elk moment kan aanvliegen.

'Ik ben geen sloerie zoals jij!'

Haar oudste dochter, die zich tot nu toe achter de rok van haar moeder heeft verscholen, vraagt: 'Tante hoer, waarom heb je mijn vader afgepakt?'

'Omdat ze een hoer is,' zegt de vrouw en ze gaat weg zoals ze is gekomen. Verbijsterd blijven we achter; het is alsof er een tornado door de woonkamer is geraasd. 'Ze is gek,' gilt Jasmijn. 'Hoe durft ze?' Het is oorverdovend stil.

Trillend van woede belt Jasmijn Paşa op dat hij haar nú moet komen halen.

Als de dochter des huizes vertrekt, hoort de hele aanhang te huilen. Mijn tranen, die normaal gesproken voor alles en niets stromen, willen vandaag niet komen. Als ze naast Paşa in zijn rode bmw plaatsneemt en ze toeterend de straat uit rijden, ben ik opgelucht dat ze nu niet meer bij het gezin hoort. Een dochter heb je tijdelijk in bezit; met het huwelijk draag je het eigendomsbewijs over aan de schoonfamilie of, in dit geval, aan haar man.

Na Jasmijns vertrek is het leeg in huis, vindt kaynanam. Ikzelf ervaar het als zeer aangenaam, alsof er meer lucht bij is gekomen. Ze zit zachtjes te huilen op haar plek op de bank. Haar vriendinnen zeggen troostend dat dit Allahs wil is, moge Allah Jasmijn gelukkig maken zodat ze als het ontbrekende puzzelstukje op haar nieuwe plek past. Dat zullen de ouders van de eerste vrouw van Paşa ook ooit gehoord hebben. Het grootste voordeel van in Allah geloven is dat je hem alles in de schoenen kan schuiven. Het lot beslist over jou en niet andersom, en als het fout afloopt is het altijd zijn schuld. Jasmijn stopt met haar werk bij de kapsalon en wordt de bazin van het atelier. Allahs wegen zijn ondoorgrondelijk.

Sinds Jasmijn het huis heeft verlaten, zijn Emel en ik op elkaar aangewezen. Al snel ontstaat er een hechte band tussen ons. Ik laat haar in mijn dagboek lezen hoe erg ik het vond dat ze zich tegen me keerde en hoe ik op haar vriendschap en bescherming als mijn grote nicht had gerekend. We omhelzen elkaar alsof we elkaar na een lange afwezigheid hebben teruggevonden. Soms gaan we met zijn tweeën naar de zaterdagmarkt in de stad en verwonderen we ons over de dikke konten van Surinaamse vrouwen, die niet de moeite nemen om die te bedekken maar juist strakke leggings dragen. Als ze staat te passen bij h&m vraagt ze mijn mening. 'In die broek lijkt je kont op die van een Surinaamse!' zeg ik en daar moeten we allebei om lachen. We eten samen bij McDonald's. Zie je wel dat Jasmijn de boosdoener was, denk ik.

Mijn schoonouders willen niet wachten met het verzilveren van hun belofte aan hun oom en tante. Enkele weken na het huwelijk van Jasmijn en Paşa rijden ze met haar naar Turkije voor de officiële bruiloft met haar zwager. Op de terugweg zullen ze meteen mijn nichtje Ebru meenemen, een zusje van Emel, die in Duitsland gaat trouwen. Omdat al die bruiloften flink in de papieren lopen, spreekt kaynanam de gouden munten en armbanden aan die ik op onze bruiloft heb gekregen.

'Die zijn toch van mij?'

'Alleen de armbanden zijn van jou. Je krijgt van mij nieuwe als we weer geld hebben.'

Ik vind het vreselijk om het enige wat van mijzelf is af te moeten staan, maar ik kan er niets tegen beginnen.

Als ze weg zijn merk ik dat mijn paspoort weg is. Kaynanam heeft het meegenomen, om daarmee Ebru Europa binnen te smokkelen. Na een metamorfose schijnt ze sprekend op mij te lijken. Kaan reageert niet op mijn getier hoe ze het in haar hoofd haalt zonder mij iets te melden.

Nu zijn ouders in Turkije zitten, vindt Kaan het een uitgelezen moment om zijn collega's Fleur en Ad eens uit te nodigen voor een etentje. Hij belt ze op: Fleur en Ad kunnen volgende week zaterdag al komen. Onmiddellijk raak ik in paniek alsof de keuringsdienst van waren langs zal komen. Fleur eet geen tomaten! Heeft mevrouw nog meer wensen? Bij ons eet het bezoek wat hun voorgeschoteld wordt. Welke Turkse gerechten kunnen niet mislukken? De hele week gooi ik mijn menu honderd keer om. Kaan wordt gek van me.

'Maak toch gewoon iets klaar!'

'Doe het dan zelf.'

'Ik kan niet koken.'

'Nou, ik ook niet!' Gelukkig, Emel is er nog. Ze helpt me met de rodelinzensoep. We doen een hele vrijdagavond over gerolde druivenbladen met rijst en olijfolie. Verse ravioli op zijn Turks. Gekookte gebroken tarwe. Salade zonder tomaten vinden we beiden niet kunnen. Voor Fleur maken we een apart bordje. Als toetje maakt Emel een griesmeelcake die ze overgiet met een siroop van suiker en citroen. Ik mag pronken met haar kunsten. Ze helpt me het huis grondig schoon te maken en gaat op bezoek bij een collega. Ilker is weer eens verdwenen.

Ik kleed me aan als gastvrouw in een zwarte lange rok waarvan de broekband mijn middel knelt en de nieuwe witte zijden blouse. Veel te chic, blijkt als Fleur binnenloopt. Ze heeft een spijkerbroek aan en een trui. Haar sportschoenen mag ze van ons aanhouden. Ik breng een voor een alle gangen, schep op, zorg dat iedereen genoeg heeft. Vooral de druivenbladen vinden ze lekker. Kaan legt alles uit alsof hij zelf heeft gekookt. Als hij zegt dat ze straks een beetje mee kunnen nemen, kijken ze mij stomverbaasd aan. 'Mag dat?' 'Ja, natuurlijk!' Ik ruim op, doe snel de afwas, maak Turkse thee en zet bakjes vol zonnebloempitten, gepofte kikkererwten en Turks fruit op tafel. Fleur komt niet van haar plaats om te helpen. Dat vind ik onbeleefd, we hebben tenslotte samen gegeten. Ze zijn gecharmeerd van de kleine theeglazen. Zonnebloempitten willen ze niet, dat is papegaaienvoer, zegt Ad. Kaan vertaalt het voor me. Op mijn aandringen probeert hij het toch. We lachen om zijn onhandigheid bij het pellen. We kijken naar onze trouwfoto's en naar mijn jeugdkiekjes.

'Wat zijn je ouders jong!' zegt Fleur verbaasd. Zijzelf is zeven jaar jonger dan mijn moeder, rekenen we uit. Ze kan het zich niet eens voorstellen dat ze nu een kind van tien zou hebben. Het huis van mijn ouders vinden ze mooi. We nodigen hen uit voor een korte vakantie samen met ons bij mijn ouders. Met een zak vol eten en een brede glimlach gaan ze naar huis. Volgende keer gaan we bij hen eten.

Het feest van Ebru begint een week voor de eigenlijke bruiloft. Ons huis vervult de functie van *kiz evi*.* Elke dag komen de vrouwen bij elkaar en bakken *yufka*,** rollen druivenbladen en kleine gehaktballetjes. Opgestapelde vieze borden staan als bescheiden

* Het huis van de meid.
** Flinterdunne wrapachtige broodjes.

wolkenkrabbers vreedzaam naast elkaar. Af en toe stoppen we met het voorbereiden van het eten om te klappen en te dansen op het gezang van een oude vrouw die met een geschroeide stem liedjes uit 'ons' dorp zingt. Ik heb geen zin om tussendoor ook nog voor Gül te zorgen. Als ze een vieze luier heeft zucht ik diep en smeek Emel of zij het niet wil doen. Ik doe nog liever de hele berg afwas in mijn eentje, terwijl ik een hekel heb aan afwassen. 'Waarom moet ik altijd de poep van je dochter afvegen?' vraagt Emel soms plagend.

Op de ochtend dat Ebru ons huis verruilt voor dat van haar schoonfamilie, verbergt mijn oom zijn emoties niet. Het kan hem niets schelen dat anderen zien dat hij om zijn dochter geeft. Uit het prachtige weer concluderen we dat ze gelukkig zal worden. In een stoet van zo'n tien auto's en een paar volle busjes vertrekken we toeterend naar Stuttgart. Een paar keer spreiden we op een grasveldje bij een benzinestation of in een park dekens uit om met zijn allen te eten van alles wat we hebben meegebracht: gebraden kippen, gerolde druivenbladen, broodjes gevuld met uien, tomaten en komkommers. Daarna dansen we de halay onder de nieuwsgierige en verbijsterde ogen van andere mensen in het park.

De enorme feestzaal is helverlicht en heeft een hoog plafond. De muren zijn versierd met slingers en Turkse vlaggetjes. Op alle tafels staan flessen frisdrank en plastic bekers. Hier krijg je geen muntjes. De kinderen zijn allang begonnen met onbeperkt drinken en knoeien van bubbels. Onder een bordeauxrood baldakijn voor de piste staat de bruidstafel, gedekt met wit satijn en rode strikjes die de plooien vasthouden. Aan hun stoelen hebben ze rode hartjesballonnen gebonden. Op tafel staan twee champagneglazen met gouden voetjes en een rijk boeket rozen in het midden. Ebru straalt naast haar bruidegom. Mijn oom en tante zijn trots. Zo'n bruiloft had ik ook wel gewild!

Half Turks Tilburg staat op de dansvloer, een aantal families uit België en Frankrijk en een paar Duitsers die stijf proberen mee te dansen. Kleine kinderen lopen overal doorheen. Na het liedje stopt de band en de zanger roept door de microfoon of de moeders hun kinderen bij zich willen houden, maar echt helpen doet het niet. Gül is ergens in de zaal, bij kaynanam. Ze ziet er erg lief uit in haar lila jurkje met kanten en strikjes.

We vergapen ons klappend aan de sensuele heupbewegingen van de buikdanseres; een paar dronken mannen dansen om haar heen en steken geld in haar met lovertjes versierde bustier en onderbroek. Hier weten ze wat lekker is. Zowel de eigenaar van de zaal als de cateraar is Turks. Buiten worden in een wagen haantjes gebraden, en er zijn lekkere broodjes en zure groenten. Deze bruiloft mag geld kosten. 'Duitse' meiden dragen minirokken, een paar jongens hebben zelfs oorbellen. Studeren is even onpopulair als bij ons, hoewel de meeste jongeren dat van hun familie wel mogen. Meiden worden massaal kapster, jongens 'arbeiters'. Stom vind ik dat; als ik hen was zou ik mijn kans grijpen. Als het orkest stopt, gillen we dat ze verder moeten spelen. Er komt een oude man op om te zeggen dat er mensen zijn die willen vertrekken en dat we tot het volgende onderdeel moeten overgaan, de cadeaus. 'Daarna mogen jullie tot in de ochtend doorgaan,' belooft hij. Mopperend verlaten Kaan en ik de piste. Ebru krijgt twintig gouden armbanden van haar schoonouders, omdat de bruidegom de enige zoon is. De gouden armband die ik van mijn oom op mijn bruiloft heb gehad, schuift kaynanam nu om de arm van mijn nicht. De man met de microfoon schreeuwt: 'Van haar oom en tante een gouden armband.' Luid applaus.

Ik dans bescheiden met de bruid. Ik mag haar niet verleiden om zich te laten gaan op het meeslepende ritme van de darbuka, maar ze trekt zich van mij niets aan. Mijn oom komt ons klappend aanmoedigen en het tempo opvoeren.

Vanwege de dood van Kadir horen Emel, Jasmijn en ik ons in te houden. Ik haal mijn schouders op. Tegen Emel zeg ik: 'Jasmijn is hertrouwd, moeten we nu nog rouwen om haar overleden man?' We laten onze billen trillen, draaien heupwiegend rond, zwaaien met de schouders, schudden met de borsten. Onze knellende schoenen schoppen we weg. De oude vrouwen zullen er nog lang schande van spreken.

Ik heb veel lessen gemist, maar om dat te compenseren heb ik zitten leren als een bezetene. Tot mijn opluchting, en ook die van Naciye, haal ik met gemak mijn toets. Maar het uitzicht op de zomervakantie stemt me niet vrolijk. De bruiloft van mijn zus Bahar komt eraan. In mijn oren klinken nog mijn vaders woorden. 'In je bruidsjurk ga je weg, in je doodskleed mag je terugkomen.'

Als kaynanam een paar weken na Ebru's bruiloft de bankafschriften doorneemt, is het huis te klein. Kaan heeft in Stuttgart vijftig mark gepind. Zodra hij de deur van de woonkamer opentrekt, grijpt ze haar slipper en rent op hem af. 'Pooier,' schreeuwt ze. Kaan probeert zijn hoofd te beschermen met zijn handen. 'Pooier! Hoe durf je geld op te nemen zonder mijn toestemming.' Kaan zegt dat hij drank voor zijn vrienden moest bestellen. Ik wil schreeuwen: als hij een pooier is, ben ik dan zijn hoer? Waarom heb ik dan nooit geld? Waarom pakken jullie dan mijn armbanden, mijn enige bezit af? En waarom mag Ilker alles? Maar ik durf het niet.

In bed huil ik hoe hij dit kan toelaten. 'Ze is mijn moeder.'

'Je bent geen kind meer; je hebt zelf een kind. Ze mag jou niet slaan en pooier noemen, en zeker niet waar ik bij ben!'

'Zo is mijn moeder,' haalt hij zijn schouders op.

Een razernij die zich al een jaar aan het opbouwen is over de macht die kaynanam over ons uitoefent, maakt zich in me los. Ik gil dat ik zijn passieve houding zat ben.

'Rot dan maar op naar waar je vandaan komt,' zegt hij.

We doen nog weken kil tegen elkaar en slapen 's nachts zo ver mogelijk uit elkaar.

Drieduizend kilometer lang zit ik in de veel te krappe en warme auto met Gül op schoot, die constant huilt. Ik overwin met moeite de neiging om haar uit het raam te smijten. Haar luier verschonen doe ik in de overvolle, stinkende wc's van benzinestations. Bij de Bulgaarse douane staat een enorme rij auto's; de beambten willen smeergeld, en dat gaat gepaard met langdurige onderhandelingen, geruzie en getoeter. Ondertussen gaat mijn schoonvader eindeloos door met zijn overbekende verhalen. Houd toch een keertje je mond, man! zou ik willen snauwen, en zet ook die irritante volksmuziek eens af! Maar ik doe het niet.

Kaan kijkt niet naar Gül om, uit respect voor zijn vader. Zelfs niet als ze huilt en haar armpjes naar hem uitstrekt. Ook daar word ik gek van: ik sta er helemaal alleen voor.

Als we bij mijn ouders aankomen, met de auto vol cadeautjes die de schijn moeten wekken dat we in Holland in overvloed leven, dromt iedereen onmiddellijk samen rond Gül. Maandenlang hebben ze ernaar uitgekeken haar te zien.

Ik ben gedegradeerd tot een noodzakelijk verlengstuk van Gül en word alleen vluchtig begroet. Moeder pakt haar gauw uit mijn armen.

'Jullie hebben me naar een ver land gestuurd en zijn me nu al vergeten,' klaag ik.

Mijn moeder reageert direct: 'Jij wou toch zo graag weg?'

'Waarom denk je?'

Bahar zegt dat we met ruziën moeten wachten tot na haar bruiloft.

Als voorbereiding op haar huwelijksnacht wil ik Bahar informeren over wat haar te wachten staat, zoals Emel en Jasmijn mij hebben voorbereid op die van Kaan en mij door me te vertellen wat ik moest doen en wat niet. Ik voel me ongemakkelijk bij het vooruitzicht tegen mijn zusje over seks te moeten beginnen. Steeds als zich een geschikt moment voordoet, zie ik ervan af. Bovendien draagt ze tegenwoordig een hoofddoek, waardoor ik ervan uitga dat ze geen behoefte heeft aan een uitbundige uitleg. Ik breek me het hoofd over de juiste toon: ingetogen op het sobere af, of zal ik toch ook wat aangename details vertellen? Misschien vindt ze het allemaal wel vies, en mij gestoord.

De hele familie uit Ankara is overgekomen naar Mersin. Allemaal zijn ze nieuwsgierig hoe mijn leven in een vreemd land is. 'Perfect,' lieg ik. Ik heb geen zin in hun preken: Allah is groot, we hebben allemaal geleden, heb geduld, wees respectvol, Allah zal je belonen.

'En, heb je de taal een beetje kunnen leren?' vraagt een *yenge**

*Aangetrouwde tante.

belangstellend terwijl we mijn moeder helpen met druivenbladen rollen. 'Als het moet, kan ik mezelf redden. Nou ja, als een broekje ruilen op de zaterdagmarkt daaronder valt.' Ik vertel van de keer dat Kaan vond dat ik dat soort dingen voortaan zelf moest kunnen. Hoe ik met hulp van handen en voeten aan de marktkoopman had uitgelegd wat ik wilde, terwijl Kaan van een afstandje stond toe te kijken. Ze willen per se in het Nederlands horen wat ik heb gezegd.

'Ik wil ruilen. Te klein. Maatje groter?'

'Nog eens!' roept Bahar. Ze vindt het exotisch klinken. Ik zeg de Nederlandse woorden nog een keer, iets verkeerd uitgesproken, maar ze weten toch niet beter. En om te laten weten dat Kaan en ik het erg goed met elkaar kunnen vinden, vertel ik erachteraan hoe Kaan me daarna vol trots had gekust.

Mijn moeder kijkt geschokt. 'Heeft hij je midden op de markt gekust?'

Gelukkig zegt tante dat mijn moeder niet zo moet overdrijven en dat het in Holland wel heel normaal zal zijn.

Elke dag zit het huis vol bezoekers. Vandaag is de familie uit Berlijn aangekomen om Bahar op te halen. Weer zitten we op het balkon met mijn ouders, ooms, tantes, oma, opa en de rest.

'Insallah worden Bahar en Didem net zo gelukkig als jij,' zeggen mijn tante en moeder. 'Houd tenminste Didem maar hier in de buurt!' sneer ik.

Iedereen lijkt bevroren. Kaan trekt zijn wenkbrauwen op ten teken dat ik moet zwijgen.

Yenge doorbreekt de stilte. 'Rüya, was jij niet degene die stond te springen om naar Holland te gaan?'

'Toen wist ik niet wat ik nu weet.' Kaan kijkt zenuwachtig.

'Wat niet!' vraagt moeder dringend. Ze is zeker bang dat ik haar droombeeld stuk zal slaan, dat ze niet meer over haar gelukkige dochter in den vreemde kan opscheppen. Complimenten over haar opvoeding kan ze dan vergeten.

'Of is er iets?' vraagt ze met paniek in haar stem; niet uit zorg om mij, vermoed ik, maar uit angst dat ik stof tot roddelen zal geven.

'Ik heb vreselijk heimwee,' zeg ik snel. Moeders gezicht klaart op.

'Je verdiende loon,' zegt ze, 'je luisterde nooit naar mij en dacht dat je ons niet zou missen. Mijn lammetje, een meisje is een vogel die zich nestelt waar haar man is. En je bent daar niet alleen. Je hele schoonfamilie is bij je. Een kaynanam als die van jou vind je nergens.'

'Klopt,' zeg ik ironisch, 'ze is een ware engel. We mogen elk weekend uitslapen en ze bakt samen met mijn schoonvader broodjes!'

Kaan begint onmiddellijk overdreven enthousiast over de bakkunst van zijn moeder te vertellen.

Even later staat hij op om naar bed te gaan. Ik loop mee tot de hal, maar zeg daar dat ik nog even wil opblijven. Kwaad zegt hij dat ik hem negeer. Dat ik elke avond later dan hij naar boven ga. 'Ik ben hier voor mijn ouders,' zeg ik. 'Jou zie ik elke dag.' Misschien is hij bang dat ik alsnog vertel dat ik het zat ben om in Holland te moeten sloven voor zijn moeder en het nooit aflatende bezoek.

Mijn moeder komt zeggen dat iedereen op het balkon meegeniet van onze ruzie. 'Ga naar boven,' beveelt ze. 'Je hoort bij je man en wij gaan ook slapen.'

In bed weer ik Kaans liefkozingen af. Ik verwijt hem dat hij me geen leuke avond met mijn familie gunt, en haal ook gelijk alle ouwe koeien uit de sloot. Hij staat op, kleedt zich aan en loopt naar beneden. Over de hoge muren van het platte dak kijk ik met verbijstering hoe hij in de auto van zijn vader wegscheurt. Gaat hij naar onze tante een paar straten verderop of naar zijn ouders in Ankara? 'Kom terug!' wil ik schreeuwen, maar hij is al verdwenen. Wat moet ik morgen tegen mijn moeder zeggen? Hoe leg ik dit uit?

Als hij na een uur zachtjes komt parkeren, heb ik een heel pak zakdoekjes vol gesnoten en een half pakje sigaretten gerookt. Op mijn slippers ren ik van de trappen. Hij zit in de auto met gesloten ogen te luisteren naar het huilerige gezang van Bülent Ersoy, onze lievelingszanger.

'Kom naar boven,' smeek ik.

'Ik slaap wel in de auto.'

Ik ga naast hem zitten. Zachtjes aai ik over zijn hand. 'Waar ben

je geweest? Ik dacht dat je me hier zou achterlaten.'
'Naar het strand, maar er was niets aan zonder jou. En toen begon Bülent te zingen.'
Huilend kus ik zijn gezicht.

Bahar vraagt of ik met haar wil gaan winkelen. Haar schoonmoeder heeft aangeboden lingerie met haar te gaan kopen, maar ze wil dat liever samen met mij doen. Morgen is haar hennanacht. In de winkels laat ze zich niet afpoeieren met iets simpels. Vanwege haar lange zomerjas en haar hoofddoek laten de meeste verkoopsters haar alleen keurige, bescheiden setjes zien.

'Hebben jullie niet iets spannends waarvan zijn hoofd op hol zal slaan?' vraagt ze zonder blikken of blozen, alsof ze bij de bakker vraagt of ze geen brood met sesamzaadjes hebben. Buiten stoot ze me grinnikend aan of ik het gezicht van de verkoopster heb gezien.

We lopen alle speciaalzaken af op zoek naar zelfophoudende kousen. Behalve witte van kant voor onder haar bruidsjurk zoekt ze een paar zwarte uit met gouden bloemen erin geborduurd. Niets lijkt haar te gek, behalve rood, omdat haar aanstaande dat hoerig vindt. Ze is het niet met hem eens, maar wil hem ook niet voor het hoofd stoten. Tenslotte moet hij het opwindend vinden. Van de hemelsblauwe satijnen nachtjapon die ze kiest weet ze zeker dat hij in de smaak zal vallen. Geen fratsen, maar een diep decolleté, sexy kant op de buste en spaghettibandjes.

Mijn zus en ik lijken meer op elkaar dan ik ooit had gedacht. Onder haar hoofddoek schuilt een tijgerin die verleidelijk wil zijn voor haar man. Als ze thuis de nieuwe aanwinsten past, praten we over seks en de islam. Ik ben stomverbaasd om mijn zusje te horen vertellen dat in de islam binnen het huwelijk alles geoorloofd is, behalve anale seks.

'Echt?' vraag ik.

'Ja, zolang beiden het goedvinden. Het staat in een boek dat ik erover heb gelezen.'

'Ga weg! Bestaan er boeken over?'

Ze loopt naar de ladekast. Onder haar kleren ligt een dik boek over islam en seksualiteit. Ik zoek op wat er over beffen en pijpen

staat. De taal is verbloemd, maar het mag gewoon zolang het vrijwillig gebeurt. Al die schuldgevoelens voor niets!
'Moeder zei toch altijd dat je elkaar niet naakt mag zien.'
'Onzin, dat is allemaal cultuur en geen geloof,' zegt Bahar. 'In de islam mag een vrouw genieten van seks. Profeet Mohammed zegt dat mannen zich niet als een dier op hun vrouw moeten werpen en dat het een tekortkoming is zelf bevredigd op te staan en je vrouw onbevredigd achter te laten. Een vrouw heeft recht op een orgasme. Als zij vindt dat haar man tekortschiet, mag ze van hem scheiden.'
Dat ik hier niets van wist! Voorzichtig vraag ik of ze het al hebben gedaan. Ze bekent dat ze het moeilijk vonden zich in te houden, maar dat ze het ook graag wilden bewaren tot de bruiloft.
'Jullie niet, toch?'
Ik vind een geheimzinnige glimlach voldoende. Ze paradeert nog lang en breed voor de spiegel. 'Je bezorgt hem straks nog een hartaanval,' zeg ik en geef haar een klap op haar kont. Ze is een temperamentvolle puber, ik betwijfel of haar aanstaande man haar wel bij zal kunnen houden. Ik moet diep nadenken om me te herinneren hoe zijn stem klinkt, zo weinig en zacht praat hij. En knap of aantrekkelijk is hij ook niet.
'Bahar, waarom trouw je uitgerekend met hem?'
'Abla, begin je weer? Iedereen wil het, behalve jij!' Aan de redenen die ze opnoemt lijkt geen einde te komen. Onze moeder wil het, zijn moeder is aardig, hij is aardig, ze zijn vrome moslims en schatrijk naar Turkse normen. Als huwelijkscadeau krijgen Bahar en mijn neef een appartement in Mersin, dat ze naar eigen smaak hebben mogen inrichten. Haar schoonvader vindt dat een jong koppel de eerste huwelijkstijd moet gebruiken om elkaar te leren kennen, om naar elkaar toe te groeien. Dat kunnen ze het beste doen in hun eigen huis. Mijn waarschuwing dat het leven in Berlijn daarna vies kan tegenvallen wuift ze weg. Ze vindt het juist spannend en leuk om naar Berlijn te verhuizen.

In de ochtend van de hennanacht gaan alle jonge meiden, vrouwen, Bahar en ik naar de hamam om haar klaar te stomen voor de grote dag. We nemen schalen vol *börek*,* gebraden kip, salades, fruit, baklava en drinken mee. Een vrouwelijke *tellak*** gaat haar uitgebreid wassen, masseren en van alle ongewenste haartjes ontdoen met *agda*.***

Vrolijk gaan we uit de kleren. De jonge meiden proberen eerst nog wat te verbergen door zich om te draaien, maar ons vrouwen kan het niets schelen dat we elkaars borsten zien. Eerst gaan we naar de voorkamer om op te warmen. Ons gelach en onze drukte vult de hele hamam. In de wasruimte van grijs en wit marmer is het warm en een beetje benauwd, maar vooral nat. Door de raampjes in de koepel valt daglicht naar binnen. We ruziën speels om de beste plekken. Sommigen wassen zichzelf, anderen laten het doen. Ook ik laat me lekker insoppen, masseren en dode huidcellen afschrobben op de verwarmde marmeren buiksteen. In een aparte ruimte word ik van top tot teen onthaard, ook mijn 'pakje' zoals de vrouw die mij onder handen neemt het noemt. Mijn benen trillen van angst, pijn en schaamte, maar als het klaar is stel ik me vol binnenpret de reactie van Kaan voor. Als we helemaal schoon zijn, gaan we eten en dansen in de voorkamer. Iemand slaat de maat op een metalen ovenschaal, terwijl een paar vrouwen zingen. Ik zou wel altijd in de hamam willen blijven met zijn allen!

Je zus in haar bruidsjurk zien zou je vrolijk moeten stemmen. Maar als ik kon, zou ik haar verbieden te trouwen. Ze is echter even eigenwijs als ik was, en denkt dat ze de beste beslissing van haar leven heeft genomen.

Daar staat Bahar dan, de ochtend na haar hennanacht. In haar bruidsjurk, van top tot teen bedekt. Tot ik haar zag, wist ik niet dat er mooie tulbanden voor bruiden waren. Die van haar is strak vastgebonden achter op haar hoofd als een knot in de vorm van een bloem.

Mijn broer windt biddend twee keer een rood lintje, dat maagdelijkheid symboliseert, om haar middel en bindt het in de derde

---

* Broodje.
** Medewerkster in de hamam.
*** Hars.

ronde vast. Toen hij dat bij mij deed, kwam hij amper tot mijn borsten. Bahar kijkt hij recht in de ogen. Hij wil haar hand kussen; dat weert ze met een sierlijk gebaar af en ze omhelzen elkaar. Toen ik hem omhelsde in mijn bruidsjurk hingen zijn armen langs zijn lichaam alsof hij een levenloze pop was. Misschien beseft hij nu wat het betekent dat zijn zus trouwt. Papa kust Bahars wangen en wenst haar geluk. Hij houdt zich in, ik niet. Ik omhels haar als een echte zus. Ze veegt met haar vingers mijn tranen weg; we kijken naar haar satijnen handschoenen besmeurd met mijn mascara en moeten lachen.

Toeterend rijden we in versierde auto's naar de moskee, waar de bruiloft wordt gevierd. Ik draag een mooie zwarte avondjurk met spaghettibandjes en een tule jasje met nepdiamanten op de borst. Met een roodgebloemde doorzichtige sjaal losjes om mijn haren gebonden zit ik op mijn knieën naar de koranrecitatie te luisteren die via een speaker de vrouwenzaal binnendwarrelt. Het is nog volop licht. Misschien had ik een 'middagjurk' moeten kopen.

Allah klopt via de luidsprekers op de deur van mijn hart; ik laat hem binnen. Hij weet van mijn twijfels en verzekert me van zijn bestaan: Allah, de Barmhartige, de Genadevolle. Ik zeg de imam na: 'Allah is de Enige. Allah is zichzelf genoeg, eeuwig. Hij verwekte niet, noch werd Hij verwekt. En niemand is Hem in enig opzicht gelijk.' Zoals altijd voel ik dat er wel iets is tussen ons, maar ik neem hem kwalijk dat ik in zijn naam klein wordt gehouden, en dat mijn zus om zijn wil hetzelfde wacht.

Af en toe huilt Gül op mijn schoot. Ik wieg haar zachtjes heen en weer op mijn dijen. Met de gang naar de moskee heb ik ook het op de grond zitten verleerd. Mijn voeten slapen ondanks dat ik mijn benen steeds voorzichtig herschik, bang om anderen lastig te vallen. Dat Gül erop zit maakt het er niet gemakkelijker op. Als mijn sussende woorden niet helpen haar stil te krijgen, knijp ik ten einde raad stevig in haar bovenarm. 'Nu heb je tenminste een echte reden om te huilen!' sis ik in haar oor. Door haar geschreeuw kijkt iedereen naar mij. Ik geef haar aan mijn moeder: 'Neem jij haar, anders vermoord ik haar nog.' Boos vraagt ze of ze mij soms heeft vermoord toen ik klein was en huilde. Ze maant Gül met kusjes tot stilte en zegt daarna streng dat ze moet zwijgen als de Koran wordt gelezen, omdat Allah haar anders in een steen zal veranderen. Gül huilt gestaag verder.

Elke keer als ik haar uit machteloosheid een klap op haar wang geef, als ik haar adem wil smoren of haar van de trap naar beneden wil smijten, voel ik een vreemde, wrede verwantschap met moeders die in razernij hun kinderen ombrengen. Vroeger dacht ik dat zulke vrouwen monsters waren. Maar misschien weten ze zich gewoon geen raad met hun kind. Met elke schreeuw confronteert het je met je mislukking als moeder. Kon je het maar verfrommelen als een mislukt opstel en het in de papiermand gooien om te vergeten dat het ooit bestond. Op de momenten dat Gül me gek maakt, acht ik mezelf in staat tot moord. Achteraf, als ze weer lief glimlacht, lijken die gedachten niet van mij.

Als we thuiskomen zonder Bahar, besef ik met een lichte paniek dat mijn moeder en ik nu op elkaar aangewezen zijn. Mijn zus was een soort buffer, door haar voelde ik me veilig. Haar afwezigheid maakt de conversatie met mijn moeder verplicht. Maar wat hebben we elkaar te vertellen? Het loopt toch altijd uit op ruzie.

Vroeg in de ochtend krijgen we een telefoontje van mijn tante dat de huwelijksnacht goed is gegaan. Mijn moeder haalt opgelucht adem.

'Dat wist je toch? Ze is niet zoals ik!'

Ze vertelt dat papa niet ongerust was. Dat hij zei dat al zijn dochters een goede opvoeding hadden gehad en dat hij niet anders van ons had verwacht. Ik houd mijn mond.

Kort daarop komt Bahar als kersverse vrouw op bezoek om de handen van mijn ouders te kussen. In de keuken ondervraag ik haar over de eerste nacht. Ze glundert. Als ze hadden geweten hoe het was, hadden ze er niet zo lang mee gewacht.

'Was hij ook nog maagd?'

'Ja, natuurlijk. Zo hoort het toch in de islam?'

Haar schoonouders hadden hen alleen gelaten in hun nieuwe appartement, waar in de slaapkamer een bed op de grond was gemaakt. Onze tante, haar schoonmoeder, had voor eten, knabbels, fruit en drinken gezorgd. 'Genoeg voor een heel leger!' De kamer was versierd met rozen en hartjes. Haar bruidegom heeft wat kaarsen aangestoken. Zij heeft zich opgemaakt voor hem. Ze hebben gegeten, maar vooral genoten. Haar lingerie en jarretels vielen helemaal in de smaak. In de ochtend heeft mijn neef en zwager zijn ouders gebeld dat alles goed is gegaan. Nee, haar schoonmoeder kwam niets controleren.

'Echt niet?'

'Vallaha. We hadden het dus best eerder kunnen doen,' giert ze.

'Ik wou het, maar hij hield me elke keer tegen.' Misschien heeft ze het echt niet slecht getroffen met haar gelovige man. Als het maar goed gaat in Berlijn, waar ze bij de schoonfamilie gaat inwonen.

De vakantie is voorbij. Zoals altijd vind ik het moeilijk om papa los te laten uit mijn omhelzing. Ik probeer zijn geur zo diep mogelijk op te snuiven. Zachtjes klopt hij op mijn rug. Zijn ogen zoeken de straattegels in plaats van mijn betraande ogen. Ik moet er bitter om glimlachen. Hij zegt nog een keer dat ze blij zijn dat alles goed met me gaat en dat er in Nederland goed voor me gezorgd wordt. Daarvoor bedanken ze Kaan hartelijk. 'Kom snel terug,' zegt mijn moeder tegen Gül en omhelst haar. Ik verbaas me er weer over dat mijn driftige moeder een uiterst kalme en lieve oma is.

Met mijn neus en wang tegen het raam geplakt bekijk ik voor de laatste keer dit jaar de straten van Mersin. Ik tik met mijn hak op het zwart geribbelde rubber onder mijn voeten; of ik dit doe om Gül te sussen of om te voorkomen dat ik zelf ga huilen weet ik niet. Met zijn vrije hand wrijft Kaan over mijn arm. 'Kom schat,' zegt hij lief, 'niet verdrietig zijn. We gaan naar huis.'

Ik voel een grote knoop in mijn maag als ik me weer realiseer dat dit nooit meer mijn thuis zal zijn en dat ik voor altijd bij mijn schoonfamilie zal blijven wonen.

Roze snoepjes

Mijn schoonvader komt de woonkamer binnen met de zelfvoldane houding van een zakenman die zojuist een grote order heeft binnengehaald. Hij heeft met Jasmijn en Paşa afgesproken dat ik weer ga werken in het atelier.

'Je mag direct achter een naaimachine,' meldt hij enthousiast, terwijl hij de jas van zijn streepjespak zorgvuldig over de rug van de zware eettafelstoel hangt. Hij is zeker vergeten dat ik voor ik het naaiatelier verliet al een paar maanden achter zo'n machine had doorgebracht. Kaynanam kijkt niet op van haar breiwerk, en ik besef dat zij het brein achter dit plannetje is. Ik moet weer geld gaan binnenbrengen. De bank onder mij wordt warm, alsof mijn hele lichaam in vuur en vlam staat.

'Ik heb mijn school en na de middag wil ik thuis zijn voor haar,' mompel ik. Op Güls naam rust nog steeds een taboe waar mijn schoonvader bij is. Kaynanam vraagt of ik tegenwoordig voor Gül zorg. 'Of ga je professor worden? Vrouwen die leren, zorgen alleen maar voor problemen.' Haar breinaalden tikken in hetzelfde tempo door. Met moeite sta ik op. 'Werkende vrouwen niet?' vraag ik cynisch, voor ik de deur achter me dichttrek. Ik ben vastbesloten niet te gaan zwoegen in een atelier waar Jasmijn de lakens uitdeelt!

In de slaapkamer steek ik een sigaret op. Ik sta te trillen op mijn benen. Ik hoop dat Kaan tegen zijn ouders in durft te gaan om mij te helpen, maar ik vrees dat ik er alleen voor sta. Ik kan er niet onderuit, gonst het in mijn hoofd terwijl ik op de rand van het bed zit te roken. Ik zit vast, er is geen ontsnappen aan.

Met de asbak en mijn dagboek kruip ik op het bed. Kwaad kras ik mijn geheimschrift op het papier. Dat mijn schoonouders om hun achterlijke ideeën en kaynanams geldzucht zouden moeten opsluiten. Dat ze mogen wegrotten achter de tralies. Of beter nog: dat kaynanam heel oud wordt en hulpbehoevend. Ik zal haar goed verzorgen zodat mij niets te verwijten valt, maar mijn tong, die ik nu elke dag stukbijt om niets te zeggen, zal haar elk moment van de dag achtervolgen. Mijn wraak zal zoet zijn als honing. Ik hoop dat ze snel oud wordt, en dat ze dag en nacht in tranen Allah smeekt om haar uit deze wereld te halen en van mij te redden.

Ik ga helemaal op in mijn wraakfantasie, tot ik naar beneden word geroepen: er is bezoek. Ik bedien iedereen vriendelijk en doe ondertussen de afwas, terwijl ik ze binnensmonds vervloek. Met een sigaret in mijn mond schuur ik met al mijn kracht de onderkant van alle pannen met een stalen spons en veel schuurmiddel terwijl ik kaynanam een jarenlang ziekbed en een pijnlijke dood toewens.

Als de gasten weg zijn komt kaynanam de keuken in. Ik voel me betrapt, alsof ze in mijn ogen mijn kwade gedachten kan lezen. Waarderend bekijkt ze de pannen die ik in mijn woede heb geboend tot ze blinken als nooit tevoren. Als ik voorzichtig vraag of ik zal helpen met koken of naar boven kan gaan, knikt ze. 'Ga maar, ik kan het wel alleen.'

Mijn dagboek gooi ik in mijn la. Ik pak mijn Groene Boek uit mijn tas en probeer me voor te bereiden op een toets, die zal bestaan uit een invuloefening. De tekens die ik vanochtend nog met hulp van Esther heb gelezen, staren me nu aan vanaf de bladzijde zonder hun geheim prijs te geven. Ik staar terug.

Ik onderbreek mijn poging als het etenstijd is, maar ga direct na de thee weer naar boven. Als Kaan ook eindelijk komt, barst ik los.

'Hoe durft je vader?' schreeuw ik. 'Zonder met mij te overleggen! Als een pooier heeft hij werk voor me geregeld!' Dat had ik niet moeten zeggen, besef ik terwijl ik Kaans hand hard op mijn wang voel. 'Ik had je gewaarschuwd dat je nooit moest gaan werken. Het is je eigen schuld.' Ik eis, huil en smeek of hij alsjeblieft tegen zijn ouders wil zeggen dat ik naar school moet blijven gaan. Onbewogen kleedt hij zich uit en gaat slapen, zonder nog iets tegen me te zeggen. Wat moet ik nu beginnen?

Op school doe ik mijn best om bij de les te blijven, maar het enige waaraan ik kan denken is hoe ik van kaynanam gedaan kan krijgen dat ik naar school mag blijven gaan. Naciye merkt op dat ik er niet best uitzie. 'Waar is dat vrolijke meisje?' vraagt ze bezorgd. 'Als ik haar vind, ben je de eerste die het hoort,' beloof ik. Ik antwoord ontkennend op haar vraag of er thuis problemen zijn. Ze gelooft me niet.

Normaal gesproken geniet ik van de lessen. Ze zijn mijn enige ontsnapping. Als mijn schoonouders dat van me afpakken, weet ik niet hoe ik mijn leven moet volhouden.

Esther deelt de toets uit: vellen vol zinnen met ontbrekende woorden. 'Ze ... dat hij gelijk heeft.' Op die stipjes moet een werkwoord komen. Dat is zeker, maar welk? Ik sla het over en hoop dat het me straks te binnen schiet. Met de rest van de lege plekken gaat het hetzelfde. Min of meer. Waar een lidwoord moet komen, vul ik altijd 'de' in. Het Turks kent geen lidwoorden en ik heb me al vaak genoeg het hoofd gebroken op zoek naar een logica die er niet is. Ik weet dat 'de' vaker voorkomt dan 'het', dus daar gok ik maar op.

Ik kom tot de conclusie dat ik kaynanam moet voorstellen alleen in de middagen te gaan werken. Eigenlijk durf ik dat helemaal niet te zeggen, maar het is duidelijk dat ik van Kaan niets hoef te verwachten. In de auto op weg naar huis zeurt mijn schoonvader zoals gewoonlijk over zijn medeweggebruikers. Ik val hem bij en knik als hij, daardoor enthousiast geworden, zich op de borst klopt over zijn eigen rijkunst. Ik kan zijn steun straks goed gebruiken.

Kaynanam staat achter het gasfornuis in een grote pan te roeren.

'Lekker, yoghurtsoep,' zeg ik. Uit de koelkast pak ik kropsla, tomaten, komkommer en wortels, en uit de kelder uien. Ik snijd alles in reepjes en stukken. Zwijgend staan we naast elkaar te werken, terwijl mijn schoonvader achter ons aan de keukentafel zit. In mijn hoofd vorm ik allerlei varianten op de zinnen die ik wil zeggen. Ik kan maar niet besluiten welke de beste is.

'Mama,' begin ik, om vervolgens weer te zwijgen. Dan raap ik al mijn moed bij elkaar en zeg snel: 'Ik kan toch alleen in de middagen gaan werken?' Dan ga ik direct uit school naar het atelier.' Ik durf haar niet aan te kijken. Ongestoord roert ze verder. Mijn schoonvader is de eerste die iets zegt. Hij vindt het geen probleem. Kaynanam heeft haar bedenkingen, zoals waar ik de fiets 's avonds moet laten als Emel en ik opgehaald worden.

'Ik fiets wel terug.'

Mijn schoonvader biedt hulp: 'Die leggen we toch in de kofferbak.' Dit gaat beter dan ik had verwacht!

Gauw zeg ik: 'Ik moet echt beter Nederlands leren. Als Gül straks naar school gaat, moet ik haar toch een beetje kunnen helpen en met de juf kunnen praten als ze problemen heeft?'

Mijn schoonvader stemt ermee in alsof hij zelf niet met Jasmijn heeft geregeld dat ik weer ga werken. 'Ja, je moet aan haar toekomst denken.'

'Goed dan,' zegt kaynanam met duidelijke tegenzin.

Het valt me zwaar om elke middag naar het atelier te gaan. Na school fiets ik naar de plek die ik juist wil ontvluchten door Nederlands te leren.

Op school is er een wereld voor me opengegaan. Een hoofdstuk in het Groene Boek behandelde een tekst over een vrouwelijke Turkse korpschef. Ik had het stukje met gemengde gevoelens gelezen. Trots dat een Turkse vrouw het zo ver had geschopt, maar ook jaloezie. Ik zou in haar schoenen willen staan. Haar baan willen hebben en haar leven.

Ik kwam erachter dat mijn twee Chinese klasgenoten niet in God geloven, maar in de evolutietheorie. Eerst was ik verbaasd; ik dacht altijd dat goddelozen rare, slechte mensen waren, maar zij lijken me heel normaal. Ik vraag me af hoe een mens het bestaan van zijn schepper kan ontkennen. Uit medelijden zou ik hen willen bekeren, maar ik doe het niet. Als ze willens en wetens in de hel willen branden, is het hun eigen zaak.

Het is alsof school en het atelier twee aparte werelden zijn, die los van elkaar bestaan. Terwijl op school bijna nooit over God gesproken wordt, valt het me op hoe vaak ik per dag 'Bismillah', 'Insallah', 'Masallah' en 'Ellamdulliah' hoor. Het komt me vaak hypocriet voor. Zo is roddelen het favoriete tijdverdrijf van de complete Turkse gemeenschap, terwijl dat ons door de islam juist verboden wordt.

Behalve met roddelen houden de vrouwen in het atelier zich vooral bezig met dagdromen over de zomervakantie in Turkije. Drie maanden ervoor neemt het verlangen naar het thuisland krankzinnige vormen aan. Het atelier vult zich met zuchten en het aftellen van dagen. Met het verstrijken van de lente worden de vrouwen ook steeds zuiniger. Terwijl hun mannen zich in de cafés amuseren met rummikub, gokken en sterkedrank, laten zij alle luxe, van een frietje tot een nieuw parfum, links liggen. Naciye overwint haar angst om haar WAO-uitkering te verliezen en komt af en toe in het atelier helpen, zoals meer huisvrouwen doen om een zakcentje voor de zomer te verdienen.

Ik weet niet meer goed wat ik ervan moet denken. Steeds vaker weet ik zeker dat ik niet meer in Turkije zou willen wonen, hoewel ik hier ook niet gelukkig ben. Ik vestig al mijn hoop op school, en droom van een baan op een kantoor.

Ik erger me steeds meer aan mijn collega's die geen Nederlands willen leren. Ze zeggen dat ik makkelijk praten heb, met een man die achter me staat en een talenknobbel. Alsof het me komt aanwaaien!

Maar het ergste van alles is dat Jasmijn nu op het werk de baas over me kan spelen. Ze loopt op hoge hakken door de zaal als een sm-meesteres die haar slaafjes onder de duim houdt, doet wat administratie in het kantoor, neemt op hooghartige toon de telefoon aan, belt eindeloos met haar moeder – die altijd zegt dat een getrouwde vrouw niet te veel contact mag hebben met haar eigen familie, maar dat principe kennelijk niet voor haar eigen dochter laat gelden – en zit de rest van de tijd bij Emel op tafel te kletsen. Tot mij richt ze alleen het woord om me af te blaffen; dat ik door moet werken, dat de pauze voorbij is, dat soort dingen.

Jasmijn zegt dat ik na vijf uur moet blijven omdat de partij jassen waar we mee bezig zijn met spoed afgeleverd moet worden. Ik pak toch mijn tas, ik moet nog huiswerk maken. Dat maakt haar razend.

'Er is altijd wel een partij die met spoed afgeleverd moet worden,' zeg ik en ik haal mijn schouders op over haar boosheid. In de auto geeft Kaan me gelijk. Hij vindt dat zijn vrouw thuis moet zijn als hij thuis is.

Kaynanam denkt er anders over. 'Was je gecrepeerd als je was gebleven? Jasmijn had je nodig!'

Ik kijk hoopvol naar Kaan. Hij zwijgt.

'Ik heb ook een kind, weten jullie nog?' roep ik terwijl ik kwaad de trap op ren.

'Alsof jíj voor haar zorgt!'

Ik zeg niets terug, want ze heeft gelijk. Nog steeds bekommert kaynanam zich het meest om haar. Als Gül ziek is, loopt ze de hele nacht met haar in haar armen heen en weer in de woonkamer tot ze in slaap valt. Als ik al ga kijken, blijf ik nooit lang, ook omdat ik kaynanam zo veel mogelijk probeer te ontlopen.

Mijn schoonouders gaan in plaats van mij naar de zaak om Jasmijn te helpen. Ik probeer me op mijn huiswerk te concentreren, maar ik voel me rot. Weer een conflict erbij. En ik doe al niets goed in kaynanams ogen. Was ik maar zoals Emel, dan had ik niet zo veel problemen. Zij en kaynanam kunnen goed met elkaar overweg. Emel zegt het nooit als iets haar niet bevalt. Ze wil kaynanam niet kwetsen. Ik ook niet, maar ik wil ook niet gekwetst worden.

Ik ben bang voor haar humeur, dat plotseling kan omslaan door een opmerking van mij of iets wat ik doe. Ik ben bang dat ze me zal slaan. Ik laat me door niemand meer slaan, alleen door Kaan en alleen als hij gelijk heeft, zoals toen ik hem een ezelsveulen noemde.

De enige manier om in dit huis te overleven is door te zorgen dat hij gek op me blijft, zodat kaynanam niet tussen ons in kan komen. Maar we maken steeds vaker ruzie. Ik voel me steeds onrustiger, en mijn behoefte aan privacy en zeggenschap over mijn eigen leven wordt steeds groter. Ik kan er niet meer tegen dat zijn moeder ons leven bepaalt, en dat hij zich daar niet tegen verzet.

In bed maak ik hem verwijten, of ik zeur ergens om. Zoals om de ladekast die we bij Leen Bakker hebben gezien en die ik voor Gül wil kopen. Ik ben het zat om haar kleertjes op te vouwen in de oude ijzeren stellingkast van Jasmijn, en ik wil zo graag vrolijke kinderspulletjes kopen. Dan zou ik me een echte moeder voelen. We zouden het kunnen betalen; we verdienen allebei geld.

Maar het mag niet van zijn moeder.

'Wat moet ik?' riep hij uit toen ik hem weer eens smeekte of hij zijn moeder niet kon overhalen. 'Ik ben het zat om tussen jullie in te staan. Los het zelf maar op! Ik word gek van jullie!' De ochtend daarna bracht ik het weer ter sprake toen ik het ontbijt voor hem klaarmaakte. Dat we genoeg geld inbrengen om iets voor ons eigen kind te kunnen kopen. Toen hij niet van gedachten veranderde, stampvoette ik naar boven, naar de slaapkamer.

'Kom naar beneden!' eiste hij.

'Kom me maar halen,' schreeuwde ik terug.

Hij stormde de trap op en sleurde me aan mijn haren van het bed af. Ik schreeuwde dat hij mijn haren los moest laten. Met een harde bonk viel ik op de grond. Hij bleef aan mijn haar rukken.

'Blijf van me af, vuile klootzak!' schold ik huilend en ik beet in zijn handen.

Emel kwam kijken wat er gebeurde.

'Niets aan de hand,' gilde ik terwijl ik de slaapkamerdeur voor haar neus dichtgooide.

Die avond kwam Kaan laat thuis. Ik zette zwijgend zijn bord op tafel en voor mezelf een asbak. Langzaam en zonder trek lepelde hij zijn rijst en kikkererwten op. Hij lust geen kikkererwten. De laatste keer dat hij die vrijwillig at, was in Mersin toen we nog verloofd waren. 'Met jou erbij smaken zelfs kikkererwten lekker,' had hij toen gezegd.

Tranen prikten achter mijn ogen bij de herinnering en ik stond op om naar boven te lopen. 'Ik ga slapen.' Even hoopte ik dat hij me achterna zou komen om het uit te praten, maar al snel hoorde ik van beneden het gejoel over het rummikubspel. Uit mijn la pakte ik een strip pijnstillers en drukte er twee pillen uit, die ik zonder water doorslikte.

Ook dat doe ik steeds vaker: pijnstillers slikken. Elke avond om precies te zijn. Als snoepjes eet ik ze; ze plakken niet eens meer in mijn keel. Helaas helpen ze niet tegen het malen. Uren lig ik wakker en denk: had ik dit maar gezegd tegen kaynanam in plaats van dat, had ik maar zus gedaan en niet zo. Kaan wordt boos als ik te veel beweeg in bed.

Hij heeft nu al een paar keer gezegd dat het maar eens afgelopen moet zijn met mijn gezeik. Anders gaat hij van me scheiden en me op het eerste het beste vliegtuig terug naar Turkije zetten. Ik moet me koest houden.

Dan ben ik jarig. Ik word achttien. Eindelijk volwassen! Eindelijk zullen ze me serieus nemen, denk ik.

Mijn vorige twee verjaardagen in Nederland werden niet uitbundig gevierd, maar Kaan had beide keren een lekker parfum voor me gekocht en me overladen met knuffels. Deze keer zal hij dat zeker overtreffen, verwacht ik. Tenslotte word je maar één keer achttien. En er komt vast ook een pakje uit Turkije van mijn ouders. De vorige keren hebben ze alleen gebeld, maar voor Güls eerste verjaardag stuurden ze een mooie rode jurk en een gouden armband. Achttien worden is minstens zo bijzonder als je eerste verjaardag, en ik verheug me op de verrassingen die zullen komen.

Kaan maakt me wakker met een kusje en een stevige omhelzing.

'Mijn vrouw wordt oud!'

'Dan ben jij al bejaard,' protesteer ik om me vervolgens in zijn armen te nestelen. Lang laat hij me niet genieten. 'Kom, opstaan,' beveelt hij.

Ik hoop dat Kaan mijn hints heeft opgemerkt. In de stad zijn we een paar keer langs een reclamebord van H&M gekomen met daarop een zwoel kijkende brunette in een zwartkanten setje met jarretels. Haar halfblote borsten leken van de foto af te springen en ze grijnsde ontdeugend. Twee jaar geleden zou ik haar een hoer hebben gevonden. Nu wil ik ook zo'n setje. De prijs staat erbij: 49 gulden 95.

'Mooooi,' had ik nadrukkelijk gezegd.

'Ja, prachtig,' schertste Kaan, 'zou zij bij de prijs inbegrepen zijn?'

'Dat wil ik ook! Zo mooi en verleidelijk zijn, maar alleen voor jou.'

Ik zoek in de kast tussen zijn kleren. Of hij heeft het goed verstopt of hij moet het nog kopen. Ik stel me voor hoe ik het vanavond voor hem aantrek en een zacht muziekje opzet. Misschien neemt hij wel achttien rozen voor me mee. En zaterdag mag hij me meenemen naar de disco. Tot nu toe heeft hij plagerig volgehouden dat kinderen daar niets te zoeken hebben.

Op school en later in het atelier lijkt de dag eindeloos te duren. 'Och,' herinneren Jasmijn en Emel zich op het atelier, 'je bent vandaag jarig, hè.' Ze geven me drie kussen. Ik kijk uit naar het moment dat Kaan me ophaalt, maar in de auto naar huis gebeurt er niets. Ik vind het zelf eigenlijk ook logischer dat hij met zijn cadeau wacht tot in de slaapkamer.

Thuis is er niets bijzonders. Geen taart of kaarsjes, geen pakje uit Turkije. Ik verbijt mijn teleurstelling. Vanavond zal Kaan het allemaal goedmaken.

'Welterusten,' zeg ik nadat ik iedereen van thee heb voorzien. Ik kijk hoopvol naar Kaan. Op hetzelfde moment staat mijn schoonvader op.

'Kom jongens,' zegt hij en hij neemt zijn vaste plaats aan tafel in. 'Zijn jullie in voor een vette nederlaag? Ik ben in topvorm!' Ik weet dat Kaan zijn vader niet kan en zal weigeren.

Boos en verdrietig loop ik naar boven en haal mijn dagboek tevoorschijn. Bitter bedenk ik hoe lang ik nog moet wachten voor we van mijn schoonouders verlost zullen zijn. Nog een jaar of veertig. Misschien kan ik voor mijn dood nog net een paar jaar genieten van het leven. Een betere achttiende verjaardag kon ik me niet wensen.

Tegen twaalven komt Kaan binnen.

'Welkom mijnheer. Wilt u een rode loper en een fanfare?'

'Je hebt helemaal gelijk,' zegt hij, 'maar wat kan ik eraan doen?' Zijn kleren gooit hij zoals elke avond slordig in een hoek.

'Ruim je rotzooi op! En ik wil geen gelijk hebben!' schreeuw ik. 'Ik wou mijn verjaardag vieren!'

'Dat kunnen we nu toch doen?' zegt hij verleidelijk terwijl hij zijn kleren opvouwt.

'Ik had je zeker een kaartje moeten sturen: "Het feest begint om half negen. Kom op tijd!"'

'Zal ik maar weer gaan dan?'

'Ja, rot op! En kom nooit meer terug.'

Teleurgesteld trekt hij zijn kleren weer aan. 'Als ik ga, moet je voor altijd alleen slapen. Wie moet er dan 's nachts met jou naar de wc als je bang bent?'

Ik geef geen kik. Hij gaat de kamer uit en doet de deur achter zich dicht. Zou hij op de bank gaan slapen of echt weggaan? Ik word een beetje ongerust. Wat als zijn moeder erachter komt dat ik haar zoon heb weggestuurd? Even later klopt hij op de deur. Hij steekt zijn hoofd om de hoek en geeft me een glimlach van oor tot oor. 'Mag ik alsnog op uw feestje komen?'

Ik trek het dekbed op. 'Je hebt je kans gemist.'

'Kan ik het niet goedmaken?'

'Niet meer, tenzij je me weet te verrassen met je cadeau.'

Hij bijt op zijn onderlip. 'Vallaha,' zweert hij, 'ik wou een parfum kopen maar dacht dat we het weer beter samen konden uitzoeken.' Ik doe de bedlamp uit en huil de hele nacht van teleurstelling. Kaans spijtbetuigingen en beloftes kunnen me niet meer troosten. Nu ben ik achttien, en er verandert niks. Het zal nooit veranderen.

De volgende ochtend bedek ik mijn gezicht met een dikke laag make up. Mijn tranen blijven stromen en banen zich een weg door mijn masker. Mijn ogen doen pijn. Ik vul mijn handpalmen met koud water dat ik met kracht in mijn gezicht gooi. Drie keer, uit gewoonte. Ik was drie keer mijn handen, mijn mond, mijn neus. Pas als ik mijn rechtermouw opstroop, merk ik dat ik een rituele reiniging uitvoer, zoiets als boy abdesti. Ik word er rustig van en voer de rest ook uit. Ik begraaf mijn gezicht in een schone handdoek. 'Allah'im geef me geduld. Jij bent groot en machtig. Jij weet hoe ik lijd. Red me uit deze hel. Alleen Jij kunt me beschermen,' prevel ik terwijl ik mijn ooghoeken droogdep. Ik haal diep adem, kijk in de spiegel en roep mezelf tot de orde. 'Kijk naar je toestand! Je hebt er alleen jezelf mee. Houd toch op medelijden met jezelf te hebben. Doe er wat aan!'

Ik steek een sigaret op en staar zonder te knipperen in de spiegel. Ik weet wat ik zal zien. Rond mijn twaalfde ontdekte ik die kwaadaardige blik in mijn ogen toen ik na een pak slaag van moeder in de spiegel keek. Ik zag hoe mijn ogen mijn moeder dood wensten. Het is de duivel die zich af en toe laat zien, als mijn ware aard. Een gemeen lachje trekt mijn linkermondhoek naar boven. Ik word er een beetje bang van, alsof die blik mij voor het eerst bevalt. Dit ben ik eigenlijk als ik mezelf mocht zijn: egoïstisch, ongehoorzaam en arrogant. Ontdaan van al het schijnheilige. De duivel zit niet in de mens, de mens is de duivel zelf.

'Zo, lang gefeest zo te zien. Wat heb je voor je verjaardag gekregen?' informeert Naciye in de schoolkantine. Ik kan mijn tranen niet bedwingen. 'Niet eens een roosje, want dat vindt kaynanam zonde van het geld.'

'Kom,' zegt ze, 'zo kun je niet naar de les of naar het werk. Je gaat met mij mee.'

'Ja, maar wat zeg ik thuis?'

'Niets ja maar. Lopen jij.' Mijn fiets laat ik staan, en ik stap bij haar in de auto. Kaynanam zal het niet goedvinden dat ik met een vriendin meega. Ik twijfel er niet aan dat ze erachter zal komen. Maar soms zet je een onverstandige stap en kun je niet meer terug.

Tilburg-Noord, het stadsdeel waar Naciye woont, is volgebouwd met flats om op zo min mogelijk grond zo veel mogelijk mensen op te bergen. Aan de andere kant van de brug die ernaartoe reikt, doemen boven elkaar gestapelde rijen balkons met oranje schermen op. Op sommige balkons hangt de was aan de lijn en overal zie ik schotelantennes als slordig opgespelde broches. Naciye praat aan één stuk door, maar het lukt me niet om naar haar te luisteren. Ik wou dat ik niet met haar mee was gegaan. Het liefst zou ik uit de auto springen en naar school rennen, om zoals elke dag te doen alsof er niets aan de hand is.

In de hal van haar flat staat een jongen ongeïnteresseerd de brievenbussen te vullen met de *Tilburgse Koerier* en reclamefolders. In een grote flat als deze kan hij vast in één keer de helft van zijn lading kwijt. Ik wou dat mijn leven zo simpel was, dat mijn grootste zorg bestond uit het zo snel mogelijk opmaken van de folders in mijn fietstas. De hal ruikt muf. Vanuit het trappenhuis galmt een scherpe vrouwenstem. Een man antwoordt op kwade toon. Ik kan niet verstaan wat ze roepen, in plat Tilburgs. We nemen de lift, die vol teksten en vieze plaatjes gekalkt is en vreselijk stinkt naar urine.

'Dat je hier durft te wonen!' zeg ik. Ze weet niet beter, zegt ze, en de huur is laag. Als we op de tiende etage uitstappen, horen we het schreeuwgrage koppel nog steeds. Over de winderige galerij lopen we naar haar huis. Ik durf niet dicht bij de rand te komen en loop langs de muren.

Met een vreemd gevoel van opluchting stap ik achter Naciye naar binnen. Ze geeft me drie kussen en een innige omhelzing: 'Welkom.'

Eigenlijk zou ik willen gaan huilen met mijn hoofd op haar schouder, maar het lijkt me ongepast, alleen in films gedragen mensen zich zo.

Ze heeft me zo vaak over haar huis verteld dat het is alsof ik er eerder ben geweest. Ik ga op de met weelderige bloemen beklede bank zitten, die ze met niemand hoeft te delen behalve met haar eigen man en kinderen. Ik voel een steek van jaloezie en voel me nog ongemakkelijker.

'Was ik maar niet gekomen,' zeg ik.

'Doe niet zo idioot,' roept ze vanuit de keuken waar ze thee is gaan zetten. 'Heb ik het je niet gezegd: samenwonen met je schoonfamilie gaat nooit goed.'

Terwijl we theedrinken vertel ik haar alles.

'Ik wist wel dat je loog toen je zei dat alles goed ging,' zegt ze. 'Vallaha, ik wist het.'

Ik bel naar het atelier dat ik vandaag niet kom.

'Wat moet ik thuis zeggen?' vraag ik benauwd. 'Als ze dit horen vermoorden ze me.'

'Niet overdrijven,' probeert ze me gerust te stellen. 'Ben je soms vreemdgegaan of heb je lopen tippelen? Laat hen naar zichzelf kijken. Mijn eigen schoonouders trouwens ook. Ze moeten zich schamen dat ze denken dat we hun bezit zijn omdat ze ons naar Nederland hebben gehaald. Ik word niet goed van hun arrogantie. Alsof we niet uit een moeder, maar uit een steen zijn geworpen.'

In de badkamer was ik mijn gezicht. Het helpt niet veel, zie ik in de spiegel. Terwijl we 's middags terug naar haar auto lopen, voel ik me allesbehalve opgelucht dat ik Naciye over de situatie thuis verteld heb. Het voelt eerder alsof er duizenden mieren in mijn hoofd krioelen en aan mijn gedachten knagen. Thuis sluip ik naar binnen. Godzijdank staan de schoenen van mijn schoonouders niet in de hal, ze zijn niet thuis. Ik ga direct naar boven en houd me stil, ook als ik ze thuis hoor komen. Als ik eindelijk naar beneden ga voor het eten vertel ik dat ik de hele middag met hoofdpijn in bed heb gelegen.

Die avond als we gaan slapen geeft Kaan me een duur uitziend pakje. Nog altijd boos en teleurgesteld wil ik het niet aannemen, maar hij probeert het toch in mijn handen te duwen en me te omhelzen. Als een kogelwerper die voor goud gaat, smijt ik het pakje tegen de muur. Een overweldigend aroma van bloemen vult de kamer. Kaan vraagt geschokt of ik wel weet hoe duur dat was. De verkoopster heeft hem geadviseerd: Chanel No.5. Al zijn geld heeft hij eraan besteed.

'Kan me niets schelen!' huil ik kwaad.

De dagen daarop hangt er een zware geur van jasmijn, vanille en rozen in de slaapkamer, die me op mijn zenuwen werkt als ik op bed lig te schrijven en te huilen.

Op school probeer ik Naciye te vermijden. Ik doe alsof er niets is gebeurd, alsof ik haar niets heb verteld. Als ze erover begint, kap ik haar af en zeg ik dat het niets voorstelde. Dat het maar aanstellerij was.

Al snel begint het geroezemoes in het atelier. Ik bid dat het niet waar is, dat Naciye niet haar mond voorbij heeft gepraat. Elke keer als er een collega naast me komt staan, vraag ik me af of zij over mijn moeilijkheden gehoord heeft. Op een ochtend roept Emel me naar Jasmijns kantoor en sluit de deur.

'Wat heb je over thuis verteld?' vraagt Jasmijn dreigend.

'Niets,' lieg ik, 'alleen dat ik geen verjaardagscadeau heb gekregen.' Helaas hebben mijn schoonzussen meer gehoord. Emel kijkt me bezorgd aan. Ik doe alsof het me niet kan schelen, maar ondertussen hyperventileer ik van angst. Hoe zal kaynanam reageren?

'Rüya! Kom hier jij!' roept ze zodra ik binnenkom. Ze zit op haar plek met haar breiwerk op schoot. Kaan zit op de andere bank en staart naar de tv. 'Als je zo veel over ons te klagen hebt, pak je je koffers maar. Ik kan vandaag nog een ticket voor je kopen, dan kun je morgen weg.'

Ik had het kunnen weten. Hoe kon ik zo dom zijn om Naciye te vertrouwen. Ik kan haar wel wurgen.

'Ik wil niet weg,' zeg ik. 'Ik heb geen problemen met je zoon.'

'Ooo,' zegt kaynanam, 'dus je hebt een probleem met ons. Vertel.'

Waar zal ik beginnen? Dat ik niets mag, dat ik dagen moet zeuren om een nieuwe onderbroek terwijl ik zelf geld verdien, dat ik niet meetel in dit gezin, dat ik het hier niet meer uithoud. Maar de woorden komen niet uit mijn mond.

'Ondankbaar kreng!' barst kaynanam los. 'Ik zorg voor je kind, kook elke dag, bak broodjes, laat jullie uitslapen. Is dit mijn dank! Sturen we je soms naar het atelier om ons belachelijk te maken? Heb je dan geen greintje schaamte? Ben je niet bang voor Allah?'

Bibberend zeg ik dat ik niet meer in het naaiatelier wil werken, maar dat zij me gedwongen heeft. Waar is het duiveltje in mij als ik het nodig heb?

Smekend kijk ik naar Kaan. Hij staat op en loopt de kamer uit. Ik hoor de buitendeur achter hem dichtslaan. Kaynanams groene ogen lusten me rauw. Ze schreeuwt: 'Alsof jij alleen werkt! Emel heb ik nog nooit horen klagen. Alsof ik geld achterhoud. Waar moet ik anders alles van betalen? Wat jij eet, drinkt, aanhebt, kost allemaal geld! Waar komt het vandaan, denk je!'

'Als jullie me niet konden voeden, waarom lieten jullie Kaan dan trouwen?' vraag ik huilend.

'Genoeg!' roept ze. 'Vanaf morgen blijf je thuis. Je gaat voor je kind zorgen. Durf nooit meer om geld te vragen. En je gaat niet meer naar school. Verdwijn uit mijn ogen!'

Ik ga naar boven en steek met trillende handen een sigaret op. Dit komt nooit meer goed, dat weet ik zeker. Ik wou dat ik Kaan kon haten en met Gül kon verdwijnen. Maar waar kan ik heen? Mijn vader zal het niet accepteren dat ik terugkom. Een permanente verblijfsvergunning heb ik niet, maar misschien stuurt de vreemdelingenpolitie me niet weg omdat Gül hier is geboren. Een blijf-van-mijn-lijfhuis kan ik vast wel vinden, maar dan? Hoe overleef ik het?

Ik haal Gül uit haar bedje en houd haar tegen mijn borst. 'Mama weet het niet, schatje. Ze weet het echt niet meer. Niemand houdt van mama, maar ze houdt wel heel veel van jou.' Ze begint te huilen en slaat haar armpjes om mijn nek. Ik probeer haar te sussen, veeg het snot en de tranen van haar gezichtje en draag haar naar beneden. Ik zet haar in haar box en loop snel weer naar boven.

'Allah'im, waar heb ik dit aan verdiend? Jij beschermt toch je weerloze onderdanen? Is dit rechtvaardigheid? Als ik onderdanig moet zijn, waarom heb ik dan een eigen wil gekregen?' Ik denk aan de vermanende woorden van mijn ouders bij het afscheid na de zomervakantie: 'Je moet geduldig zijn en altijd je echtgenoot en schoonouders gehoorzamen,' zei mijn moeder. En mijn vader: 'Nooit wil ik een slecht woord over je horen.'

Ik heb geen zin meer om nog langer de beproevingen van deze wereld te moeten doorstaan. De belofte van de hemel na een leven lang sloven en geduld hebben is niet voldoende. Mannen krijgen in de hemel zeventig maagden. Wat staat een vrouw te wachten behalve het eeuwige leven en lekker eten? Word ik een van die vrouwen van een of andere kerel of krijg ik zelf zeventig knappe mannen? Nee, dank u! Ik wil rust in mijn hoofd. Meer niet.

Ik heb knallende hoofdpijn, dus pak ik uit de spiegelkast in de badkamer het potje met sterke pijnstillers, die glad zijn en een zoete smaak in mijn keel achterlaten als ik ze inneem. Geroutineerd draai ik het kinderslot open en laat de roze pillen in mijn handpalm glijden. Het lijkt me een goed idee om het hele potje leeg te slikken. Dat zal iedereen, maar vooral kaynanam laten schrikken. Misschien mag ik dan weer naar school. Ik neem ze in met veel water. Ze gaan er lekker in. In de spiegel kijk ik trots naar mijn duiveltje. Mijn ogen twinkelen.

Rustig schrijf ik in een afscheidsbrief dat ze Gül naar mijn ouders moeten brengen. Ik ga op het bed liggen wachten tot Kaan komt. De tijd kruipt langzaam voorbij en ik word steeds rustiger en losser. Niemand komt. Ik verlang naar de slaap als iemand in de kou die weet dat hij zal bevriezen als hij aan zijn slaperigheid toegeeft. Het kan me niets schelen. Het is alsof er een oase van rust op mij wacht. Ik laat mijn slippers op het tapijt vallen, trek mijn benen op en sluit mijn ogen. Als ik had geweten dat de dood zo rustig is, had ik die eerder opgezocht. Het is lang geleden dat ik me zo lekker voelde, zo opgelucht. De dood is als een diepe zucht, die eindelijk eens verlichting geeft. Dat laat ik me niet afpakken.

De rust wordt ruw verstoord als kaynanam me hard heen en weer schudt. 'Laat me,' schreeuw ik, 'ik ben jullie zat!' Nu kan ik alles zeggen, mij kunnen ze niets meer maken. Schreeuwend als een commandant roept kaynanam de rest van het huisvolk erbij. In korte krachtige zinnen geeft ze de briefing. Daarna deelt ze bevelen uit. 'Pak jij haar benen, houd jij die arm vast.' Mijn schoonvader staat erbij en kijkt ernaar. 'Allah, Allah,' prevelt hij, 'waar is het misgegaan?'

Met hulp van Ilker sleurt kaynanam me naar de badkamer. Ik roep dat ze me los moeten laten. Ze leggen me op de ijskoude vloertegels. Daar lig ik half op mijn zij met languit gestrekte benen tegenover mijn schoonvader en het kan me niets schelen. Kaan staat in de deuropening en kijkt paniekerig. Hij zegt niets. Kaynanam tilt me een stukje op, duwt mijn hoofd over de rand van de badkuip en beveelt dat ik moet overgeven. Ik huil en gil dat ze allemaal moeten oprotten en dat ik niet ga kotsen. Ik wil terug naar mijn bed, naar die zalige, allesoverheersende rust. Anders dan ik altijd dacht ben ik niet bang voor de dood. Als ik weer mag slapen zoals net, is alles goed. Geen kaynanam, geen ruzies, geen verplichtingen, geen zorgen, geen angst. Helemaal niets. Ze zeggen dat de zielen van zelfmoordenaars eeuwig gekweld rondzwerven. Ook dat kan me niets schelen.

Kaynanam beveelt Emel Turkse karnemelk te maken. Als ik dat drink word ik vanzelf misselijk, denkt ze. Ondertussen jammert ze wat de dorpsgenoten er niet van zullen zeggen als dit bekend wordt. Als ze probeert me te laten drinken pers ik mijn lippen samen en bijt ik mijn tanden op elkaar, terwijl ik mijn hoofd heftig heen en weer schud. Ze smeekt dat ik bij zinnen moet komen en belooft dat ze zich voortaan nergens mee zal bemoeien. Of de spijt in haar stem oprecht of gespeeld is, kan ik niet uitmaken. Het kan me ook niet meer schelen.

Ik weet niet wie Gül erbij heeft gehaald, maar ze probeert in mijn armen te kruipen. 'Denk aan je kind,' hoor ik iemand zeggen. Ik bijt hard op de vlezige vinger die kaynanam in mijn keel probeert te steken om me te laten overgeven. Wanneer het tot haar doordringt dat ze me niet kan laten braken, sleuren kaynanam, Emel en Ilker me van de trap en stoppen me in de auto. Ze maken zich zorgen dat iemand van de buren hen zal zien. Ik ben te moe om me te verzetten. Al die tijd blijft Kaan op afstand. Ik had kunnen weten dat hij zich zelfs in deze situatie zou houden aan de beleefdheidstraditie die wil dat hij mij negeert waar zijn vader bij is. Hij gaat voorin zitten, naast Ilker. Als we uitstappen bij de eerste hulp, durft hij eindelijk mijn arm vast te pakken. Ik zie de angst in zijn ogen.

'Raak me niet aan!' schreeuw ik.

Tegen de arts zegt Ilker dat ik per ongeluk te veel pijnstillers heb ingenomen. De man gelooft er niets van. Hij vraagt me of ik het zelf kan vertellen.

'Ruzie met schoonmoeder,' zeg ik vol walging. In een witte kamer vol apparatuur stoppen ze een slang in mijn maag en halen die leeg. Waarom moet ik nu aan mijn bevalling denken? Roze vloeistof stroomt met de resten van het middageten in een emmer.

Volgens de arts scheelde het weinig of het was afgelopen met mij. Het voelt raar dat ik echt dood wilde. De oase van rust waar ik me zo-even nog in bevond, is opgelost in het niets. Mocht ik de behandeling ook weigeren?

De arts stelt voor een bemiddelaar in te schakelen om de problemen op te lossen. Ik verwacht niet dat hij begrijpt dat kaynanam nooit zal instemmen met professionele hulp, en dat tussenkomst van iemand uit onze eigen kring geen zin heeft omdat die haar alleen maar gelijk zou geven. Hij kent onze cultuur niet.

Nadat hij me nogmaals heeft aangeraden naar een psycholoog te gaan, mag ik naar huis. Dat is veel enger dan doodgaan. 'Ik zorg wel dat het goed komt,' belooft Kaan. Ik zou hem graag geloven.

Even later zit ik schuldig op de bank. De televisie staat op een

Turkse zender. 'Waar komt die ineens vandaan?' vraag ik. Vanmiddag hebben ze een schotelantenne gekocht. Kaan en Ilker hebben hem aangesloten terwijl ik boven zelfmoord aan het plegen was. 'Een automatische,' zegt Ilker trots, 'dat heeft nog niemand hier.' De rest zwijgt ongemakkelijk. Ik ga naar de keuken, schenk thee in, zet de glazen op een dienblad en breng ze rond.

Zomeridylle

Een eindeloze leegte in en om me heen. Vader is ver weg. Moeder is nooit dichtbij geweest. En hier ben ik, in godvergeten Holland. Kaan zegt dat ik hem heb laten schrikken met mijn zelfmoordpoging. 'Ik wist niet dat je zo labiel was.' Ik draai me om en laat de tranen komen. Een tijdje probeert hij mij te troosten; dan – zoals altijd – geeft hij het op en valt in slaap. Het huis zit vol visite die ik moet bedienen. Kaynanam zit op haar vaste plek tegen heel Turks Tilburg te jammeren over de eenzame en ellendige toekomst die haar te wachten staat wanneer mijn schoonvader overlijdt; ik zou nooit voor haar zorgen en zet Kaan tegen haar op. Ze omknelt haar witte breiwerk en glimlacht omdat ze het zich kan permitteren om dit te zeggen waar ik bij sta. Met trillende handen schenk ik thee in voor allerlei kleuren hoofddoeken die haar vol medeleven troosten en hun afschuw uitspreken over zo'n ondankbare schoondochter. Kaynanam zegt dat ze alvast een huis hebben gehuurd om later in te wonen.

Dan valt mijn oog op mijn schoonvader, die alleen aan tafel zit. Ik schrik ervan hoe oud hij eruitziet. Ik loop op hem af, zet mijn vijf vingers stevig in zijn arm en kijk hem recht in zijn ogen. 'Wíj gaan in dat huis wonen!'

Als ik zou doorknijpen zou ik zijn arm breken. Niemand in de kamer steekt een vinger uit. Het lijkt erop dat ze hopen dat ik afmaak waar ik aan begonnen ben. Ik laat zijn arm los en voel me machtig als een jachtluipaard dat zijn prooi laat gaan.

'De huur,' gaat kaynanam onverstoorbaar verder, 'is zevenhonderd gulden en moet minimaal tot december betaald worden.'

Mijn benen lopen naar haar toe alsof ze vanzelf bewegen. Met mijn linkerarm druk ik haar bij haar nek stevig tegen de rugleuning. Ze spartelt niet tegen. Ineens heb ik een aangestoken sigaret in mijn rechterhand. Ik dreig die in haar gezicht te drukken. Met gemak kan ik haar met mijn andere arm wurgen, maar zelfs dat zou me niet opluchten. Ik laat haar los. De woede van al die jaren is niet meer in mij; ik ben de woede geworden.

Ik moet hier weg! De voordeur smijt ik achter me dicht, hopend dat de klap het huis doet instorten. Ze mogen allemaal verpletterd worden. Om te zien of het ook is gebeurd, draai ik me om. Daar staat het nog, veranderd in een kasteel van lichte steen, waar met gemak zes rijtjeshuizen in zouden passen. Wat veel ramen, denk ik.

De lange oprit van het landgoed is afgesloten van de buitenwereld door een sierlijk hekwerk. Aarzelend loop ik ernaartoe. Met twee handen trek ik aan de zwarte tralies, die met een akelig krijsend geluid openen. Buiten is alles oogverblindend licht. De stoep is roomkleurig, net als de verlaten straat en de lucht. Ik wrijf in mijn ogen en begin te lopen. De weg die naar rechts omhoogkrult en aan de horizon verdwijnt, ligt er stoffig bij. In de hele witte wijde omgeving is er niemand en niets te zien behalve graanvelden in gebroken wit. Ik weet niet waar ik ben. Ik voel me ontheemd. Moederziel alleen. Ik raak in paniek.

Pure woede vult mijn longen, zet zich uit en scheurt ruw alle fijne luchtkanaaltjes onder mijn borsten. Ik zak op handen en knieën en hap naar lucht. Ik probeer mezelf te kalmeren, maar krijg met geen mogelijkheid de razernij onder controle. Ik hoop dat Kaan uit het niets naar me toe rent, over mijn hoofd aait en me geruststelt.

In de hele atmosfeer is geen greintje zuurstof meer. Ik grijp naar mijn keel. Ik krijg geen lucht. Mijn longen gaan exploderen. Het kan niet anders.

Happend naar adem word ik wakker, mijn handen om mijn keel geklauwd. Het is nog donker. Terwijl ik de lucht mijn longen voel binnenstromen, realiseer ik me dat het een droom was. Maar het gevoel van machteloosheid neemt niet af. Ik voel me nog steeds moederziel alleen en begin zachtjes te huilen. Is er iemand die het iets kan schelen dat ik nog leef? Ik krul me op tot een foetus die niet geboren wil worden. In gedachten zoek ik naar iemand die van mij houdt zoals ik ben. Kaan zal van me scheiden als ik zijn moeder niet gehoorzaam. Mijn ouders zullen me haten als ik hun goede naam aantast. Ik zal deze gevangenis nooit durven verlaten. Snikken ontsnappen uit mijn keel. Ik kan ze niet meer binnenhouden. Kaan schudt me heen en weer. Hij probeert me op mijn rug te draaien. 'Wat is er? Wat is er dan toch?' vraagt hij paniekerig. Het huilen heeft mijn hele lichaam overgenomen. Het is alsof ik voor het eerst in mijn leven écht huil. Het voelt alsof ik nooit meer kan stoppen. Door een waas zie ik kaynanam in haar gebloemde nachthemd onze kamer binnenkomen. Kaan zegt dat ik waarschijnlijk een nachtmerrie heb gehad. Ze zegt dat ik 'Bismillah' moet zeggen en gaat water halen. Dat weiger ik te drinken. Niet uit haar handen. Ik wil hun troost en zorg niet. Ik wil met mijn verdriet alleen gelaten worden. Ze zeggen dat ik moet meewerken, terwijl ze me naar de wastafel slepen. De woorden 'lopen' en 'zeg Bismillah' wisselen elkaar af. Kaynanam wast mijn gezicht en hals met lauw water, alsof ik haar eigen kind ben. Ik kots alle woede en hopeloosheid eruit, maar mijn spieren blijven zich spannen alsof ze onder stroom staan. Liefdevol wast kaynanam me opnieuw en ze zegt sussende woordjes, zelfs als ze mijn braaksel van de badkamervloer opdweilt. Kaan brengt me terug naar bed.

Misschien duurt het een uur, misschien langer. Ik heb totaal geen besef van tijd. Er is niets op de wereld behalve ikzelf en mijn verdriet.

'Wat is er,' wil Kaan nog steeds weten.

Ik haal mijn schouders op. Bezorgd probeert hij me te troosten door mijn hoofd op zijn schouder te leggen. Zachtjes aait hij over mijn haren. Ik weet dat hij wacht op mijn antwoord, maar hoe kan ik hem van mijn afschuwelijke droom en gedachten vertellen, terwijl hij en zijn moeder zich net zo liefdevol over me hebben ontfermd? Ik mompel dat ik droomde dat mijn vader dood was en dat ik niet weg kon.

'Als je zo verdrietig bent, als je je ouders blijkbaar zo erg mist, dan voel ik me schuldig. Alsof ik je heb losgerukt van je wortels.'

Ik schokschouder en schud mijn hoofd: 'Ik wou het zelf.'

Als ik wakker word, is Kaan al naar zijn werk vertrokken. Hij heeft me niet gewekt om zijn ontbijt en broodtrommel klaar te maken.

Voorzichtig rek ik me uit, alsof ik wakker ben geworden in een nieuw lichaam. Mijn ledematen doen zeer van het verkrampte liggen, maar geestelijk voel ik me helder. Het verbaast me dat huilen zo verlichtend kan zijn. Alsof ik eindelijk vrede heb gesloten met mijn lot. Dit hier is mijn leven, realiseer ik me. Ertegen strijden heeft geen zin; het put je alleen maar uit en kleurt je dagen zwart. Ik geef het op. 'Telefoon van Kaan,' roept kaynanam naar boven. Er is geheid iets mis. Hij belt nooit. Met lood in mijn schoenen loop ik de trap af. Misschien heeft hij een ongeluk gehad op zijn werk. De hoorn ligt naast de telefoon, kaynanam is gelukkig nergens te bekennen. Aarzelend pak ik hem op. Hoe het met me gaat. 'Goed, hoor. Echt.' Hij zegt dat ik me vandaag ziek moet melden. Tot ik wat ben uitgerust. Ik begrijp niet waarom hij dat zegt. Ik dacht dat ik überhaupt niet meer naar school mocht. Aan het eind van de maand, als alleen Emel haar salarisenvelop overhandigt, zal kaynanam de beslissing dat ik niet meer mag gaan werken ongetwijfeld betreuren.

Nog altijd vol schuldgevoelens over mijn droom en kaynanams zorgzaamheid vermijd ik haar, alsof we verstoppertje spelen. Als ze naar de keuken komt, ga ik de vuilniszak buitenzetten. Als ze naar de tuin komt, neem ik het wasgoed mee naar binnen. Ik doe alsof er niets is gebeurd, dus kan ik ook niet de hele dag liggen niksen in mijn bed.

Als er geen huishoudelijke klusjes meer te doen zijn, neem ik Gül mee naar het park. De frisse lucht doet me goed. Zo goed en zo kwaad als het gaat probeer ik Gül de aandacht te geven die ze vraagt, al zou ik eigenlijk op het gras willen liggen om te proberen nergens aan te denken.

Tijdens het avondeten valt er geen woord over wat zich heeft afgespeeld, en ook bij het sigaretje na het eten zeggen Emel en Ilker niets. Ik weet niet of dat is afgesproken toen ik er niet bij was of dat het komt doordat ik zelf doe alsof er niets aan de hand is.

Het is als een vervelend geheim dat uit het collectieve geheugen van het gezin moet worden verbannen. Of een misstap die me is vergeven. Hoe dan ook, het lukt me aardig het dagelijks leven te hervatten. Iedereen is in de woonkamer, terwijl ik alleen met de afwas bezig ben.

Het thuisblijven voelt de eerste dagen onwennig aan, als een strakke spijkerbroek die je lichaamsvorm nog moet aannemen. Gelukkig is het huis ruim en het huishouden groot genoeg. Moeder zou een hartverzakking krijgen als ze zou zien dat ik – vrijwillig en op een zaterdag! – alle keukenkasten leeghaal, om die van binnen en buiten schoon te poetsen. Dat ik alle borden, glazen en bestek afwas, voordat ik alles weer inruim.

Terwijl ik daarmee bezig ben, komt Kaan binnen met in zijn hand een H&M-tasje en vliegtickets.

'We gaan naar Schiphol,' zegt hij.

'Hoezo?' vraag ik bang. Hij stuurt Gül en mij toch niet terug naar mijn ouders! Alsof ik niets heb gehoord ga ik door met het afwassen van de oneindige stapel borden.

'Ga maar inpakken.'

Het lijkt er toch echt op dat ik word weggedaan als een ongewenste kat. Mijn leven hier is bepaald niet ideaal, maar terug naar mijn ouders kan ik niet. Mijn moeder zal mijn leven tot een hel maken omdat ik hun de schande aandoe door mijn man teruggestuurd te worden. Ik ben dit huis tweeënhalf jaar geleden als hoopvolle en levenslustige puber binnengestapt, en ben hier veranderd in een jonge moeder met meer problemen dan ik aankan. Ik kan het niet verdragen dat ze zich nu van me ontdoen.

'Nee,' zeg ik vastbesloten, 'ik ga nergens heen.'

Hij zegt dat hij boven een verrassing voor me heeft. Ik vermoed dat hij me een laatste keer wil neuken. Moet ik me verzetten of juist zorgen dat hij de beste beurt van zijn leven krijgt, zodat hij ervan afziet en ik mag blijven? Ik probeer tijd te rekken met de afwas, om tot een besluit te kunnen komen. Maar hij trekt me mee naar boven.

In de kamer kijkt hij me verlekkerd aan. Om hem af te leiden vraag ik naar zijn verrassing. Uit het H&M-tasje haalt hij een zwarte bustier. Hij houdt hem omhoog, jarretels slingeren in de lucht. 'Van het reclamebord, weet je nog?'

Jazeker. Het setje waar ik om had gevraagd.

'Met terugwerkende kracht voor je verjaardag. Ik hoop dat het past,' glundert hij. Toen de verkoopster naar mijn cup vroeg, heeft hij een kom van zijn handpalmen gemaakt, die hij nu grijnzend demonstreert: 'Twee handen vol.'

Ik lach, maar mijn gedachten zijn bij de tickets.

'En je mag je rijbewijs gaan halen. Dan kun je straks Gül met de auto naar school brengen.' Dit had ik niet verwacht. Maar ik maak me nog steeds zorgen.

'Maar eerst gaan we naar je ouders. Dan kun jij hen even zien en zij Gül. Daarna gaan we op huwelijksreis.'

Ja, dag. Daar trap ik niet in. 'Je gaat me in Turkije bij mijn ouders achterlaten,' zeg ik.

Hij zweert van niet. 'Je miste je vader toch?'

Pas als hij op Gül en zijn moeder zweert dat hij hun lijk moge kussen als hij liegt, durf ik hem om de hals te vliegen. 'En je moeder dan?' bedenk ik nog.

'Maak je maar geen zorgen om haar. Ik heb het allemaal geregeld.'

Wat hij met zijn moeder heeft besproken houdt hij angstvallig geheim. 'Het is gewoon tussen ons,' houdt hij vol, 'het gaat jou niets aan.' Hij ontkent het, maar volgens mij wil hij zijn moeder niet ontheiligen. Als zoon hoort hij onvoorwaardelijk voor haar te kiezen. Als ik weet tot hoever hij voor me wil gaan, weet hij dat ik meer zal eisen. 'Rupsje Nooitgenoeg,' noemt hij me naar een prentenboek dat ik ooit van de bibliotheek had geleend. 'Als ik je een hand geef, wil je mijn arm.'

's Avonds steekt hij waxinelichtjes aan en zet hij zachte muziek op. In mijn nieuwe outfit lijken mijn borsten een lift naar boven te hebben gekregen. Het past, constateert hij bewonderend.

'Niet te hoerig?' vraag ik voor de vorm.

Nee, verzekert hij me. Echt niet. Integendeel, mijn nieuwe imago bevalt hem goed. Mij ook.

's Ochtends ligt Kaan tevreden met zijn dochter te spelen. Ik sta op en bekijk in de spiegel uitgebreid mijn string. 'Wat een mooie moeder heb jij,' zegt hij tegen Gül.

Demonstratief trek ik mijn buik in, til ik mijn borsten op. 'Ja, ooit was ze mooi. Tot jouw dochter kwam! Alleen toen wist ze niet wat ze had, en nu ze het niet meer heeft...'

Van beneden komt de geur van zondagse versgebakken brood-jes. Jasmijn en Paşa zijn er, zoals bijna elke zondag. Mij laat ze meestal links liggen, maar in Gül gaat ze helemaal op. Ik hoor haar de trap op stampen. 'Rüya!' Jasmijn klopt onge-duldig op de deur. Snel pak ik een handdoek en houd die voor me. Ze komt binnen en barst in lachen uit. Ze wijst naar mij, en slaat op haar dijen. Ik draai me om en zie mijn blote billen in de spie-gel.

'De voorkant verbergt ze, maar de achterkant...'

De rest kan Jasmijn door het brullen niet uitbrengen. Gül laat, door haar tante aangestoken, breeduit haar tandjes zien en begint kraaiend mee te lachen. Ik word er melig van. 'Neem haar mee en verdwijn!' lach ik.

Even later betrapt ze me in de badkamer als ik bezig ben om mijn nieuwe aanwinst zorgvuldig in de wasbak af te spoelen. Ik wil het setje schoon mee op reis nemen. In een oogwenk heeft ze mijn string te pakken, waarna ze ermee de trap af vlucht. Ik ren haar achterna. Kaynanam zit in haar hoekje te breien.

'Kijk,' giert Jasmijn, 'wat je schoondochter draagt. Geen won-der dat mijn broer zo gek op haar is, en zo mager!'

Kaynanam vindt het blijkbaar ook grappig.

'Jasmijn,' schreeuw ik lachend, 'ben je gek!'

Als ik de string bijna uit haar handen kan rukken, gaat ze snel achter de tafel staan. Als ik rechtsom loop, gaat ze naar links en an-dersom. Haar vader komt binnen: 'Wat is hier aan de hand?'

'Niets,' zeggen Jasmijn en ik tegelijk. Ze profiteert ervan dat ik me moet gedragen nu hij in de kamer is en neemt de benen naar het park. Ik ren achter haar aan. 'Geef terug! Koop er zelf toch een!'

Lang houden we het rennen allebei niet vol. Als ze buiten adem tot stilstand komt, geeft ze hem terug.

'Heks! En we moeten stoppen met roken!'

Toch blijven we lachen. Ook als ze in geuren en kleuren verslag uitbrengt aan Emel. Wow, denk ik, we hebben samen iets meege-maakt, zonder Emel, en het was leuk.

Kaan heeft blijkbaar niet alleen met zijn moeder, maar ook met zijn zus gepraat. Als ze na het ontbijt naar huis wil gaan, zeg ik:

'Wat ga je thuis doen? Blijf toch!' Ze helpt met opruimen zonder dat ik het hoef te vragen.

Met een pot thee en veel sigaretten helpen Emel en Jasmijn me met inpakken. 'Laat mijn broer af en toe een paar nachtjes met rust,' grapt Jasmijn.

'Ik durf Kaan nooit te weigeren,' beken ik, 'ook als het pijn doet. Ik ben bang dat hij dan niet meer van me houdt.'

Nadat ze naar alle details hebben geïnformeerd, zegt Jasmijn dat Kaan beter zou moeten weten. 'Jij hebt toch ook recht op rust!'

Mijn ogen lopen vol, daarna vallen er tranen.

'Ik wil alleen dat hij net zoveel van me houdt als ik van hem.'

Ze kijkt me vol begrip en medeleven aan. We roddelen hoe gretig onze mannen zijn als het gaat om seks, en wisselen tips uit voor als we geen zin hebben.

'Misschien moeten wij ook een potje pillen slikken,' zucht Emel tegen Jasmijn, 'dan mogen we ook zomaar op vakantie.' Ik zou eveneens jaloers zijn als ik haar was.

Mijn opwinding over de eerste keer vliegen verandert al op Schiphol in een angst die als een zware steen op mijn maag ligt.

Kaan is chagrijnig omdat onze charter vertraging heeft. Hij vloekt dat hij daarom nooit wil vliegen.

'Het is beter dan bij de Bulgaarse douane staan, hier is het tenminste koel,' probeer ik de moed erin te houden.

Gül loopt met peuterstapjes aan mijn hand langs de rij bij de gate vol rood-wit-blauw gestreepte nylontassen waarvan de ritsen op springen staan, 'pizzapannen' en friteuses. Je kunt het zo gek niet bedenken of mensen hebben het bij zich.

Eenmaal in het vliegtuig probeert een oudere man aan de overkant van het gangpad een doos met dertig eieren in de overvolle bagageruimte boven zijn hoofd te stallen. Met moeite krijgt hij de klep dicht. Meteen daarna druipt er door de kieren eigeel op zijn hoofd. Kwaad staat hij op, waarna zijn vrouw, gestoken in een lange bloemetjesrok zoals mijn moeder die draagt bij het schoonmaken, uit de handbagage een T-shirt haalt waarmee ze koortsachtig de stoel en de bagageruimte begint schoon te maken. Achter hen ontstaat een file van ongeduldig vloekende mensen. Een stewardess komt zich ermee bemoeien. 'Hebben we in Turkije geen eieren?' vraagt ze cynisch. De situatie heeft iets grappigs, maar ik schaam me tegelijkertijd. De steen in mijn maag blijft. Misschien is het het vooroorlogse toestel dat me angst aanjaagt, het door sigarettenrook verkleurde boompjesbehang en het vieze donkerbruine tapijt.

Het vliegtuig maakt vaart en drukt ons in de stoelen alsof we de steile weg naar Ankara beklimmen in vaders truck. De vliegtuigwielen komen los van de grond. Mijn onderbuik roert zich. Even ben ik gewichtloos zoals voor een orgasme. 'Bismillah,' hoor ik mensen roepen. Sommigen grijpen de hoofdsteun van de stoel voor hen vast. Ik vind het raar dat ze dit gevoel blijkbaar niet prettig vinden; ik hoop dat het de hele vlucht duurt, maar helaas is het al snel over. Eenmaal in de lucht rammelt het vliegtuig aan alle kanten. De steen in mijn maag wordt groter. Kinderen schreeuwen, baby's huilen. Moeders verschonen luiers op de stoelen. Vaders staan in de weg. Als de wielen drie uur later de grond weer raken wordt er luid geapplaudisseerd. Opgelucht klap ik mee. Veel passagiers staan alvast op, ondanks de waarschuwingen van de stewardess dat ze moeten blijven zitten tot het vliegtuig helemaal stilstaat. Ze dringen in het smalle gangpad. Het is net een dorpsbus.

Was het in Tilburg aangenaam voorjaarsweer, in Mersin lijkt het een tropische zomer. Het favoriete bezoek is weer Gül. Ik ben blij dat ik de zorg voor haar aan mijn moeder kan overdragen. In het begin huilt ze een beetje als ze bij mijn ouders op schoot zit, maar al snel laat ze zich verleiden met snoep en chocolade, die speciaal voor haar in huis zijn gehaald.

In de slaapkamer van mijn ouders pakken mijn moeder en ik samen mijn koffers uit en halen de cadeautjes tevoorschijn. Het snoep, de chocoladepasta, satésaus, kipkruiden, mayonaise, curry, graskaas en oude kaas gaan naar de keuken. De kaas is gesmolten, maar heeft gelukkig niet gelekt. Gewikkeld in onze kleren zitten nog vier potten Nescafé voor mijn ouders en ooms.

Mijn moeder merkt op dat mijn rokken steeds verder krimpen. Dan valt haar oog op mijn string. Ze houdt hem eerst verkeerd vast en begrijpt niet hoe ik met een touwtje tussen mijn billen kan lopen. Vanzelfsprekend vindt ze het onfatsoenlijk. Toch laat ze me het aantrekken, omdat ze wil zien hoe zo'n ding zit, maar daarna geeft ze me een corrigerende tik op mijn blote kont. Moge Allah me behoeden, als ik zou vallen met een rok aan zou ik met mijn billen bloot op straat liggen.

Ik gier van het lachen. 'Ma, zullen we er ook eentje voor jou kopen? Pa zal het geweldig vinden!'

Terwijl Kaan en mijn vader op het balkon zitten te praten, help ik moeder met het vouwen van de was. Ik pak een onderhemd en vouw het tot een perfect pakje, precies zoals ze het graag ziet. Ze vraagt hoe het met me gaat en wat ik heb meegemaakt. Ik zeg dat er eigenlijk niet veel te vertellen valt. Dat alles goed met me is. Dat ik gestopt ben met werken, zogenaamd omdat het te zwaar was, doet haar deugd. Hoelang ik nog door wil gaan met school? Het liefst zou ik een beroep leren, maar ik weet niet of het haalbaar is.

'Genoeg is genoeg, je bent een getrouwde vrouw.'

'Alsof ik mocht studeren toen ik nog niet getrouwd was!'

'Gebeurd is gebeurd,' zegt ze en wordt boos. Als ze kaynanam was, had ze wel raad met me geweten. Ze had me allang teruggestuurd naar mijn ouders met mijn korte rokken en mouwloze shirts. Ze zegt dat ik bof met zo'n schoonmoeder. 'Je bent hartstikke goed terechtgekomen!'

Moeder zegt gewend te zijn geraakt aan de afwezigheid van Bahar, maar mijn ogen zoeken haar overal in huis. Het lijkt alsof ze elk moment de keuken binnen kan lopen. Steeds als ik besef dat ze er echt niet is, voel ik een pijnlijke leegte.

Ik heb haar het afgelopen jaar gemist, maar ben haar niet gaan opzoeken in Berlijn. Kaynanam vond dat Bahar eerst naar mij moest komen omdat ze jonger is. Dat ze mijn hand moest kussen om de weg vrij te maken voor volgende bezoeken. Mijn tante, haar schoonmoeder, vond dat ik als grote zus het eerste bezoek moest brengen. Terwijl die twee dinosaurussen over onze hoofden betwistten wie er gelijk had, moesten Bahar en ik het doen met moeizame telefoontjes.

'Hoe gaat het met jou?'

'Goed. En met jou?'

'Ook goed.'

Onze band, die de laatste jaren pas hecht was geworden, is niet bestand gebleken tegen tijd en afstand. Aan de telefoon wil ik haar niet vermoeien met onplezierige zaken. Het gaat altijd goed met mij. Ik houd het altijd kort, met de hoge telefoonkosten als excuus. De angst dat ze zal vertellen dat het leven in Duitsland bij haar schoonfamilie tegenvalt, houdt me in een wurggreep. Ik zou haar willen steunen, zeker tijdens het zware eerste jaar, maar weet niet wat ik moet zeggen. Wat kan ik doen als haar leven in Berlijn net zo weinig rooskleurig heeft uitgepakt als het mijne in Tilburg? Helemaal niets. Welke wijze raad kan ik haar geven? Ik ben niet eens in staat gebleken mezelf te helpen.

Alsof ze aanvoelt hoe krampachtig ik de hoorn vasthoud, vertelt ze elke keer hetzelfde enthousiaste verhaal. Dat ze soms vergeet dat ze in Duitsland is omdat het in Kreuzberg krioelt van de Turken. Dat haar schoonouders en haar man schatten zijn en dat ze alles heeft wat haar hartje begeert. Als ik heb opgehangen veeg ik opgelucht mijn bezwete handen af aan mijn broek.

Tot mijn grote verbazing stribbelt moeder niet tegen als Kaan me wil meenemen naar de disco. Ze zegt alleen dat ik geen alcohol moet drinken omdat de eigenaar van de disco een bekende van mijn vader is. Vorig jaar zou ik gezegd hebben dat ik dat zelf bepaal, nu volsta ik met een knikje. Ik geef Gül een kusje in de kinderkamer, waar Didem haar een verhaaltje vertelt. Papa geeft ons zijn auto en huissleutels mee. Geen woord over mijn kleren.

Uit de bonkende boxen klinken zangers die ik niet ken. Ik loop vreselijk achter, maar na een paar glazen bacardi-cola is het geen probleem om net zo hard te swingen als de rest.

Moe maar voldaan slenteren we over de boulevard. Op het verlichte terras van een restaurant aan het strand zitten twee mannen raki te drinken. Ze kijken misprijzend naar mijn blote benen en diepe decolleté. Ik twijfel als Kaan voorstelt om hier nog wat te drinken.

'Kom op, ik heb er schijt aan,' bemoedigt Kaan me luid in het Nederlands.

Hier in Turkije voelt hij zich een held. Niemand kent hem en hij komt uit Holland, het middelpunt van de beschaving. In Tilburg zou hij nooit zo veel durven.

De ober brengt ons naar een tafel ver weg van de mannen. Als Kaan raki drinkt, moet er eten op tafel komen. Hij bestelt een kebab en *cacik*,* *humus*,** hersensalade, fetakaas, watermeloen en druiven. Mijn sigaretten zijn op. De ober, die raki blijft inschenken, geeft me er een paar.

Wat mij betreft blijven we hier eeuwig zitten. De raki en de volksmuziek die uit de speakers klinkt, lijken ons op te tillen en onze harten in brand te zetten. Wat ik vroeger achterlijke muziek van dorpelingen vond, heb ik langzamerhand leren waarderen. Alleen al het horen van de in Turkije wereldberoemde sazspeler Neset Ertas, afkomstig uit een dorp vlak bij dat van mijn vader, is genoeg om me tot tranen toe te roeren. Terwijl we hier zitten hebben Kaan en ik medelijden met de Nederlanders die dit nooit zullen kennen. Zachtjes zingen we de woorden van de *turku**** mee.

Hij doet een poging om het te vertalen: lokken die op het gezicht vallen, wenkbrauwen die zo mooi bij de ogen passen dat het hart het niet meer verdraagt.**** We komen tot de conclusie dat het niet mogelijk is.

Het sublieme van de tekst verdwijnt in het Nederlands; opeens klinkt oprecht liefdesverdriet opgeblazen, zelfs banaal. Terwijl hij in het Turks precies verwoordt wat jij wilt zeggen maar niet kunt, en je meevoert naar hogere sferen, zodat je dronken wordt zonder te drinken. Ontroerd en verliefd knijpen we in elkaars handen.

We proosten op Neset, dat hij bestaat. Samen worden we een beetje droevig. Ik huil zachtjes. Dat hij me zo ongelukkig heeft gemaakt. Tegelijkertijd ben ik nog nooit zo gelukkig met hem geweest als op dit moment.

'Ik houd van je,' fluistert Kaan.

Het is half vijf en de ober en de kok willen naar huis.

* Frisse komkommersalade.
** Kikkererwtenmoes.
*** *Zülüf dökülmüş yüze aman Kaşlar yakişmiş göze aman, aman Usandim bu canimdan aman, aman Derdinle geze geze.*
**** volksmuziek.

'Loont het dat jullie zo lang openblijven?' vraagt Kaan.

'Soms wel, soms niet. Jullie zijn *Almanci*?'*

'Zoiets,' zeggen we, 'uit Hollanda.'

Hij wil er ook heen, maakt hem niet uit naar welke stad. Illegaal, tenzij er een goed meisje is met wie hij kan trouwen. Misschien weten wij iemand?

'Als je slim bent, blijf je hier,' adviseer ik hem. Kaan zegt dat het hard werken is in Europa. De ober is niet overtuigd.

'Denk je dat die Hollanders op nog een illegaal zitten te wachten?' vraag ik.

Kaan draait een shagje en biedt de ober er ook een aan. Aarzelend kijkt hij naar het pakje Brandaris en dan weer naar Kaan. 'Jullie komen uit Hollanda,' lacht hij, terwijl hij afwerende gebaren maakt. Pas als Kaan zweert dat er niets in zit behalve gewone tabak, wil de ober er een proberen. Na een trekje loopt hij rood aan en begint te hoesten. 'Lekker!' brengt hij met moeite uit.

Hij snapt niet waarom we hem niet de welvaart gunnen waarin we zelf leven. Van hard werken is hij niet vies. 'Je verdient daar in een maand waar ik hier een half jaar voor moet werken.'

Maar de uitgaven zijn veel hoger, werpen we tegen. Bovendien kun je in Turkije bij de plaatselijke kruidenier je inkopen doen en die dan aan het eind van de maand betalen. Dat kennen ze in Nederland niet. Het goedkoopste brood kost een gulden, en als je vijf cent tekortkomt krijg je het niet mee.

Eindelijk geeft hij ons gelijk, maar toch ziet hij meer toekomst in Europa dan in zijn eigen land. Naast de fooi laten we het halfvolle pakje Brandaris achter.

'Laten we naar een hotel gaan,' stelt Kaan voor. Van het woord alleen al word ik opgewonden, alsof we iets stiekems gaan doen, iets ondeugends. Hij zet de auto voor een gebouw met het woord 'hotel' erop dat eruitziet alsof het sinds de jaren zestig geen onderhoudsbeurt meer heeft gehad. Nu ze een kip hebben gevonden, willen ze die kaalplukken; ze vragen maar liefst zestig mark. Geduld om een ander hotel te zoeken hebben we niet.

'Oplichters!' roep ik als ik de versleten donkerbruine bedden-

*Turken uit Duitsland.

sprei met grote beige bloemen zie. De kamer is klein, maar heeft airconditioning. We rukken elkaar de kleren van het lijf. Na de boy abdesti halen we nog net het ontbijt, al is dat een groot woord. Een paar soorten jam, wat olijven en fetakaas. De zaal is op de bovenste etage en biedt een mooi uitzicht over de stad. In het tegenovergelegen park spelen kinderen in het zand, een moeder duwt haar dochtertje op de schommel, een opa met een lange witte baard en een gebedsmutsje, tikt met zijn wandelstok zijn stappen vooruit. Het ziet er allemaal vredig uit. Ik voel me zo licht en vrolijk als een vogeltje.

'Meneer, dank u voor de geweldige nacht.'

'Het was mij een plezier, mevrouw,' zegt hij.

Thuis is moeder des duivels. Hoe durven we weg te blijven zonder iets te laten weten. Ze was bang dat er iets met ons was gebeurd. Weten we dan niet wat er in Turkije gebeurt met Europese types zoals wij, die het geld breed laten hangen. Driftig trekt ze alle banken naar het midden van de kamer en dweilt de schone tegels eronder.

'Elke keer verzin je iets nieuws om mij gek te maken!'

Ik zeg dat het me spijt en geef haar een kus. Of ze alsjeblieft die geweldige wilde nacht niet wil verpesten. Gelukkig ontdooit ze.

'Terbiyesiz,' lacht ze, terwijl ze me op mijn billen slaat. 'Schaam je een beetje!'

Mijn vader zit op het balkon. Nadat ik een kusje op zijn kale hoofd heb gegeven, neem ik nonchalant plaats op de witte plastic tuinstoel naast hem.

'Ga iets gemakkelijks aantrekken,' zegt hij zogenaamd behulpzaam. Vroeger mocht ik me niet in een hemdje op het balkon wagen; de mensen in de flats honderd meter verderop zouden me kunnen zien. Maar Kaan heeft er geen probleem mee, en hij is nu degene die bepaalt wat ik wel en niet mag doen.

'Ik kleed me zo meteen om. Eerst even bijkomen,' zeg ik.

We praten over het verschil in levensstijl tussen Bahar en mij. Ik vraag of hij het niet raar vindt dat zijn ene dochter een hoofddoek draagt en de andere niet. Hij zegt dat de keus aan ons is.

'In de islam is dwang uit den boze. We hebben jullie geleerd wat ons geloof inhoudt, de rest is aan jullie.' Bovendien is, behalve ikzelf, Kaan nu verantwoordelijk voor mij en mijn gedrag. Papa kan niets méér doen dan als vader zijn voorkeur uitspreken. Hij geeft toe dat hij het liefst had gezien dat ook ik een hoofddoek draag.

'Het is niet eerlijk,' zeg ik, 'dat vrouwen een hoofddoek moeten dragen en mannen niet.'

Het is bedoeld, volgens hem, om ons te beschermen tegen mannen. Vrouwen kunnen zich beter beheersen en worden niet opgewonden van mannenharen.

Ik zou hem willen zeggen dat hij het mis heeft en dat ik wel degelijk opgewonden raak van mooie, glanzende mannenharen, maar dat kun je nu eenmaal niet met je vader bespreken. Ik zeg dat niet alleen het moeten dragen van een hoofddoek me dwarszit, maar ook het gegeven dat mannen hun vrouw mogen slaan.

'Kijk,' zegt hij als een docent die zijn best doet een domme student iets bij te brengen, 'een man mag zijn vrouw niet zomaar slaan. Stel dat je moeder een vriendin heeft die het slechte pad bewandelt, en ik wil niet dat ze die ziet. Als je moeder haar dan toch blijft zien, moet ik met haar van bed scheiden.'

Ik kan niet nalaten te zeggen: 'Dat is eerder een straf voor jou dan voor mama! Je hebt geen andere vrouwen naar wie je toe kunt gaan!'

Hij moet erom glimlachen. 'Het is om een vrouw duidelijk te maken dat een man best zonder vrouw kan. En als dat niet werkt, mag ik haar een tikje geven. Niet doodslaan, maar een tik op haar dijen of billen om haar trots te krenken.'

Dat vind ik onzin. 'Een vrouw mag toch zeker zelf beslissen met wie ze omgaat!'

'Juist. Een goede moslima geeft haar man dan ook geen aanleiding om haar te slaan,' zegt mijn vader. 'Heb je me ooit je moeder zien slaan?'

'Maar wie moet mannen corrigeren als ze in de fout gaan? Allah heeft alle macht aan jullie gegeven.'

Hij moet weer lachen om mijn openhartigheid. Dat geeft me moed om nog even door te gaan. 'Jullie mogen vier vrouwen huwen!'

'Dat is niet meer van deze tijd,' zegt hij. 'Het was ooit bedoeld om zwakke vrouwen in de samenleving te beschermen. In tijden van oorlog waren er veel weduwen die een veilig onderkomen nodig hadden, ze hadden een man nodig om in hun behoeftes te voorzien en te voorkomen dat ze lastiggevallen zouden worden.'

Ik vertel dat ik in Nederland, bijvoorbeeld op school, veel kritische vragen krijg over de islam, alsof ik deskundig ben. Maar ik weet er niet genoeg van om goed te kunnen antwoorden. Papa geeft me wat munitie.

Vóór de islam waren Arabieren barbaren, ze begroeven hun dochters levend. Vrouwen kregen pas dankzij profeet Mohammed erfrecht. Hun erfdeel is kleiner dan dat van hun broers, omdat die hun gezin en ouders moeten onderhouden. Wat een vrouw krijgt is alleen van haar.

Vrouwen hoeven niets in het huishouden te doen. Als ze niet willen, hoeven ze zelf geen borstvoeding aan hun kinderen te geven. Als ze het doen is het hun goedwilligheid, anders moet de man ervoor zorgen dat het gebeurt. 'Deze passage uit de Koran wordt meestal onvermeld gelaten,' knipoogt papa.

'Voordat Mohammed – "Vrede zij met hem" – profeet was, was hij al beroemd om zijn eerlijkheid en werd hij "de betrouwbare" genoemd. Hij was vredelievend en voerde alleen oorlog als de moslims aangevallen werden. De islam heeft hij verspreid door de dochters van stamhoofden te huwen. Zo wist hij te bereiken dat hele gemeenschappen zich bekeerden.'

'Hoe zit het met zijn jongste vrouw?' vraag ik.

Het zijn altijd dezelfde vragen waarmee de zionisten de islam onderuit proberen te halen, zegt mijn vader. In die tijd was het heel gebruikelijk dat meisjes rond hun achtste of negende trouwden. In warme landen worden meisjes vroeg rijp. Maar ze zijn niet meteen getrouwd. Een jaar of vier, vijf was Mohammed elders. Toen ze trouwden was ze waarschijnlijk veertien. In sommige geschiedenisboeken staat zelfs dat ze zeventien was.

'En hij boven de vijftig?' vraag ik vol afschuw.

'Dat was toen normaal.'

'Helaas wordt zijn voorbeeld nog steeds gevolgd,' zeg ik bozig.

'Niemand keek ervan op toen ik zo jong ging trouwen.'

'Jij wou zelf.'

'Omdat ik vrij wilde zijn en dacht dat trouwen op je vijftiende normaal was!'

'Als Mohammed nu zou leven en met je zusje zou willen trouwen, zou ik toestemming geven.'

'Ze is pas vijf!' roep ik.

'Een betere man dan profeet Mohammed is er op deze wereld niet en zal er ook niet komen!'

Geschokt kijk ik hem aan. Ik geloof mijn oren niet. Nooit geweten dat mijn vader, die ik altijd geadoreerd heb, er zulke bizarre redeneringen op na hield. Dat kon ook niet, want tot nu toe ging ik er altijd van uit dat hij in alles gelijk had. Het kwam nooit in mijn hoofd op aan zijn woorden te twijfelen. Ik gooi mijn zus liever van het balkon te pletter dan dat ik toesta dat ze op haar vijfde met een bejaarde trouwt, ook al is hij profeet.

Met de auto van mijn vader vertrekken we naar Antalya, voor onze 'inhaalhuwelijksreis'. Het is de eerste keer dat Kaan en ik langer dan een dag alleen zullen zijn. Kaan twijfelt nog of we Gül toch moeten meenemen. Ik hak de knoop door: 'We gaan eindelijk op huwelijksreis, wat heeft zij daarbij te zoeken?' Mijn moeder is dolgelukkig dat we Gül bij haar achterlaten.

De weg naar Antalya slingert ruim vijfhonderd kilometer door het Taurusgebergte en langs de stranden van de Middellandse Zee. Het is nog geen zomer; toch loopt de temperatuur al op tot dertig graden. Gelukkig heeft mijn vaders auto airco. Als we uit de koele auto stappen om iets te eten, merken we hoe verschrikkelijk warm het is. In de tuinen langs de weg zitten vrouwen broodjes te bakken. In een groene tuin vol mandarijnenbomen bestelt Kaan bij de oma des huizes een broodje geitenkaas en ik neem er een met sesampasta en suiker. Ik kan wel dansen van geluk, wat heb ik dit lang niet gegeten! We zitten op een tapijt in de schaduw onder de wijnbladeren, dicht bij de oude vrouw, die haar deeg op een lage tafel uitrolt met een lange rechte stok alsof het niets is. Met een konijnenpoot sprenkelt ze er olie op.

'Mijn oma had ook zo'n konijnenpoot!' roep ik, blij als een kind. Kaan vindt het maar zielig; toen hij klein was, hadden Jasmijn en hij een konijn als huisdier. De vrouw legt onze broodjes op de bakplaat, roert met een stok in het vuur eronder en gooit er nog een paar takken in.

'Is het niet warm?' vraag ik haar.

'Nee,' zegt ze, 'we zijn het gewend.' Haar vijf kinderen hebben gestudeerd en zijn in de stad blijven hangen, maar zij en haar man zijn gelukkig hier in de bergen en willen nergens anders wonen. 'Godzijdank zijn we gezond en hebben we te eten. Wat wil je nog meer?'

We blijven veel langer dan we dachten, drinken nog een paar kopjes thee die ze ons gastvrij aanbiedt. Het wisselgeld laten we zitten.

Overdrijven is ook een kunst. Antalya lijkt in niets op het paradijs dat Naciye geschetst heeft. Het is niet meer dan een stad. Volgebouwd.

In de oude buurt rond de haven staan een paar authentieke houten huizen waarvan de enige bewoners muizen en spinnen zijn. Ik sta stil voor een ervan. Door en door verrotte kozijnen, een afgebrokkelde gevel en gaten waar ooit dakpannen zaten. Door de gebroken ramen zie je hoe mooi het huis is geweest, met een hoog plafond en allerlei houtsnijwerk. Nu is het een wonder dat het nog overeind staat. 'In Nederland stond het allang op de monumentenlijst,' zeg ik nuffig.

Langs de winkels en restaurants struinen we naar beneden naar de kade, waar we ons bereidwillig laten inpalmen door de verkooppraatjes van een uiterst bekwame ober. Het terras doet me aan mijn kinderjaren denken. Er staat een met rode anjers beschilderde houten kar, zoals ik die vroeger in de straten van Ankara heb gezien. De vloerkussens herken ik van het balkon van mijn oma. Ze zijn inmiddels antiek en erg kostbaar geworden. Ook de lage, ronde vurenhouten tafels lijken zo uit het huis van mijn oma te komen. Op zo'n tafel rolde ze altijd het deeg voor de broodjes die ze bakte. Na gebruik hing ze de tafel aan de muur in de schuur. Hier is het een decoratief accessoire dat de toeristen een gevoel van authenticiteit moet geven. Mijn jeugd als een attractie.

De kebab die we besteld hebben wordt gebracht in twee zwanen van aluminiumfolie, die de ober op tafel tegen elkaar aan zet zodat de snavels elkaar raken en de halzen een hart vormen. Ik ben dol op harten en vind het prachtig.

Op de kade van Antalya lopen meer toeristen dan Turken. Mooie meisjes in minirokjes en bikinitopjes zijn een lust voor ieders oog. Ikzelf val niet eens op in mijn zwarte jurk met spaghettibandjes. Kaan valt uit de toon met zijn lange broek. Winkeltjes drijven een lucratieve handel in nepmerkkleding, asbakken, vaasjes en blauwglazen oogjes die het kwaad moeten weren. Voor een Magnum vragen ze twee keer zoveel als in Mersin. Oplichters!

Obers spreken elke voorbijganger aan in een andere taal. 'Holland? Kom binnen, kom binnen. Lekker eten!'

'Hoe weten ze dat nou?' vraagt een blond meisje vóór ons aan haar vriendin, die met haar tijgerprintrokje, mollige bruine benen en opzichtige gouden sieraden op een Broekhovense zigeunerin lijkt.

'Ze ruiken dat jullie uit Nederland komen. Verbazingwekkend is het,' zegt Kaan lachend.

Ze blijken uit Apeldoorn te komen en zijn voor het eerst in Turkije. Ze dachten dat hier veel 'hoofddoeken' zouden rondlopen en dat mannen hen continu zouden lastigvallen. Daarom hadden ze iets kuisere zomerkleding meegenomen dan anders. Die kunnen ze de volgende keer wel thuislaten.

Ik geloof mijn ogen en oren niet. Als dit kuis is!

Het bevalt hun prima in Antalya. Het is hier zo goedkoop, vinden ze, maar ze worden wel een beetje moe van de verkopers die hun van alles proberen aan te smeren. Kaan zegt dat ze altijd moeten afdingen als ze kleren of sieraden kopen.

'Je lijkt op een Marokkaan,' merkt de vrouw in het tijgerrokje op.

Hij zegt dat hij een Turk is, maar dat ook Marokkanen soms denken dat hij een van hen is.

'Voor ons zijn jullie allemaal hetzelfde,' vindt haar vriendin.

Ik zeg dat ik Chinezen, Vietnamezen en Japanners ook niet kan onderscheiden.

Waar wij vandaan komen, willen ze weten.

'Tilburg,' roep ik enthousiast.

Ze lachen. Ze dachten al een licht Brabants accent te horen in mijn uitgerekte 'echt niet!'.

Ze moeten weg. Ze hebben vrienden gemaakt, heel leuke, aardige kerels.

'Ik zou maar oppassen,' waarschuw ik, 'ze weten niet altijd dat "nee" ook echt "nee" betekent en meestal willen ze veel te graag naar Europa.'

Nee, deze kerels zijn beleefd en charmant. Wel willen ze hen graag komen opzoeken in Nederland. 'Maar we zijn niet gek,' schatert ze, haar tijgerprint strelend, 'we komen hen wel bezoeken, nietwaar?'

Ik denk aan Naciye. Wij zouden nooit samen op vakantie kunnen gaan.

Alle hotels zijn volgeboekt of onbetaalbaar. In het centrum vinden we in een pension een kleine, armoedige kamer voor veel te veel geld. Na drie dagen zijn we het zat om tussen de luxehotels en dure restaurants rond te lopen en niets te kunnen betalen. We besluiten terug te rijden naar Mersin en te kijken of we onderweg een leuk plekje tegenkomen.

We stoppen bij een kiezelstrandje waar je via een bergweggetje vol kuilen en stenen komt, en waar behalve een strandtent annex hotel niets te zien is. Ik stoor me aan de achteloos weggeworpen watermeloenschillen, een zomaar achtergelaten luier die drie keer zijn gewicht aan zeewater heeft opgezogen, en een zwart plastic tasje dat in de branding ligt te rollen.

'Wat een vies volk zijn we,' zeg ik terwijl we naar een schoon plekje zoeken. 'Hoezo moslims? Die horen toch schoon te zijn! Als dit Nederland was stonden er overal vuilnisbakken, die elke dag geleegd zouden worden ook.'

Kaan zegt dat de Nederlandse overheid zeker al die kiezelstenen hier had opgeruimd, er een winstgevend recreatiegebied van had gemaakt en de kiezelstenen had doorverkocht aan de bouw.

'Vallaha, ze zijn slim,' beaam ik. 'Het gezegde "je brood uit steen halen" is meer op hen van toepassing dan op ons. En dan de weg hier naartoe... Dat is toch vreselijk. In Nederland is elke vierkante meter weg geasfalteerd.'

'Nederland is klein,' merkt Kaan op.

'Ja, maar als politici hier minder zouden frauderen en meer toezicht zouden houden...'

'Dan zou ik remigreren,' valt Kaan me in de rede. Daarna trappen we alle open deuren in. Dat je in Turkije geen sociale voorzieningen hebt. Dat je van een aalmoes moet leven als je je baan verliest. Dat je voor een simpel document een dag in de rij moet staan, omdat de ambtenaren zitten te breien of hun nagels te vijlen. Dat je de pineut bent als je geen privéziekenhuis kunt betalen en niemand van het personeel kent.

We lopen zwijgend hand in hand door de branding, de wind blaast mijn haren alle kanten op. Ik voel me zo gelukkig dat het me verwart. Tegelijkertijd bekruipt me een bezorgd gevoel. We gaan alweer bijna terug naar Holland en naar mijn schoonouders.

'Als je je niet gedraagt, laat ik je hier achter zonder paspoort.' Kaan lacht erbij alsof het een heel leuke grap is.

'Vieze, vuile eşşoğlueşşek!' roep ik en loop kwaad weg. Binnen een paar seconden heeft hij me ingehaald. Met zijn hand grijpt hij mijn arm vast en dwingt me te stoppen. 'Het was maar een grap. Vallaha.' Ik heb ook geen gevoel voor humor, zegt hij. Hij moest opeens denken aan mijn angstige reactie toen hij aankondigde dat we naar Turkije gingen. Het is een grapje, er zit niets achter.

Na een tijdje geef ik het op. De laatste zonnestralen schitteren. De zee is zo rustig als een blauw meer. Kleine golfjes spoelen over onze voeten.

'Dus ik heb geen humor?'

'Geen greintje,' antwoordt hij, 'ik heb je nog nooit een grap horen maken.' Ik had er nooit over nagedacht, maar uit angst voor misverstanden durf ik inderdaad nooit een grapje te maken.

'Probeer mij eens achter te laten. Ik kom je gewoon achterna.'

'Ze laten je niet binnen,' voorspelt hij.

'Ik vraag een nieuw paspoort aan en bij het Nederlandse consulaat leg ik uit dat ik al bijna drie jaar daar woon, dat Gül daar is geboren en dat ik terug naar school moet. Ik kan redelijk Nederlands, weet je nog?'

'Shit!' lacht hij.

'*I'll be back!*' doe ik een poging tot een grap. Maar het klinkt voor geen meter. 'Weet u mijnheer, het enige nadeel van Nederland is dat er te veel bekrompen Turken wonen, uw ouders voorop.'

Hij pakt me vast en sleurt me de zee in. 'Jij wou toch een beetje humor?'

'Kaan, mijn kleren! Kaan, mijn kleren!'

Hij laat me in het water zakken. Ik gooi handenvol water naar hem, maar hij is allang gevlogen. Doorweekt waad ik naar de kant. Als hij terug is, omhels ik hem nat.

'Van mij komt u niet af, maar hoe raken we uw moeder kwijt?'

'Zonder humor ben je leuker,' besluit hij.

'Jij vroeg erom,' ruzie ik. Hij stelt voor om even te genieten van onze moederloosheid. Even helemaal geen moeders. Heerlijk.

Er is geen kip te zien maar voor de zekerheid houdt hij een handdoek voor me als ik mijn badpak aantrek. Het water glinstert in de avondzon. 'Dit is zo mooi!' roep ik.

'We kunnen hier een hotel voor Nederlanders beginnen,' plaagt hij.

Na het zwemmen en douchen bestellen we een biertje op het hoge terras dat gedeeltelijk boven de zee gebouwd is. Her en der zitten gezinnen met zeurende kinderen. Wij zijn de enige gasten zonder kroost.

'Dit is het voordeel van je kind thuislaten,' zeg ik met gedempte stem in het Nederlands. 'Dat afval op het strand is zeker van hen!'

Maar het uitzicht is mooi en het bier hakt er stevig in op onze lege magen. We besluiten te blijven. Bij zonsondergang drinken we raki en eten we vis. Als geluk tastbaar zou zijn, zou ik het nu moeten kunnen aanraken. En ik zou het in een luchtdicht zakje meenemen voor minder leuke tijden.

'Ik houd zoveel van jou,' zucht hij. 'Soms maak je me radeloos, maar ik wil je nooit kwijt.' Ik bijt op mijn lippen, sper mijn ogen open, wrijf over mijn slapen. Tevergeefs.

'Huil nou niet,' troost hij.

Hij slaat zijn halfvolle glas raki achterover alsof hij zich moed wil indrinken en staart naar de ondergaande zon. 'Vroeger thuis was ik een buitenbeentje.'

Ik snap niet waar hij naartoe wil, maar als hij zijn glas opnieuw

227

vult en naar mij kijkt, probeer ik zo neutraal mogelijk terug te kijken. Ik weet dat hij niet verdergaat als ik al te veel medeleven toon. Anders dan ik is hij zo gesloten als kool; over gevoelens praat hij niet graag, en al helemaal niet over verdriet. Een enkele keer, zoals nu, mag er een blaadje vanaf. Ik neem een flinke slok en wrijf over zijn hand.

'Zondags paste ik niet in het bed van mijn ouders, en als we met anderen ergens heen moesten had iedereen een plaatsje in de auto, behalve ik.' Ik glimlach en hij grijnst onbeholpen. 'Ilker had altijd problemen op school of met de politie. Jasmijn had een bevoorrechte positie. Mama was aan het werk en papa was druk met zuipen en gokken. Ze hadden geen tijd om zich ook nog met mij bezig te houden.'

Ik wou dat ik hem kon troosten. Hem een nieuwe jeugd bezorgen. Maar zulke wonden laten zich niet helen door anderen. 'Ik houd van jou,' zeg ik, zijn vingers in mijn vingers gehaakt.

'Weet ik. Alleen bij jou heb ik het gevoel dat ik echt geliefd ben, maar je maakt het me vaak zo verdomd moeilijk. Ik ga weg, denk ik soms. Laat ze het maar zelf uitzoeken. Gewoon verdwijnen en nooit meer iets van me laten horen.'

'Ik vind je! Ik zweer het je, en ik wurg je!' Hij moet erom lachen. Ik niet. 'Laten we samen verdwijnen,' probeer ik.

'Dat kan ik niet maken. Ze zijn mijn ouders. Maar wat ik erg vind is dat ze me niet waarderen. Als ik weg zou zijn, zouden ze alleen mijn salaris missen.' Ik denk dat hij best wel eens gelijk zou kunnen hebben. Ik zucht diep, maar het lucht niet op. Ik leef met hem mee, maar ik vind hem ook een slappeling die het niet aandurft om een eigen leven voor zijn gezin op te eisen. Om dat niet te zeggen bijt ik zachtjes op mijn lippen.

Hoe het verder moet met ons weet hij niet, maar hij belooft met heel zijn hart dat alles goed komt en alles anders wordt straks thuis in Holland. Hij vraagt van mij alleen een beetje geduld en vertrouwen in hem. Ik zou hem willen geloven, maar ik ken zijn moeder en de Turkse cultuur. Aan die klauwen is niet makkelijk te ontsnappen.

Hij drinkt zijn glas leeg en vraagt: 'Zullen we?'

De kleine, sobere kamer met witte muren is bepaald geen

bruidssuite, maar we doen het ermee. Een oude ventilator blaast ons zachtjes koelte toe als we dicht tegen elkaar aan heen en weer schommelen bij wijze van dansen.

Ver weg van de hordes toeristen en luxe horeca in Antalya genieten we een week lang met volle teugen van elkaar. Alleen het vooruitzicht terug naar huis te moeten werpt af en toe een donkere wolk over mijn geluk.

Het leven is...

Terug van vakantie heb ik kaynanam nadrukkelijk de hartelijke groeten van mijn ouders overgebracht. Met als onderliggende geheime boodschap dat ik ze niets heb verteld over mijn zelfmoordpoging. Sindsdien lijkt het alsof ik in haar aanzien ben gestegen. Als ik het had verteld, had dat onherstelbare schade kunnen toebrengen aan de familiebanden tussen mijn familie en de hare. Om niet te spreken van het gezichtsverlies dat ze zal lijden als blijkt dat ze niet zo goed voor haar schoondochter zorgt als ze altijd heeft doen voorkomen. Ze laat me meer met rust nu, en heeft niet zoals vroeger kritiek op alles wat ik doe. Ik op mijn beurt vind het niet nodig al mijn ongenoegens te uiten. Het is best aangenaam zo; het bevalt me beter dan ik had gedacht. Ik heb me voor niets zorgen gemaakt, denk ik.

In de vakantie is ons huwelijk nieuw leven ingeblazen. Onze nachtkus gaat weer regelmatig over in een tongzoen. Mijn sexy ondergoed bewijst goede diensten.

'Wacht even, wacht! Dan kleed ik me aan,' roep ik als we naar bed gaan. Uit de rommelige sokkenlade vis ik mijn bustier en mijn string. Kaan doet keurig zijn handen voor zijn ogen terwijl ik mijn borsten in het krappe ding prop.

We grinniken als kleuters die straks een stout spelletje gaan spelen.

Ik zit in de keuken op zijn schoot terwijl de melk op het vuur staat. Straks ga ik naar school, voor het eerst na mijn zelfmoordpoging en de vakantie. Tussen het zoenen door spelen we een Turkse filmklassieker na vol bedekte verwijzingen naar de afgelopen wilde nacht. Pas als de melk overkookt spring ik op. 'Kut!'

'Ja, lekker!' roept hij. Tijdens zijn ontbijt schuift hij me vijf gulden toe. 'Voor een week koffie op school, dat had ik toch beloofd?' Ik zou hem onder mijn borstkast willen stoppen, zo lief heb ik hem.

Met een hoofddoek losjes over haar haren en Gül op haar arm komt kaynanam de trap af. Ze zet Gül op het aanrecht: het is tijd voor hun ochtendritueel. Terwijl Gül opgewonden met haar benen bengelt en 'mmmmm' zegt, smeert kaynanam vier boterhammen met chocoladepasta, scheurt ze in stukjes en legt ze in een kom warme melk. Ik trek een vies gezicht. Daarna lopen ze naar de woonkamer met het kommetje en een doekje voor de druipende melk. Kijkend naar *Tom & Jerry* eten ze alles op. Het is een gemoedelijk tafereel. Met haar mond en wangen onder de chocoladepasta glimlacht Gül tevreden. Ik geef haar een kusje op haar voorhoofd en vertrek naar school.

Ik ben veel te vroeg, alsof het mijn eerste dag is. Behalve mij is alleen de kantinejuffrouw er.

'Ha,' zegt ze, 'dat is een tijdje geleden.'

'Ja, klopt.' Ik weet niet wat ik verder moet zeggen en zoek met mijn koffie mijn vaste plek bij het raam op. Na bijna twee jaar zit ik nog steeds het liefst hier, naar buiten te kijken en op Naciye te wachten die altijd later binnenkomt dan ik.

Een paar klasgenoten willen weten waar ik was al die tijd. Ik zeg dat ik ziek ben geweest. Gelukkig vragen ze niet verder. We zitten in de klas vriendschappelijk naast elkaar, maar echt geïnteresseerd in elkaars leven zijn we niet. We leven op onze eilandjes. Ik zit altijd met Naciye en vaak ook met andere Turkse vrouwen. Een knappe Marokkaanse schuift een enkele keer bij ons aan, maar mijn Chinese en Afrikaanse klasgenoten nooit. Eén ding hebben we allemaal gemeen, onze tongbrekende namen.

Naciyes mond valt open van verbazing als ze me ziet. Een seconde of twee gunt ze mij en mijn klasgenoten een blik op haar geïrriteerde tandvlees, dan rent ze op me af om me drie dikke zoenen en een knuffel te geven, alsof ze me jaren heeft moeten missen. Ik heb haar waarschijnlijk meer gemist dan zij mij (ze heeft tenslotte vriendinnen zat), maar doe niet mee aan haar innige omhelzing. Haar loslippigheid over mijn geheimen thuis had me bijna het leven gekost. Maar dat ga ik haar niet aan de neus hangen.

'Ga zitten!' beveel ik, 'ik ga je vermoorden!' Gehoorzaam neemt ze op de stoel naast me plaats, maar erg onder de indruk van mijn bedreiging lijkt ze niet. 'Vallaha, ik wist niet dat die krengen het zouden doorlullen.' Ik zeg dat zij het grootste kreng van Tilburg is omdat ze haar mond niet heeft gehouden, en dat zij schuldig is aan al de verwijten die ik daarna van mijn schoonmoeder naar mijn hoofd geslingerd heb gekregen. Dat ik er uiteindelijk beter van ben geworden hoeft ze niet te weten. Als ze een benauwd gezicht trekt en om genade smeekt, houd ik op. Ik kan nooit lang boos op haar blijven. Misschien omdat ik zo goed met haar kan lachen, of misschien omdat ik tegen haar opkijk.

Ik haal mijn pakje Camel uit mijn tas. Allebei opgelucht dat onze vriendschap dit heeft overleefd, lopen we de tuin in om te roken en te kletsen. Ze kan het niet laten naar alle details van onze huwelijksreis te informeren. 'En ik maar denken dat ze je hadden verbannen naar je ouders!' Ze is verbijsterd dat ik Antalya vond tegenvallen. Zijn we dan niet in club zus en zo geweest en in het amfitheater? 'Schaam je! Mensen komen van over de hele wereld om dat te bezichtigen!'

'Kaan vond de entree te hoog,' beken ik beschaamd.

'Stomkop! Weet je dan niet dat er bij alle bezienswaardigheden twee tarieven zijn: een voor Turken en een voor toeristen.' Ze laat me beloven dat we de volgende keer als we in Turkije zijn bij haar en haar man op bezoek komen en dat we dan met zijn vieren op stap gaan.

Zoals altijd komen we als laatste het lokaal binnen. Tegen Esther verklaar ik dat ik een zware keelontsteking had en heel vaak hoofdpijn. Bezorgd vertelt ze over een homeopaat bij wie ze is geweest en die haar genezen heeft van haar hoofdpijnen. Ze noemt woorden als balans en immuunsysteem. Ik snap er geen bal van en heb spijt dat ik niet gewoon heb gezegd dat ik een zelfmoordpoging achter de rug heb. Daar kan ik tenminste over meepraten.

Omdat ik keihard moet werken voor de citotoetsen en het examen Nederlands als Tweede Taal niveau 1, geeft Esther me extra huiswerk voor de lessen die ik heb gemist. Als ik het examen haal kan ik een beroepsopleiding gaan volgen. Misschien kan ik dan administratief werk gaan doen, hoewel ik niet weet of ik ooit de telefoon zal durven aannemen in het Nederlands... Ik kan me nu wel verstaanbaar maken, maar vaak met behulp van handen en voeten. Meestal vinden mensen het schattig, en doen ze extra hun best om me te volgen. Maar aan de telefoon is het irritant, een allochtoon die niet fatsoenlijk kan praten.

Na twee maanden hard werken is het examen, en de moed zakt me in de schoenen als ik de vragen zie. Dat haal ik nooit! Toch ligt twee weken later mijn NT2 niveau 1-diploma bij de post. Ik sta in de hal te springen en te schreeuwen van verbazing en vreugde. Kaynanam komt vragen of ik gek geworden ben. Ik zwaai met mijn diploma.

'Kijk,' zeg ik, 'ik heb het toch gehaald!' Ze bekent dat ze nooit heeft gedacht dat het me zou lukken, dat ik het zo ver zou schoppen. Ze feliciteert me hartelijk en oprecht.

Kaan heeft niet meer genoeg vakantiedagen voor een lange vakantie in Turkije, dus blijven we deze zomer thuis. Ik ga rijlessen nemen en we besluiten het huis een beetje op te knappen. Een investering voor de toekomst, gezien het feit dat Kaan als jongste bij zijn ouders moet blijven wonen om voor hen te zorgen en als dank later het huis zal erven. Mijn schoonouders zijn er blij mee. Ik kan niet wachten om de lelijke lampen in de woonkamer bij het grofvuil te gooien. We moeten er wel een lening voor aangaan: 25.000 gulden. Het kan me niets schelen, mits we het geld alleen voor het huis gebruiken. Natuurlijk, verzekert Kaan me.

Al voordat we het geld hebben, scoren mijn schoonouders bij een of andere keukendumpzaak 'de perfecte keuken'. Met ouderwetse eikenhouten deurtjes. Ik zou hem niet gekozen hebben, maar de lieve vrede is me meer waard.

Het heeft wel wat om thuis te komen met vijfentwintig groene biljetten in een Rabobank-enveloppe. 'Hier,' zegt hij en gooit ze keer op keer in de lucht.

'We kunnen ook gaan winkelen, Kaan! Of nog beter, naar de Bahama's!' We rapen de briefjes braaf op en stoppen ze terug in de enveloppe.

Ik vind het heerlijk dat we deze zomer met zijn drietjes zijn. Geen schoonouders, geen bezoek. Eén keer in de week heb ik rijles. De eerste paar keren vind ik het eng, maar algauw heb ik er plezier in. Als dat zo doorgaat heb ik nog dit jaar mijn rijbewijs, heeft de rijinstructeur gezegd. 's Avonds hangen Kaan en ik moe maar voldaan van het klussen op de bank. De afwas laat ik staan tot de volgende ochtend. We frunniken aan elkaar waar en wanneer we maar willen. Ik klaag nergens meer over, Gül niet meegeteld. Anders dan ik geniet Kaan van zijn vaderschap, nu zijn ouders weg zijn en hij zich openlijk met zijn kind mag bemoeien. Hij laat haar eindeloos op zijn voeten schommelen, helpt haar met eten en veegt zelfs haar billen schoon als ze van de wc roept dat ze klaar is. Dat had ik in het begin ongepast gevonden; mijn moeder zou me vragen of ik helemaal gek ben geworden.

Een van de hoogtepunten van de zomer is een uitnodiging om bij Kaans collega's te gaan eten. Maar waar moeten we Gül laten? Iedereen is in Turkije. Kunnen we het maken om de buren te vragen om op haar te passen? Ze zijn altijd erg aardig, we kletsen weleens voor de deur en ze geven Gül weleens een snoepje. Kaan denkt dat het wel kan, maar ik moet het zelf gaan vragen. Een onderdeel van zijn genadeloze programma 'je hebt niets voor niets Nederlands geleerd'.

Na veel wikken en wegen bel ik aan. De buurman doet open; ik moet buiten wachten terwijl hij zijn vrouw gaat halen. Dat vind ik raar. Ik vraag zelfs collecteurs binnen. 'Kopje koffie?' Ik moet elke keer weer lachen om hun verbaasde gezichten.

Tegen de tijd dat de buurvrouw aan de deur gekomen is, wil ik weglopen. Ik durf niet meer te vragen of Gül bij hen mag logeren, en eigenlijk ook niet of zij bij ons willen komen zitten. Maar terug kan ik ook niet meer. Over naar plan c: of ze een oogje in het zeil willen houden als Gül slaapt en wij weg zijn. Dat vindt ze onverantwoord. Er kan van alles gebeuren. Een aantal mogelijkheden somt ze op, van brand tot een dief. Wat kunnen Nederlanders overdrijven als het om kinderen gaat! Ze zwaait streng met haar vinger terwijl ze me een stoomcursus kinderverzorging geeft; ik heb spijt dat ik het hun heb gevraagd. Als ze klaar is, pak ik haar terug. 'Mag ze dan bij jullie slapen?' Ze trekt een verbaasd gezicht.

Bij nader inzien vindt ze het beter dat Gül in haar eigen bed-je slaapt. 'Wordt ze niet wakker?' wil ze weten. 'Nee, maar af en toe een kijkje nemen kan geen kwaad.' De zin rolt soepel uit mijn mond. Schijn bedriegt. Ik heb er eindeloos over zitten denken hoe ik dit het beste kon formuleren, om te bereiken dat het ongedwongen klonk, alsof het niets voorstelt wat ik van ze vraag.

Ad en Fleur wonen in het centrum van Goirle schuin tegenover een molen. Die zal voor de sier zijn, vermoed ik, want die zullen ze toch niet echt gebruiken om graan te malen? Anders hadden er ezels rondgelopen, met volle witte zakken op hun rug, zoals in kinderboeken. Kaan heeft verteld dat ze het huis een jaar geleden voor veel geld gekocht hebben, ruim 300.000 gulden. Ik zie er niets bijzonders aan, het staat keurig in een rijtje. De grond is hier duurder dan in Tilburg, verklaart Kaan. Dat snap ik echt niet. Wie wil er nu in een dorp wonen?

We mogen onze schoenen aanhouden. De jassen worden eerst aan een hangertje en daarna aan de kapstok gehangen. Ik denk aan onze vele haken in de hal. Ze krijgen niet veel bezoek, concludeer ik.

In de huiskamer staan een vuurrode leren bank en twee witte fauteuils. Zowel hun salontafel als de eettafel is van glas. De eet-tafelstoelen zijn van hetzelfde leer als de bank. In ons huis zouden zulke spullen het geen week overleven. Op de salontafel staan borrelnootjes, toastjes, kaas met schimmel waarvan Kaan fluisterend beweert dat hij echt niet over de datum is en een eiersalade die ik verrukkelijk vind. Als Ad uit de open keuken komt met de drankjes, heb ik de helft van de salade al op. Ik hoop dat Fleur me de rest van de salade meegeeft als we vertrekken.

Tijdens bezoek aan vrienden en familie staat standaard de tele-visie aan, op een Turkse zender. Gesprekken worden onderbroken om even de een of andere serie te bekijken. Kinderen mogen absoluut niet voor de beeldbuis gaan staan en de theeglazen worden bijgevuld tijdens de reclame. Hier staat de tv uit!

Ze hebben maar liefst drie katten. Voor hen hebben ze een speciale klimboom die bekleed is met tapijt. Ik pak een klein zwart katje met een witte snuit op. Hij blaast en probeert me te krabben.

'Aan vreemden zijn ze niet gewend,' zegt Fleur. Ook dat nog.
Terwijl Fleur naar de keuken loopt, staat Ad op om de tafel te dekken.

'Jij hebt mij niet één keer geholpen toen ze bij ons waren,' fluister ik tegen Kaan.

We mogen aan tafel. In zwarte diepe borden krijgen we witte groentesoep, met gebarsten balletjes van rundvlees. In een glazen ovenschaal krijgen we weer iets wits voorgeschoteld. Of ik iets oer-Hollands wilde proeven, had Fleur gevraagd. Als ik had geweten dat ze daarmee zuurkool met bananen bedoelde, had ik niet zo enthousiast geknikt. Op mijn bord krijg ik een flinke schep. De combinatie zoet met zuur is erger dan de gevulde rode paprika's van mijn schoonmoeder. Uit beleefdheid en respect voor hun eetcultuur laat ik geen draadje kool op mijn bord liggen. Als dessert is er chocoladepudding. Hun zwarte agressieve kat komt het kommetje van Fleur leeglikken. Ze pakt hem op en wrijft zijn snoet weer wit, terwijl ze hem toespreekt alsof het een kind is. Ik zit er verbaasd naar te kijken. 'Nou, dit hoeven we niet meer af te wassen,' zegt Fleur, en ze legt het kommetje in de gootsteen. Ik stroop mijn mouwen op.

'Ga zitten,' beveelt ze, 'Ad en ik wassen straks wel samen af.' Voor zover ik weet gebeurt dat alleen in televisiekomedies.

Als we naar huis gaan geeft Fleur me een briefje met het recept van de eiersalade.

De volgende ochtend gaan we meteen naar de supermarkt. Ik gooi het karretje vol lekkere dingen, de ingrediënten voor Fleurs eiersalade natuurlijk en een hele kip. We gaan het gezellig maken. En heel spannend.

'Kaan, ik heb nooit een pornofilm gezien.' Daar is niets aan, zegt hij. Hij heeft een paar keer een goede film gezien, met een verhaal, maar die zijn schaars. De meeste zijn alleen rampetampen.

'Toch wil ik!' We zetten Gül in de wandelwagen en lopen naar de videotheek op de Korvelseweg die zogenaamd ook normale films verhuurt, maar waar iedereen naartoe gaat voor de porno. Buiten kun je condooms uit een automaat trekken als een pakje sigaretten! Als we maar geen bekenden tegenkomen. Misschien hadden Gül en ik thuis moeten blijven. Wie gaat er nu met zijn vrouw en kind porno huren? Binnen lopen we een beetje schichtig tussen de rekken. Met alleen een pornofilm durven we niet naar de kassa te gaan. We pakken drie actiefilms die over de houdbaarheidsdatum heen zijn – nieuwe hebben ze niet – alsof we daarvoor zijn gekomen en per ongeluk de rest hebben gezien. Ach ja, nu we toch hier zijn. Er lopen mannen rond die ik niet in het donker zou willen tegenkomen, maar ook koppels die op hun gemak van alles bekijken. Kaan wijst naar een band met het grofste plaatje dat ik ooit heb gezien. 'Maakt niet uit! Pak er gewoon één.' Even overweeg ik met Gül naar buiten te vluchten, maar dat zal nog meer aandacht trekken. Kaan legt de films op de toonbank.

'Hebt u een pasje?' vraagt de man achter de kassa. Kaan moet er een laten maken. Wat duurt dit lang! Als de man de laatste film pakt, draai ik mijn hoofd en kijk geconcentreerd naar het versleten interieur. Kaan kijkt alsof hij niet weet wat er op de film staat. Alsof iemand anders die onder ons stapeltje heeft gelegd. Mijn wangen gloeien. Ik loop alvast met de wandelwagen naar buiten.

'Wacht even,' zegt hij en gooit kleingeld in de witte automaat. Drie meiden op de fiets joelen zwaaiend: 'Joh, feestje!' Wat zijn ze schaamteloos, maar het bevalt me wel. We lachen terug en zwaaien. Ik plas bijna in mijn broek van de lol. Gül klapt enthousiast in haar handen. Snel lopen we terug naar huis. Vanaf het park rennen we. Ondanks de wandelwagen is hij sneller dan ik. Buiten adem kus ik hem bij de deur.

Hoewel we nog ruim een week alleen zijn, haasten we ons. Ik leg Gül in haar bedje. Ze protesteert niet eens. Het is toch wel een makkelijk kind, bedenk ik. Kaan trekt de gordijnen dicht; het is nog volop licht buiten. Wat zullen de buren er niet van denken?

De man is een schreeuwlelijk. Voor geen goud zou ik het met hem doen, denk ik. Zonder kleren is het nog erger. De vrouw kreunt nep. Slecht geacteerd, oordeelt Kaan.

'Wat acteren? Ze neuken toch alleen. Zullen we ook?' We grinniken als pubers. Binnen tien minuten zijn we klaar. Met een mengeling van schaamte en weerzin zet ik de video uit. Ik wil niets meer met die viezeriken te maken hebben.

'En?' vraagt Kaan.

'Het valt tegen. Niet jij!' lach ik. We gaan in bad; de condooms nemen we mee. Wat kunnen ze groot worden als je ze met water vult; net zo groot als een flinke baby. We leggen er een knoop in en gooien hem over tot hij ploft. Lachend houden we een watergevecht. Tot Gül huilt. Terwijl Kaan zich over haar ontfermt, kleed ik me aan alsof het suikerfeest is en zet de kip in de oven. Vooraf maak ik eiersalade en soep. En als toetje chocoladepudding. De tafel dek ik feestelijk. Ik ben blij dat Gül zoet op de bank blijft zitten. Na het voorgerecht liggen we op de bank, Kaan speelt met mijn haren en ik voel me heerlijk loom. Tot ik een brandlucht ruik.

'De kip!' roep ik, 'die staat nog in de oven.' Onze ogen doen zeer door de zwarte rook in de keuken. Kaan zet de tuindeur open. De kip is getransformeerd tot zwarte kool. Voorzichtig raak ik de ribben aan die verpulveren zoals je in tekenfilms ziet. Het gespetterde kippenvet heeft lelijke zwarte plekken gebrand in de nieuwe oven. Shit! Terwijl ik de ovenschaal afwas, boent Kaan de oven. Helemaal schoon krijgen we hem niet.

'Je moeder zal razend zijn,' zucht ik als we weer op de bank zitten.

'Vergeet mijn moeder nou even,' zegt hij en smeert me in met chocoladepudding.

Op roze maandag gaan we naar de Tilburgse kermis, waar homo's en lesbiennes hand in hand lopen en zoenen. Half blote mannen in strak leer, piercings in tepels, travestieten die je van een kilometer niet kunt missen met waaiers en ongelooflijk dikke lagen make-up. Ik kijk mijn ogen uit. We zetten Gül, ondanks dat ze bang is, in alle kinderattracties, maken foto's van haar en van elkaar, en winnen een enorme bruine beer die we op de wandelwagen zetten en Gül daarbovenop. Onderweg naar huis kraait ze van plezier. Trots zetten we haar beer in haar kamer.

Op de zaterdagmarkt kopen we een houten schommel met een zitje waar Gül niet uit kan vallen. Kaan monteert hem in de tuin. Soms met tegenzin, maar meestal genietend van haar schaterlach duw ik haar hoog de lucht in. Een paar keer gaan we zwemmen in Goirle of in Tilburg. Of we pikken een terrasje in de stad! Iets wat van kaynanam nooit zou mogen, veel te duur. Een keertje koopt Kaan hasj omdat ik nog nooit stoned ben geweest. 'Nee, we worden echt niet verslaafd van een keertje,' zegt hij. We roken de joint op in bed voor het geval we daarna de trap niet meer op kunnen klimmen. Het smaakt vies, maar voelt fijn. Na een kwartiertje denk ik dat ik kan vliegen en doe een vogel na: 'cik, cik, cikcik, cik.'

'Hou op,' roept Kaan, 'straks wordt Gül wakker!' Stoppen lukt niet. Ik wapper met mijn handen, maar ik val terug elke keer als ik wil opstijgen. Ik smeek Kaan mijn hoofd tegen het kussen te drukken. Ik ben doodmoe van het lachen, maar kan niet ophouden. De rest herinner ik me heel vaag. De volgende dag moet Kaan me geruststellen dat het niet heel erg was en dat hij me geen hoer vindt.

Op de tweedehandsmarkt in Goirle zien we voor vijftien gulden een fietsstoeltje van lichtgrijs ijzer met nylon bekleding op de zitting. We kopen er voor vijf gulden een rieten fietsmand bij. In de stad kopen we voor Gül een tasje met de Flintstones erop en een bijpassende lunchdoos, een fleurige legging met bloemetjes en een paars truitje waar de stof van het broekje in terugkomt. Het staat haar beeldig. Ik kijk naar haar met tranen in mijn ogen alsof ze in een bruidsjurk staat en kan haar midden in de winkel wel doodknuffelen.

's Middags oefen ik met Gül op mijn fiets in het park. Kaan moedigt ons aan. Ik sta te trillen op mijn benen. Als ik val zal ze zich zeker bezeren. Misschien breekt ze haar armen of benen of erger. Kaan zegt dat ik er niet aan moet denken en gewoon moet fietsen.

'Makkelijker gezegd dan gedaan!'

Hij pakt het stuur, stapt rennend op en laat zijn handen los. 'Kom terug!' schreeuw ik. 'Straks vermoord je haar nog!' Ik sta er zelf versteld van hoeveel ik van haar ben gaan houden.

We blijven in het park picknicken, voeren de eendjes en laten Gül schommelen en wipkippen. We liggen in de zon, terwijl Gül gras en madeliefjes plukt; ik met mijn hoofd op Kaans schouder – bijna alle Turken zijn nu in Turkije, dus niemand die het ziet.

Het is de zomer van ons leven. Ik smeek Allah hardop: 'Laat de tijd stilstaan, alsjeblieft!' Maar al het mooie is vergankelijk, zo ook onze droomzomer.

Als mijn schoonouders terug zijn leiden we hen trots rond door het huis. We hebben witte kunststof kozijnen laten zetten en een dure deur in de huiskamer met een boog aan de bovenkant. En we hebben centrale verwarming aangelegd zodat de kamers boven ook verwarmd worden. Niets is zo irritant als je op het dekbed moet letten terwijl je lekker aan het vrijen bent. Dat zeg ik er maar niet bij. Voor nieuwe meubels hadden we geen geld meer; wel heb ik voor de lamp boven de tafel tien nieuwe glazen kappen gekocht. Verder een staande lamp die je kunt dimmen, en een magnetron.

'Dat is een mooie,' zegt kaynanam over de magnetron, 'die neem ik mee naar Ankara.'

'Echt niet,' zeg ik, 'koop er zelf maar één.' Ze lacht. Voordat ze de kans krijgt de oven te bekijken, beken ik dat een romantisch avondje is uitgelopen op vergeetachtigheid jegens de kip.

'Verslijten zal hij toch,' zegt ze. Ik kan haar wel zoenen.

Net voor het avondeten komen Jasmijn en Paşa gedag zeggen. Jasmijn loopt meteen door naar de zolder. Zoals altijd wanneer ze haast heeft of alleen even binnenwipt, neemt ze tot ieders ergernis niet de moeite haar schoenen uit te trekken. Emel en ik lopen haar achterna. Ze omhelst haar moeder die druk bezig is de koffers uit te pakken: 'Ma, je wordt oma, ik ben zwanger!' Als haar boodschap tot me doorgedrongen is, kijk ik zo onopvallend mogelijk naar Emel. Ik wil zien hoe ze reageert op het nieuws dat ook Jasmijn een kind krijgt, vóór haar. Haar mondhoeken trekken heel even en ze kijkt naar het tapijt alsof ze iets heeft vergeten. Als onze blikken elkaar kruisen, glimlacht ze weifelend. Moeder en dochter tonen geen enkele terughoudendheid in hun viering. Even denk ik dat ze elkaar nooit meer zullen loslaten. Langzaam, bijna in slowmotion, gaan ze uit elkaar. Als eerste loopt Emel met onzekere stappen naar Jasmijn. Ze feliciteert haar met drie keer kussen en een korte omhelzing. Zoals zo vaak in zulke omstandigheden doe ik haar na.

'Hoeveel maanden?' vraagt Emel.

'Drie weken.'

Ze kijkt Emel liefdevol aan. 'Insallah ben jij nu snel aan de beurt.'

'Amin,' roepen we alle drie. Alleen Emel klinkt wat tam. Honderden Amins hebben haar tot nu toe geen baby opgeleverd.

'Als ik een zoontje krijg en jij een dochtertje, laten we hen trouwen!' roept Jasmijn.

'Het huwelijk is al geregeld. Nu de rest nog,' zeg ik.

Kaynanam merkt de ironie in mijn stem niet op. 'Insallah,' zegt ze instemmend.

In de woonkamer brengt kaynanam mijn schoonvader op de hoogte. Hij vindt het nieuws net zo heuglijk. We feliciteren Paşa. Daarna zeggen we weer dat Insallah Emel binnenkort... Ik word er een beetje moe van. Mijn schoonvader kust zijn dochter met tranen in de ogen.

'De babykamer is voor jullie rekening,' eist ze. Zonder een seconde na te denken zegt kaynanam 'natuurlijk'. Paşa kijkt tevreden en zegt emotioneel dat hij zich nu pas volledig geaccepteerd voelt door de familie. Ik zie mijn kans schoon om mijn standpunt aan zowel Paşa als aan mijn schoonouders duidelijk te maken: 'Dan kunnen jullic gelijk een kleuterkamer kopen voor jullie eerste kleinkind.'

Kaynanam zegt vlug dat ze dat zullen doen als er geld voor is.

Ik ga theezetten. In de keuken fantaseer ik voor het eerst in lange tijd weer hoe ik haar kan vermoorden. Misschien richt ik wel een terreurgroep op, ter bevrijding van alle importbruiden. Dan ruimen we alle ellendige schoonouders en de hele bekrompen eerste generatie die zich met andermans zaken bemoeit uit de weg. We kunnen niet wachten tot ze op een natuurlijke wijze deze wereld verlaten, want ze gaan nog zeker dertig jaar mee. Ik lach hardop om mijn gedachten. Emel en Jasmijn, die binnenkomen en meteen een sigaret opsteken, vragen wat er te lachen valt.

'Niets, ik was een beetje aan het dagdromen.'

'Over mijn broer zeker.'

'Ja, zoiets. Ga je niet stoppen met roken?'

Nee, ze gaat light roken.

Ik was de lege theeglazen af en bedien het bezoek dat mijn schoonouders na hun vakantie komt begroeten. Ik let erop afstand van Kaan te houden waar zijn ouders bij zijn. Gül kan niet zo snel omschakelen. Na een zomer vol aandacht van haar vader klemt ze zich aan zijn been vast. Voorzichtig probeert hij haar van zich af te schudden. Ik trek haar los en neem haar in mijn armen. Ze jankt. Boven huil ik mee van frustratie. Het is afgelopen met de gelukkige zomer. Waren ze maar in Turkije gebleven!

Naciye en Emel

Als een lopend vuurtje verspreidt zich het nieuws: terwijl iedereen op zomervakantie in Turkije was, hebben de enige zoon van dorpsgenoten en zijn vrouw stiekem hun spullen gepakt en zijn met hun vier kinderen op zichzelf gaan wonen. Eindelijk heeft iemand het gedurfd, wil ik roepen. Ruim vijftien jaar hadden ze bij zijn ouders ingewoond. Ze hebben een brief achtergelaten. 'Zoek ons alsjeblieft niet op. We zijn gelukkig samen met onze kinderen.' Mijn schoonvader lacht laatdunkend. 'Die brief is echt een giller.'

Niemand had het van hen verwacht; de vrouw is een van de eerste geïmporteerde schoondochters. Kaynanam noemde haar altijd als voorbeeld van hoe een schoondochter zich hoort te gedragen. Nu is het over met haar goede reputatie. Haar schoonmoeder beweert al jammerend tegen iedereen die het horen wil dat de begrafenis van haar enige zoon haar minder pijn gedaan zou hebben dan dit verraad.

Turks Tilburg kan geen genoeg krijgen van deze soap. In de Turkse winkel op de Korvelseweg, op de zaterdagmarkt en in de moskee, overal gonst het van de roddels. De ouderen spreken van een schandaal, maar de jongeren kunnen er begrip voor opbrengen. Hoe ver kun je mensen in een hoek drijven dat ze alles achterlaten wat ze jarenlang hebben opgebouwd, dat ze alle contact met hun familie verbreken; niet omdat ze die niet meer willen zien, maar omdat ze een eigen huishouden willen voeren. Spaargeld om een nieuw huis te bekostigen hebben ze niet; het salaris dat ze verdienden in een naaiatelier en in de koelcellen van een slagerij leverden ze in bij zijn ouders.

Naar mijn suggestie om ook stiekem met zijn drietjes te vertrekken wil Kaan niet eens luisteren. In Groningen zullen ze ons nooit kunnen vinden, mijmer ik. Hij houdt zich doof.

'Hoek van Holland dan?'

Het is koopavond. Kaan is zich aan het omkleden om naar het café te gaan. Voorheen ging hij alleen in het weekend, maar sinds zijn ouders terug zijn van vakantie laat hij geen gelegenheid voorbijgaan om ertussenuit te knijpen. Mijn drang om het huis te ontvluchten is net zo sterk als die van hem, alleen heb ik er minder mogelijkheden voor. Na lang zeuren neemt hij me toch mee naar de stad. Hij trekt zijn vieze werkkleren opnieuw aan, zodat het winkelen niet te lang zal duren. Maar alleen naar de stad mag ik niet.

Het is een drukte van jewelste, al weken zijn het zogenaamd de laatste dagen van de zomeropruiming. Bij c&a vergaap ik me aan een vuurrode getailleerde blouse en een strak gesneden zwart pak. Nadat ik het prijskaartje heb geïnspecteerd, hang ik het terug. Het is deprimerend.

Dan zie ik Naciye gehaast naar de deur lopen, aan haar beide handen een kind en volle plastic tassen. Zij hoeft niemand toestemming te vragen of ze iets mag kopen. Straks op school verschijnt ze weer elke dag met een nieuwe outfit, de ene mooier dan de andere. Als ik haar roep, stopt ze abrupt waardoor haar kinderen als een katapult naar haar terugschieten.

'Nog een paar schoenen,' puft ze. 'Winkelen met zo'n stel ezelsveuelens is een ramp!' We geven elkaar drie kussen en knuffelen alsof we elkaar jaren niet hebben gezien. Kaan krijgt een beleefde hoofdknik. Ik voel me opgelaten, maar zeg niets over zijn vieze kleren.

Ze straalt. Haar tanden staan als witte parels op een rij en haar tandvlees ziet er keurig uit. Ze heeft het tijdens haar vakantie laten doen; in Turkije is het veel goedkoper. Het heeft haar 'bloed, zweet en tranen' gekost, maar het resultaat mag er wezen. Achteraf vindt ze het stom dat ze er zo lang tegen op heeft gezien. En ik maar denken dat ze nergens bang voor was.

Verveeld draait Kaan een shagje. Naciye en ik doen alsof hij onzichtbaar is. Tussen de koetjes en kalfjes door zegt ze, alsof ze het zich opeens herinnert, dat ze gaat stoppen met school. Ik reageer geschokt en smeek of ze zich wil bedenken. Maar haar besluit staat vast, ze komt niet terug. Haar dochter en zoontje trekken aan haar armen en zeuren om een ijsje. 'Te druk met de kinderen en zo. Ik heb geen tijd om al die opdrachten te maken,' zegt ze.

Ik haal mijn schouders op. 'Als je Turks Tilburg wat minder in de gaten houdt, houd je tijd over.'

Ze glimlacht schuldbewust. 'Nee, vallaha,' zegt ze, 'zelfs daar heb ik geen tijd voor.' Kaan heeft zichtbaar genoeg van het gesprek en zegt belerend: 'Iedereen heeft vierentwintig uur. Het is een kwestie van prioriteiten stellen.' Met gepaste trots voegt hij eraan toe dat ze maar eens een avondje moet komen kijken hoe ik starend naar het plafond woordjes uit mijn hoofd leer of met een boek in mijn hand het bezoek bedien.

Om van het gezeur van haar kinderen af te zijn geeft ze hun geld om twee kinderijsjes te kopen bij de Hema.

'Ze willen mijn wao-uitkering beëindigen,' zegt ze treurig. Ze gaat werken, want het leven is duur en ze moeten het huis in Antalya nog afbetalen. Trots meldt ze dat ze het hele interieur heeft vernieuwd.

'Is de staat er om jullie zomerhuis te financieren?' vraagt Kaan. Ik kijk hem vernietigend aan en zeg dat hij naar zijn eigen familie moet kijken.

'Kom eens een kopje koffie drinken op school,' zeg ik als haar dochter en zoon terug zijn en ze aanstalten maakt om verder te gaan. 'Esther zou het ook leuk vinden je te zien. Waar ga je werken trouwens?'

'Smarius,' antwoordt ze en we geven elkaar drie kussen. Smarius is de broodfabriek aan de Ringbaan-Noord waar veel Turkse vrouwen aan de lopende band werken. Na een paar keer doei en houdoe gezegd te hebben trekt ze haar kinderen mee naar de Schoenenreus.

Het is druk in de McDonald's. Als we eindelijk aan een tafeltje zitten, luister ik met een half oor naar Kaan, die zegt een bedrijfspand vlak buiten de stad te willen kopen om er auto's te tunen. Veel mensen willen hun auto opwaarderen door hem te verlagen, er sportieve spoilers en flitsende velgen op te zetten en er een mooie muziekinstallatie in te bouwen. Een gat in de markt volgens Kaan, waar hij het in kan gaan maken. Ilker zou hem een handje kunnen helpen. Maar zijn ouders durven het risico niet aan. Ik trek mijn wenkbrauwen op, het verbaast me niets.

Mijn gedachten zijn echter bij Naciye blijven hangen. Mijn beste vriendin, mijn enige echte vriendin laat me in de steek. We zouden samen 'afstuderen'. Ik wil het haar niet kwalijk nemen, ik weet ook wel dat je van boeken niet kunt eten. Wel van het brood van Smarius. Het zal eenzaam zijn op school zonder haar. Met haar kon ik altijd lachen. En hoewel ik haar niet altijd alles over thuis kon vertellen, begreep ze mijn situatie wel. We konden samen schelden op het moeilijke Nederlands en op schoonouders in het algemeen. En hoe vaak heeft ze mijn koffie niet betaald. Beslist niet onbelangrijk als je elke gulden tien keer moet uitgeven. Ik overweeg of ik ook zal stoppen met school om elke dag samen met Naciye naar Smarius te gaan. Ik ben bang dat ik het Nederlands met zijn onnavolgbare regels toch nooit zal beheersen.

Kennelijk heb ik hardop zitten denken want Kaan legt zijn hand demonstratief op mijn voorhoofd als om te voelen of ik koorts heb.

'De fabriek is niks beter dan het atelier. Daar hield je het toch ook niet uit?' Of ik nog weet hoe mijn vorige impulsieve besluit om te gaan werken heeft uitgepakt. Of ik vergeten ben hoe ik hem het leven zuur heb gemaakt om naar school te kunnen gaan. Ik weet eigenlijk ook wel dat er, zodra ik stop met school, een enkeltje naaiatelier voor me klaarligt. Kaynanam ziet me liever daar, in de buurt van Jasmijn en tussen andere Turken, dan in een fabriek vol vreemden. Om niet te spreken van de hoon die me te wachten staat van kaynanam en Jasmijn, dat het me toch niet is gelukt om Nederlands te leren.

Kaan staat erop dat ik deze keer zijn raad volg. 'Na dit schooljaar kun je misschien ergens licht administratief werk vinden.'

Ik kijk sceptisch. 'Ja, tuurlijk. Bedrijven staan te trappelen om een ongediplomeerde kracht in dienst te nemen. En mijn Nederlands is nooit goed genoeg!' Hij belooft dat hij me zal helpen.

'Voortaan ga ik thuis Nederlands met je spreken.' Dat overtuigt me niet echt. De keren dat hij me heeft geholpen met mijn huiswerk, waren bijna alle opgaven fout. En door Esther weet ik nu dat het Nederlands over het algemeen niet klinkt zoals het platte Tilburgs dat hij spreekt.

Als ik thuis de keuken uit kom met de thee is Kaan alsnog in de handen van zijn rummikubminnende vader gevallen, net als Ilker. Ik vraag me hardop af of ik ze zal opgeven voor het *Guinness Book of Records*. Kaan zegt langzaam en duidelijk articulerend tegen zijn broer dat hij voortaan Nederlands tegen me moet praten. Meteen vuurt Ilker een salvo onverstaanbare zinnen op me af. 'Niet in het Tilburgs!' roep ik. Mijn schoonvader vindt het grappig hoe ik protesteer. We zitten in hetzelfde schuitje, maar mijn Nederlands is inmiddels beter dan het zijne. Vroeger dacht ik dat hij de taal perfect sprak.

Kaynanam geeft me enthousiast haar gouden tip als ik haar thee voor haar neerzet: 'Als ik "toch" hoor, zeg ik altijd "ja".' Ze weet dat haar dan iets gevraagd wordt. Ze lacht er een beetje pijnlijk bij. Fluisterend vertelt ze dat ze met jeukklachten naar de huisarts ging. 'Ik zei "noyken", en ik krabde aan mijn handen om te laten zien wat ik bedoelde. De dokter moest lachen en zei: "Yöy-ken. Niet nöy-ken, maar yöy-ken."' Pas thuis was ze erachter gekomen wat 'neuken' betekende en ze schaamt zich er nog steeds over. Ik ben getroffen dat ze zojuist haar masker tegenover mij een stukje heeft laten zakken. Het is de eerste keer dat ze laat blijken dat ze er spijt van heeft dat ze de taal niet heeft geleerd.

'Je kunt het nog altijd leren,' moedig ik haar aan. Maar ze vindt zichzelf nu te oud om nog iets te leren. Ik protesteer dat ze ook naar koranles gaat. Verontwaardigd zegt ze dat het geloof belangrijker is dan een zelfstandig consult bij de huisarts. Ze kijkt alsof ik haar plaatsje in de hemel wil inpikken.

Op school voel ik de afwezigheid van Naciye als een brandend gat onder mijn borst. Alsof mijn geliefde is vertrokken. Op háár plek, recht tegenover Esther, zit als ik binnenkom een gezette vrouw met dikke rastavlechten. Tussen haar volle lippen glimt een stukje goud. Als ik naast haar zou gaan zitten, zou het lijken alsof ik Naciye voor haar ingeruild heb. Ik zie geen van de andere Turkse vrouwen, kennelijk gaan zij niet door nu ze hun basisdiploma Nederlands hebben. Dus ga ik bij het groepje goddeloze Chinezen zitten. Buiten de lessen hebben we amper een paar zinnen uitgewisseld. Mijn buurvrouw schikt ongeïnteresseerd een stukje op. Na het voorstelrondje vertelt Esther wat ons dit jaar te wachten staat. Dit is het jaar dat we ons zullen voorbereiden op deelname aan de arbeidsmarkt. Een keer per week rekenen, beroepsoriëntatie met videotrainingen voor een sollicitatiegesprek, een curriculum vitae opstellen, en uitstapjes naar een bejaardenhuis, een school voor administratief werk en een crèche. We moeten onze actieve woordenschat verbreden, en er wordt veel meer interactie van ons verwacht dan de afgelopen jaren. Esther voegt eraan toe dat de lessen zwaar zullen zijn en dat we dit jaar harder zullen moeten werken dan ooit.

Het angstzweet breekt me uit. Ik weet zeker dat ik al die dingen die zij heeft opgenoemd nooit durf of kan. En wat een curriculum vitae is zal ik thuis moeten opzoeken in het woordenboek...

Ik overweeg serieus of ik alsnog de klas uit zal lopen. Hoe heb ik het ooit in mijn hoofd gehaald dat ik dit zou kunnen? Ik zal nooit fatsoenlijk Nederlands leren. Toch blijf ik zitten.

Na de les vraag ik Esther of we even kunnen praten. Ik sta te hakkelen en het lukt me niet een lijn in mijn verhaal aan te brengen. 'Ga nou eens rustig zitten,' zegt ze, 'en begin opnieuw.' Als ik vertel dat ik bang ben dat de lessen te moeilijk voor me zijn en dat het thuis ook geen pretje is met mijn dominante schoonmoeder, probeer ik tevergeefs de tranen terug te dringen. Ik vertel haar hoe ik hier als vijftienjarige puber kwam. Dat ik dacht dat ik hier een zorgeloos en vrij leven zou hebben, zonder het strenge toezicht van mijn moeder, maar dat het leven hier met mijn schoonouders veel moeilijker is gebleken. Dat school mijn enige uitvlucht is. En dat ik Naciye mis, en dat ik twijfel of ik het in mijn eentje wel kan redden.

Esther haalt een pakje zakdoekjes uit haar tas en geeft me er een. Troostend wrijft ze over mijn arm. Ze zegt dat ik een sterke, intelligente jonge vrouw ben, voor wie de toekomst openligt. 'Stel,' zegt ze beslist, 'dat je stopt met school en in een atelier of fabriek aan de slag gaat. Met of zonder Naciye. Is dat wat je echt wilt?'

Het is de eerste keer dat iemand me zoiets vraagt, en ik moet nog harder huilen. Als ik weer kan praten zeg ik dat ik alleen gewend ben van anderen te horen wat er mag en wat niet, wat een schoondochter moet doen, hoe ik hoor te zijn. Dat ik gewend ben zo veel mogelijk te gehoorzamen.

Dat vindt ze schandalig. 'Jullie leven toch niet meer in de bergen.' Ze zegt dat het nodig is dat vrouwen die misstanden bespreekbaar maken in plaats van de onderdrukking mede in stand te houden. 'Nog geen vijftig jaar geleden stonden de Nederlandse vrouwen er net zo voor als jullie Turkse meisjes nu. Het kan dus veranderen. Maar dat kan alleen als vrouwen er zelf iets aan doen. Als jij doorzet en je leven leidt zoals jij dat wilt, kun je een voorbeeld zijn voor andere vrouwen.'

Terwijl ik haar pakje zakdoeken opgebruik, schud ik mijn hoofd en fluister dat ik het niet kan, dat mijn leven thuis onhoudbaar wordt als ik tegen de wensen van mijn schoonouders inga.

'Wat wil je dan?' vraagt ze zachtjes. 'Zo verder?'

Ik beken dat ik graag een eigen huis zou willen en een leuke baan. Het eerste is simpelweg niet bespreekbaar voor Kaan. En voor een beetje leuk werk moet je foutloos Nederlands kunnen spreken en schrijven.

Esther beweert dat ik een van de meest veelbelovende studenten ben die ze tot nu toe heeft gehad.

'Dit jaar is het anders. Ik ga zeker zakken.'

'Durf te falen,' zegt ze. 'Als je toegeeft aan je faalangst ben je pas echt mislukt.' En tot nu toe heb ik toch ook alles gehaald? 'Geef nooit op, Rüya. Het is jouw leven, vergeet dat nooit. Je wordt maar één keer geboren.'

Op de fiets let ik amper op het verkeer. Mijn voeten trappen automatisch naar huis. Esther is een lief mens, en het klinkt mooi wat ze zegt. Maar ik betwijfel of ik ooit mijn eigen leven zal kunnen leiden. Zonder toestemming van kaynanam kan ik niets; Kaan zal haar altijd blijven gehoorzamen en hetzelfde van mij eisen.

Toch ga ik de volgende dag opnieuw naar school. Ik zie wel waar het schip strandt. Nu mag het in elk geval, en ik neem me voor het vol te houden zo lang als ik kan.

Een paar weken later bel ik Naciye op om te vragen hoe het

met haar gaat. Eigenlijk wil ik vooral klagen dat ik haar ontzettend mis.

'Echt waar?' roept ze verheugd. Typisch Naciye, terwijl ik me klote voel, vindt zij het geweldig dat ze onmisbaar voor me is. 'Bitch!' zeg ik, maar ik moet er ook om lachen. Het gaat uitstekend met haar. Ze heeft beter werk gevonden dan bij Smarius. Ze is nu buurtmoeder, en legt als zodanig wekelijks huisbezoeken af bij de moeders van kleuters met een taalachterstand. Het is een gesubsidieerd project om kinderen voor te bereiden op groep drie.

'Alle Turkse kinderen hier in de buurt vallen eronder,' lacht ze luid. 'Maar sommigen denken dat het voor zwakzinnige kinderen is en willen er niet aan meewerken.'

'Moeten ze ervoor betalen?' probeer ik. 'Misschien is dat de echte reden waarom ze er niet aan mee willen doen.'

'Nee, het is helemaal gratis, inclusief het spelmateriaal en de kleurpotloden! Elke week ga ik langs met een werkboekje. Ik leg ze uit hoe ze hun kind moeten begeleiden bij het maken van de opdrachten en vertel hoe ik dat met mijn dochter gedaan heb. Het duurt maar tien minuten per dag.'

'En, doen ze dat?'

'Nee joh, drie of vier van de zestien moeders. De rest moet ik er bijna aan hun haren bijslepen. Ze bellen af, hebben geen tijd gehad, of vergeten dat ik zou komen. Sommigen laten een oudere zus of broer de opdrachten maken.'

'Waarom stoppen ze er dan niet mee,' vraag ik. We komen tot de conclusie dat het ze om de gratis spullen te doen is. Naciye vindt het werk niet gemakkelijk, maar het betaalt goed en ze kan haar werktijden zelf indelen.

'Kom een keertje langs!'

'Doe ik,' beloof ik.

'Liegbeest!' Ik moet erom lachen, ze kent me beter dan de meeste mensen. Komende vrijdagavond komen haar vriendinnen langs, vertelt ze, ook een paar die ik ken van het atelier. Ze vraagt of ik ook kom en zegt dat ze haar hoofd kaal zal scheren als ik 'ja' zeg.

'Naciye, vallaha, vrijdag scheer ik je kaal!'

'Dat zal wel. Je durft niet eens te gaan poepen zonder toestemming!' schampert ze.

'Ik zal je eens wat laten zien, kreng!'

Zodra ik heb opgehangen bekruipt me een ongemakkelijk gevoel. Toestemming krijg ik nooit. Nou, dan ga je het toch niet vragen, denk ik stoutmoedig. Ik zeg gewoon dat ik ga, en laat 'mogen' en 'kunnen' uit mijn zinnen weg. Zo simpel is het. Maar zo simpel voelt het niet. Het zal een kleine stap voor de mensheid zijn, maar een revolutie voor mij. Het laatste waar kaynanam op zit te wachten is een revolutionaire schoondochter. Ze heeft er toen ze me uitkoos geen rekening mee gehouden dat ik zou opgroeien en niet meer geprezen zou willen worden om mijn gezagsgetrouwheid.

Quasi nonchalant ga ik de woonkamer binnen. Kaynanam zit op haar plek, druk bezig een kleedje te haken om daarmee een of ander oppervlak te bedekken. Mijn schoonvader zit op de bank te slapen; uit zijn openhangende mond komt een snurkend geluid, maar zijn stropdas zit keurig op zijn plaats alsof hij elk moment opgeroepen kan worden voor een belangrijke vergadering. Op de vloer bouwt Gül torentjes van grote legoblokken. Ik blijf staan en plant mijn voeten stevig in de grond. Met de meest vastbesloten stem die ik kan opzetten zeg ik: 'Ik ga vrijdag naar Naciye. Ze heeft me uitgenodigd voor een vrouwenavond.' 'Kijk eens aan,' zegt kaynanam vol minachting. 'Sinds wanneer vraag je geen toestemming meer?' Het liefst zou ik hard wegrennen, maar nu ik begonnen ben moet ik het afmaken.

'Ze drong erg aan, en toen heb ik gezegd dat ik kom.'

Volgens kaynanam ga ik helemaal nergens heen. Ze vindt die vrouwenavonden maar niets. Daar wordt alleen maar geroddeld en gestookt. Daarom heeft zij er nooit aan meegedaan.

'Ze heeft jou ook niet uitgenodigd. Maar mij wel en ik heb beloofd dat ik ga.' Om zeker over te komen verplaats ik mijn aandacht naar Gül. Heeft ze dat torentje helemaal alleen gebouwd? Dat is knap!

De rest van de middag wisselen we er geen woord meer over. In bed vraagt Kaan wat ik probeer te bereiken met mijn actie.

'Zo,' zeg ik met gespeelde verbazing, 'u bent al op de hoogte, mijnheer?'

'Jij blijft thuis,' zegt hij, elk woord benadrukkend. 'Ik wil niet dat je gaat.' Hij ontkent dat hij de wil van zijn moeder uitvoert. Als een kleuter tikt hij met een wijsvinger op zijn borst: 'Ik. Ik wil dat je thuisblijft.'

'Oké.' Ik wacht een paar seconden. Zijn verbaasde blik dat ik zo snel toegeef, verandert in een blik vol opluchting dat er geen ruzie komt. Voordat hij zijn triomf kan vieren, eis ik dat hij dan voortaan ook altijd thuis blijft.

'Ik wil dat je nooit meer naar het café gaat.'

Dat bepaalt hij zelf.

'Oké, dan bepaal ik het ook zelf.' Ik draai hem mijn rug toe en doe alsof ik, niet onder de indruk van zijn optreden, ga slapen.

Onze patstelling duurt de hele week. Niets voor niets heet hij de koppigste van de familie te zijn, maar ik kan er ook wat van. Ik ga naar die vrouwenavond, wat er ook gebeurt. Dat Kaan me uit frustratie een klap geeft, verandert er niets aan. Hij biedt zijn excuses aan en zegt bijna wanhopig dat ik hem met mijn gedrag dwing mij te slaan. Op zoete toon vraag ik voor de duizendste keer of een avondje theedrinken met vrouwen te veel gevraagd is.

Vrijdagavond na zijn werk doucht hij zich uitgebreid. Alsof ik onzichtbaar ben vermijdt hij mijn blikken in de spiegel als ik kijk hoe hij zich scheert. Op de rand van het bed sla ik gade hoe hij zijn beste kleren aantrekt. Hij vraagt niet waar ik op zit te wachten. Zijn krullen schikt hij met zijn vingers; hij is klaar om te vertrekken.

Maar ik heb voor versterking gezorgd. Net als ik begin te vrezen dat Ilker zich heeft bedacht, klopt hij op onze deur. Hij komt binnen en doet de deur dicht.

'Je gedraagt je als een ezel.' Kaan krimpt ineen onder de belediging.

Ilker zegt dat vrouwen ook af en toe een avondje met vriendinnen mogen doorbrengen, hij zoekt toch zelf ook elk weekend zijn vrienden op?

Hij kijkt naar mij. 'Ga je maar aankleden, als een ezel gaat hij je brengen.' Met tegenzin gehoorzaamt Kaan zijn oudere broer. Nooit gedacht dat de hiërarchie nog eens in mijn voordeel zou werken...

Zonder een woord te zeggen stap ik bij Kaan in de auto. Voor de flat van Naciye hangen net als de vorige keer vage figuren rond, en na enige aarzeling vraag ik Kaan toch of hij wil wachten tot ik boven ben. Aan mijn zwarte minirok trekkend alsof die dan langer wordt, stap ik uit de auto. Vanaf de galerij zwaai ik naar hem ten teken dat hij mag vertrekken. Ik druk op de bel en sta te springen van opwinding. Als Naciye opendoet vallen me haar glanzende tanden weer op. Voor het eerst zie ik dat ze eigenlijk een prachtige glimlach heeft. De zilveren lijntjes op haar zwarte body zijn oogverblindend. In zulke uitdagende kleren heb ik haar nog nooit gezien. Met jas en al sluit ik haar in de armen.

'Waar wil je geschoren worden?' Ze heeft geen tondeuse in huis, beweert ze gierend van de lach.

'Geen nood, ik heb er een bij me!'

Ze hangt mijn jas aan een haakje. Ik doe mijn laarzen uit, en krijg een paar bezoekersslippers voor mannen; haar vrouwenslippers gaan tot maat 39. 'Geen gezicht' zegt ze. 'Doe je laarzen maar aan.'

In de woonkamer hebben de andere vrouwen het zich al gemakkelijk gemaakt. Een overvloed aan pakjes sigaretten en mobiele telefoons op de salontafel. Ik dacht dat alleen zakenmannen mobieltjes hadden. Ik begroet de vrouwen die ik niet ken met drie kussen, de twee vrouwen uit het atelier krijgen er een dikke knuffel bij. Beleefd informeren we naar elkaars gezondheid.

Eén keer per maand komt dit gezelschap van twaalf vriendinnen bijeen, elke keer bij iemand anders. Eén avond in de maand helemaal voor henzelf, zonder kinderen. Om lekker te eten, thee te drinken en te dansen. Ook mijn moeder had van zulke bijeenkomsten, maar dan 's middags – wij werden naar buiten gestuurd om te spelen.

De bel gaat en even later stappen er nog twee vrouwen de kamer binnen. Een mooie vrouw met een stel prachtige lange benen onder een minirok en volumineus geföhnde haren uit een shampooreclame. Waar haalt Naciye zulke hippe vriendinnen vandaan? Ze heeft een Nederlandse bij zich. Iedereen stopt met praten.

'Met pottenkijkers erbij kunnen we toch niet feesten,' mompelt mijn ex-collega van het atelier. Haar kunstmatig blonde lokken bewegen zachtjes mee als ze haar hoofd schudt.

'En ik dan?'

Voor mij maakt ze graag een uitzondering.

De natuurlijke blonde van Hollandse bodem geeft iedereen een hand. 'Ik hoop dat ik al die namen kan onthouden,' zegt ze zachtjes en neemt plaats naast haar vriendin. Al vijf jaar woont ze samen met haar Turkse vriend en ze was nieuwsgierig naar hoe Turkse vrouwen met elkaar omgaan.

Schalen vol eten, van gevulde druivenbladen tot taart, komen op tafel. Naciye serveert Turkse thee in mokken en voor degenen die daar niet van houden in traditionele kleine glazen. We storten ons allemaal op het eten; veel vrouwen hebben de hele dag niets gegeten om zich nu te buiten te kunnen gaan. De knappe vrouw probeert voor haar Nederlandse vriendin de ingrediënten te vertalen. Naciye heeft zich twee dagen uitgesloofd in de keuken, en de complimenten zijn dan ook niet van de lucht. IJverig schrijft ze de recepten op een blocnootje.

Het feest komt nu echt op gang. De gordijnen gaan dicht, de bank en de stoelen schuiven we opzij. Naciye heeft zich omgekleed; haar platte buik, alsof ze nooit is bevallen, is bloot en de uiteinden van haar lange wijde rok heeft ze aan weerskanten in haar riem gestopt. Ze zet opzwepende Arabische muziek op en we applaudisseren luid als ze begint te buikdansen. Haar heupen schudt ze van de ene naar de andere kant en ze trilt met haar hele lichaam. Haar handen beweegt ze sierlijk in de lucht. Ik weet dat ze alles uit haar handen laat vallen om nieuwe technieken te leren als er buikdansen op televisie is. Ze ziet er zelfverzekerder uit dan ooit, en verleidelijk. Ze daagt de vrouwen uit, die bouwvakkersleuzen scanderen: 'Lekker ding, is alles van jou?' Als ze voor mijn neus met haar kont begint te schudden, knijp ik erin. Iemand anders probeert haar hand in Naciyes bh te steken.

Na haar show komt iedereen los. De Hollandse kan ons niet bijhouden en danst onbeholpen met haar vriendin. Als iedereen moe is van het dansen, ploffen we op de bank en stoelen neer. Ga netjes zitten met je benen dicht, hoor ik mijn moeders stem in mijn hoofd zeggen.

Aangemoedigd door de anderen geeft een ietwat mollige femme fatale met pikzwarte krullen een stukje striptease weg. Ze doet alsof Naciye, die wijdbeens op een stoel zit uit te puffen, een man is.

Die leeft op en probeert haar hand onder de rok te steken.

'Je mag me niet aanraken,' houdt ze Naciyes hand tegen, 'zo zijn de regels.' Iemand geeft Naciye een komkommer van een flink formaat, waarmee ze doet alsof het een piemel is. Nadat ze de stripteaseuse heeft drooggeneukt, zit ze de andere vrouwen achterna. 'Naciye, je mag niet vreemdgaan!' gilt de danseres. De aanwezigheid van de Nederlandse levert taalproblemen op. Slechts vier van de twaalf vrouwen kunnen zich goed in het Nederlands uitdrukken, zij spelen voor tolk. Een paar vrouwen zijn naar de inmiddels verplichte inburgeringscursus geweest. Erg enthousiast zijn ze er niet over. De stripteasedanseres van daarnet vertelt dat ze maar de helft van de verplichte uren heeft gevolgd. Toch heeft ze haar certificaat gehaald. 'Ik ben gewoon naar de begeleider gegaan en heb hem verteld dat ik moest werken. Toen heeft hij me als aanwezig opgegeven, terwijl ik helemaal niet op school was. Een beetje vrouwelijke charme doet wonderen,' giechelt ze.

Ik sta perplex. Dat ze dat heeft gedaan en dat ze dat hier durft te vertellen.

'Allah weet het, je hebt hem vast geneukt,' lacht een van mijn ex-collega's. De danseres staat op. Nu gaat ze haar slaan, vermoed ik. Met haar vingers gaat ze door haar zwarte krullen en ze kijkt met pretoogjes naar mijn ex-collega: 'Ik heb hem de beste beurt van zijn leven gegeven.' Het blijft akelig stil. Iedereen houdt zijn adem in.

Dan roept ze lachend: 'Doe niet zo mal, hij is zooo lelijk!' Ze loopt naar de spiegel boven het dressoir en bewondert haar schoonheid. Beslist, denk ik, die gaat vreemd. De Nederlandse krijgt de vertaling van haar vriendin, de rest kijkt naar de danseres om te zien wat er gaat komen. Die is niet zo dom om hier toe te geven dat ze haar man bedriegt en verandert wijselijk van onderwerp.

De moppen en grappen worden obscener. De hippe Turkse die de Nederlandse heeft meegebracht stelt voor om een keer met zijn allen naar een optreden van de Chippendales te gaan. Met haar hand streelt ze haar dij.

'Als mijn broers dat te horen krijgen, komen ze me hier vermoorden,' giert de vrouw die net nog stond te strippen. En een

vrouw in een strakke rode broek met slangenprint en een nog strakker T-shirt protesteert lachend. 'We zijn eervolle huisvrouwen. Bij de Chippendales hebben we niets te zoeken.'
'Volgens mij zag ik je laatst nog langs de weg een man oppikken,' grapt Naciye tegen haar. 'Was hij een klant?'
Tegen twaalf uur komt Kaan me ophalen.
'En? Was het de ruzies waard?'
'Volgend jaar als ze met een nieuwe ronde beginnen, ga ik er ook aan meedoen.'
'Echt niet,' zegt hij.
'Echt wel! Die vrouwen zijn ook allemaal getrouwd en hebben kinderen. Ik heb ook recht op plezier. Het is míjn leven.'
Kaan zingt een liedje van de radio: 'It's my life, it's now or never, I ain't gonna live forever, I just want to live while I'm alive. It's my life!'
'Maar niet heus,' zeg ik kwaad en verdrietig tegelijk.

Het is bijna carnaval en mijn schoonouders gaan naar Marmaris in Turkije om een nog te bouwen zomerhuisje te kopen. Een goede investering in de toekomst, volgens mijn schoonvader, en hij schetst in de weken voor hun vertrek wel duizendmaal hoe we over drie jaar op ons eigen terras zullen rummikuppen en in het bij het complex gelegen zwembad zullen zwemmen. Voordat ze weggaan geeft kaynanam Jasmijn de vrije hand om een babyslaapkamer naar keuze uit te zoeken. De rekening mag ze bij kaynanam indienen. Om mij voor te zijn begint ze alvast te klagen dat we moeten bezuinigen. Ik kijk naar Kaan, die zijn wenkbrauwen optrekt ten teken dat ik moet zwijgen.

We vinden het allemaal prettig dat ze weg zijn, maar Ilker nog het meest. Zijn ouders hebben hun hielen nog niet gelicht of hij is verdwenen, met medeneming van het bankpasje en de creditcard uit Emels portemonnee. Die kijkt er niet van op en belt traditiegetrouw zijn chef om hem ziek te melden.

Op zondag wil ik naar de optocht gaan kijken. Kaan heeft er geen zin in. 'Carnaval is voor zotten.'
'We kunnen toch gewoon kijken. Het is toch lachen? Kom op!'
Hij is niet over te halen. Ter compensatie gaan we een wandeling

in het Leijpark maken, met Gül. Onderweg merk ik dat alle verklede mensen de andere kant op lopen. Gescheurde en bespoten spijkerbroeken, paarse haren, roze pruiken, mannen op hoge hakken. Ik probeer het nog een keer: 'Laten we omkeren en met ze meegaan. Alsjeblieft!' Als hij dreigt terug naar huis te gaan, loop ik zwijgend mee naar het park. We voeren oud brood aan de eenden terwijl heel Tilburg feestviert.

Later die week val ik 's middags op de bank in slaap, terwijl Gül naast me met ranja en zoute sticks naar *Tom & Jerry* zit te kijken. Ik schrik wakker van het dichtvallen van de voordeur. Het is Ilker.

'Goed gefeest?' vraag ik en ga rechtop zitten. Hij wankelt. Er zit bloed in zijn alcohol, zou Kaan zeggen. 'Hoe was carnaval?'

Hij leeft op. 'Gezellig,' juicht hij terwijl hij een paar danspasjes maakt en zijn handen hoog in de lucht zwaait. 'Olleke bolleke rebusolleke, olleke bolleke knol. De rest ken ik niet,' lacht hij. Het is dat het niet mag, anders was ik graag een keertje meegegaan. Het moet een raar gezicht zijn, al die mensen die uit hun dak gaan.

'Waarom ben je teruggekomen als je nog door wilde feesten?' vraag ik.

'Carnaval is afgelopen, iedereen is naar huis.'

'Ach ja, en toen dacht je: ik ga ook maar weer eens op huis aan.' De vrolijkheid verdwijnt uit zijn gezicht. Hij kijkt me aan met een jij-ook-Brutusblik.

'Straks als je moeder terug is laat ze je wel zien wat zo lang wegblijven betekent!'

'Mijn moeder?' zegt hij kwaad. 'Het is allemaal haar schuld.'

'Wat? Dat je spoorloos verdwijnt om te feesten?'

'Laat maar.'

'Wat is haar schuld dan?'

'Dat ik met haar nicht moest trouwen!'

'Wat heeft dat ermee te maken?'

'Wat doet een man als hij thuis niet vindt wat hij zoekt? Emel heeft me nooit als haar man beschouwd. Eerder als een neef, een broer. Ik geef haar geen ongelijk. Ze was veertien. Jij was ook jong, maar je was gelijk dol op Kaan. Maar als die ezel van een broer van mij niet oppast, loopt het ook met jullie slecht af.'

Ik beken dat ik probeer Kaan over te halen samen weg te lopen, maar dat hij dat niet wil. Verbaasd schudt Ilker zijn hoofd. 'Die Kaan. Wie het geluk zoekt, kan het niet vinden. Wie het in zijn schoot geworpen krijgt, weet het niet te waarderen.' 'Heb je dat van een tegel?' spot ik. Ilker lacht. Ik houd me in om hém niet voor te stellen om samen weg te lopen uit deze gevangenis, maar ik ben bang dat hij het verkeerd zal begrijpen.

'Heb je honger?' vraag ik. 'Zal ik eieren met worst bakken?' Hij knikt. Tevreden eten we samen uit de pan; dat scheelt afwas. Ik voer Gül. Als een duifje pikt ze met haar mondje het eten tussen mijn vingers vandaan. Ik houd mijn glimlach in. Als we klaar zijn gaat Ilker met haar op de bank zitten. Ik ruim de tafel op, doe de afwas, de was en geef de badkamer een grote schoonmaakbeurt. Als ik terug in de kamer kom, liggen ze samen te slapen, haar hoofdje op zijn borst. Ik leg een deken over hen heen en bedenk met pijn in mijn hart hoeveel gelukkiger Emel en hij zouden zijn met een kind.

'Goh, je hebt de weg naar huis kunnen vinden?' vraagt Kaan als hij die avond thuiskomt. Verder reppen we met geen woord over zijn uitspatting. Emel negeert hem helemaal.

Zwijgend werken we onze witte bonen en rijst naar binnen. Gül moet er niets van hebben, kieskeurig als ze is. Niet dat ze smaak heeft. Een in melk geweekte boterham met chocoladepasta is haar lievelingskostje. Als kaynanam thuis is moet ik van haar speciaal voor Gül eieren of pannenkoeken bakken. Als het aan mij ligt, krijgt ze geen voorkeursbehandeling. Nu kaynanam er niet is, kan ik haar een beetje opvoeden. Lief vraag ik haar met ons mee te eten, omdat ze dan een groot meisje wordt. Nee, dat vindt ze niet lekker.

'Hoe weet je dat nou,' vraag ik wanhopig, 'je weet niet eens hoe het smaakt!' Güls onderlip begint te trillen en haar ogen vullen zich met water.

'Hou nou op met huilen,' zeg ik bozig. Ik zet haar op mijn schoot en probeer haar van mijn volle lepel te laten proeven. Ze krijst. Ik geef haar een klap, die ik direct terugkrijg van Kaan.

'Blijf met je poten van haar af!'

'Oké, hier heb je haar. Alsjeblieft!' Ik zet haar op zijn schoot en ga naar boven.

Na krap een week zijn mijn schoonouders er weer. Gül springt kaynanam om de nek en likt haar gezicht schoon met kusjes. Ze is nooit zo blij geweest om míj te zien. Maar ik ben opgelucht dat ik van deze zorg af ben. Zodra ze zit, met de uiterst tevreden Gül op haar schoot, informeert kaynanam naar de financiën. Ilker zegt dat alles goed is. Emel, Kaan en ik zwijgen. Een paar weken later werkt kaynanam de administratie bij. Bijna in trance bestudeert ze de bankafschriften. Mijn schoonvader is ingedut op de bank. Kaan kijkt naar voetbal. Ik sluip naar de keuken en zeg tegen Emel dat er wat gaat zwaaien als Ilker terugkomt van zijn middagdienst. Ik ben nog niet uitgesproken of kaynanam roept Emel uit de keuken. Ik loop haar achterna.

'Ilker heeft geld opgenomen. Wat weet jij daarvan?'

'Hij was vier dagen weg met zijn pasjes,' antwoordt ze. Kaynanam knikt alleen, ze neemt het schijnbaar kalm op. Emel zegt dat ze het zat is dat hij elke keer beterschap belooft maar die belofte nooit nakomt. Mijn schoonvader verwijt ons klaarwakker dat we niets hebben verteld. Ik vraag zachtjes hoeveel Ilker heeft vergokt, maar krijg geen antwoord.

Als Ilker binnenkomt, springt de zo-even nog zo rustige kaynanam razendsnel op van tafel om hem een enorme dreun te verkopen. Hij wankelt.

'Twee,' zegt hij met gebogen hoofd, als ze hem vraagt hoeveel hij heeft vergokt. Emel slaat alles gelaten gade. Mijn schoonvader roept dat ze kalm moeten zijn en moeten gaan zitten, maar hij wordt zoals gewoonlijk niet gehoord.

'Twee? Lieg niet!' schreeuwt kaynanam, en ze probeert hem nog een klap te geven. Ilker grijpt haar opgeheven hand. Uit vrees dat hij haar terug zal slaan, veert Kaan op van de bank.

'Bemoei je er niet mee!' waarschuwt kaynanam hem. Maar Ilker heeft haar al van zich afgeschud en is klaar om te gaan. Kaan roept hem toe: 'Wij werken hier als ezels, en jij geeft het in één nacht weg!' Kaynanam roept Ilker na dat hij terug moet komen, maar de voordeur is al dichtgesmeten.

'Die komt vannacht niet meer terug,' merkt Emel op.

'Het is genoeg geweest, ma!' zegt Kaan. 'Óf hij vertrekt uit dit huis, óf ik.'

'Niemand gaat ergens heen!' schreeuwt ze zo mogelijk nog harder.

Ik vlucht naar de keuken. Kaan en Emel ook.

Terwijl we roken stelt Kaan Emel gerust: 'Ik heb niets tegen jou. Maar we krijgen niet eens fatsoenlijk zakgeld, en hij gokt erop los.' Ze zegt dat ze het weet.

Na lang aarzelen zeg ik voorzichtig: 'Emel, als jij wat minder zou werken en wat meer aandacht voor hem zou hebben, misschien zou hij dan niet zo veel gokken.'

'Geloof je het zelf?'

'Ik weet het niet. Hij zei dat je nooit iets leuks met hem wilt doen.'

Ze schudt haar hoofd. 'Zo'n gluiperd! Heeft hij je ook verteld hoeveel vriendinnen hij naast mij had, al vanaf het begin? Dat hij me een keer in de stad in een winkel heeft achtergelaten om te gaan gokken? En hoe vaak hij me beterschap heeft beloofd?'

Treurig gaan we de woonkamer weer binnen. Kaynanam huilt. Misschien om het geld dat zomaar verloren is gegaan, misschien uit machteloosheid. Ze bidt tot Allah: 'Moge hij naar de hel gaan om het verdriet dat hij me heeft aangedaan. Mijn melk is hem haram.'

Mijn schoonvader vindt dat ze hem niet mag vervloeken; als er iets met Ilker gebeurt, zal haar moederhart dat niet kunnen verdragen. Volgens hem is de oplossing dat Emel en Ilker met zijn tweeën gaan wonen.

'Ik zeg het je al jaren. Als hij voor zijn eigen huishouden moet zorgen, houdt hij geen geld over om te gokken.' Morgen zal hij Ilker meteen naar de woningbouwvereniging sturen. Emel ondergaat het allemaal zwijgend.

Hoe laat Ilker thuiskomt, weet ik niet precies. Ergens diep in de nacht hoor ik het geluid van een hard voorwerp dat het trapgat in wordt gegooid en de stem van kaynanam die roept dat hij moet oprotten.

De volgende ochtend gaat Emel braaf naar haar werk.

'Ilker gaat vandaag een huis regelen,' zegt mijn schoonvader aan het ontbijt, terwijl hij breeduit in het midden van de hoekbank zit met zijn twee armen gespreid over de rugleuning. Het verbaast me dat kaynanam ermee heeft ingestemd. Het komt niet vaak voor dat ze naar hem luistert. Als hij na elk opgevolgd advies drie plaatsen gaat bezetten, vrees ik dat ik als jongste heel vaak op een krukje zal moeten zitten.

Het gaat allemaal razendsnel. Binnen enkele weken trekken Ilker en Emel in hun nieuwe huis in de nieuwbouwwijk aan de rand van de stad. Kaynanam had ze liever dichter in de buurt gehad, zodat ze een oogje in het zeil kan houden en Emel kan komen helpen als er veel bezoek is. Maar dit is het enige wat op korte termijn beschikbaar is. Ik zou er nooit willen wonen. Overdag is er geen kip op straat. Zonder auto is het een open gevangenis, op meer dan een kwartier van de bewoonde wereld.

Ze hebben een lila bank genomen en zwarte hoogglanzende meubels die ik nooit bij iemand heb gezien. Zonder morren zijn mijn schoonouders met hen alle meubelzaken in Brabant en België langsgegaan en ze hebben alles betaald. Alleen al voor de bank telden ze 3500 gulden neer; niemand in onze omgeving geeft zo veel uit aan een bank. Emel heeft een complete set Siemens-pannen uit mogen zoeken. Alles in haar keuken is van hetzelfde merk. Ik krijg als troost een kippenpan met een hoge deksel. Mijn schoonouders laten geen gelegenheid voorbijgaan om op te scheppen dat ze alleen al aan de meubels in de woonkamer tienduizend gulden hebben gespendeerd. 'Emel heeft het verdiend.' Dat vind ik ook en ik gun het haar van harte, maar ik kan het toch niet helpen een beetje jaloers te zijn.

Ik zie op tegen het naderende afscheid. Te weten dat Emel er was, gaf me altijd een soort vertrouwen. Hoe gesloten ze ook was, toch hadden we een goede verstandhouding. Als een oudere zus leende ze me haar kleren en gaf ze me advies. Als ik niet wist hoe ik iets moest doen, keek ik het van haar af. Zij leerde me hoe ik het bezoek moest bedienen. Maar we konden ook heerlijk met elkaar roddelen en lachen. Ze maakte het samenleven met kaynanam draaglijker. Straks sta ik er helemaal alleen voor.

Ook Ilker zal ik missen. We lijken op elkaar. Twee hedonisten: hij praktiserend, ik niet.

Kaynanam huilt bij het afscheid. Ik houd me sterk, maar ik wil niet dat ze gaan, zoals ik vroeger nooit wou dat het bezoek ons verliet omdat ik dan alleen met mijn moeder achterbleef. Daar gaan mijn laatste steunpilaren.

Werk

Echt thuis heb ik me nooit gevoeld in dit huis, maar nu voel ik me meer ontheemd dan ooit. Als de voordeur opengaat, denk ik steeds dat het Emel of Ilker is die thuiskomt van het werk. Vroeger hoorde ik in de woonkamer het plafond altijd kraken als Emel op hun kamer liep te ijsberen. Ik zie haar nog voor me: heen en weer lopend voor het raam, met een sigaret. Die gewoonte had ze aangenomen in de eerste jaren van haar huwelijk, toen ze 's nachts nog wachtte tot Ilker thuiskwam. Vaak als ik het plafond hoorde kraken onder haar regelmatige stappen, rende ik naar boven om samen een sigaretje te roken. Dan kwam ze naast me zitten op haar bed en praatten we over koetjes en kalfjes, zelden over wat ons echt bezighield. Maar toch was het een troost om daar samen te zitten.

Ook nu hoor ik soms gekraak boven mijn hoofd. Maar het is mijn schoonmoeder die aan het bidden is, precies op de plaats waar Emel haar rondjes liep. Tot mijn grote ergernis zijn mijn schoonouders naar de oude kamer van Ilker en Emel verhuisd, die alleen door een dunne wand gescheiden is van de onze. Het beetje privacy dat we hadden is daarmee verdwenen. Kon ik me vroeger in bed nog wat gegiechel en andere geluiden veroorloven, tegenwoordig durf ik nog geen scheet te laten als mijn schoonouders naar bed zijn.

Mijn enige afleiding is school. Nu meer dan ooit. Ook als ik geen huiswerk heb, zeg ik dat ik moet leren om maar naar boven te kunnen gaan. Als Emel en Ilker langskomen, blijven ze maar heel even. Emel werkt net zo hard en lang als vroeger. Na het eten en de thee gaan ze naar huis.

'Ik mis je,' zucht ik tegen Emel als we in de keuken staan te roken. Ik zeg dat haar afwezigheid me zwaar tegenvalt. Ze omhelst me.

'Soms,' zegt ze, 'voel ik me medeschuldig aan jouw ongeluk en heb ik er spijt van dat ik je heb overgehaald hierheen te komen. Zeker nu ik je heb verlaten.' We houden ons in om niet te gaan huilen.

'Verrader,' lach ik om de spanning te doorbreken. Ze lacht mee.

En dan, op een gewone maandagochtend op school, lijkt het lot zich om mij te bekommeren. Vóór de les zegt Esther dat ze wellicht een geschikte baan voor me heeft gevonden bij een adviesbureau. Na de les wil ze verder met me praten.

De uren kruipen voorbij, terwijl ik onrustig op mijn stoel heen en weer draai. Was Naciye er nog maar om mijn zenuwen mee te delen! Geen woord van de les dringt tot me door, geen grammaticaregel neem ik op. Verbeten probeer ik me te concentreren. Elke les is van cruciaal belang voor het halen van de toetsen.

Ik krijg de kans van mijn dromen en word overmand door angst en paniek. Wat als ik het niet waar kan maken? Ik zal mezelf moeten bewijzen. Een niet erg comfortabele positie. Het is makkelijker te zeggen dat je de kansen niet hebt gekregen, dan te moeten toegeven dat het je niet is gelukt. Zo nu en dan heb ik geroepen dat ik journalist zou zijn geworden als ik van mijn vader had mogen studeren. Uitspraken die ik nooit zal hoeven te bewijzen. Het doet er niet toe of ik goed genoeg ben voor de universiteit; ik ben een importbruid en studeren is voor mij geen optie. Dus kan ik roepen wat ik wil.

Na de les schuift Esther aan mijn tafeltje. De baan houdt licht administratief werk in. De post sorteren, het archief beheren en telefoontjes beantwoorden. Esther heeft de directeur-eigenaar van het bureau overtuigd van mijn kwaliteiten. Ik hoef alleen maar op gesprek.

Ze gelooft meer in mij dan ikzelf. Ze zegt dat iedereen sterke punten heeft, maar ik weet of durf de mijne niet te noemen. Uiteindelijk weet ze uit me te trekken dat ik ambitieus, intelligent, flexibel, veelzijdig, ordelijk, betrouwbaar, vasthoudend en nieuwsgierig ben; dat zetten we in mijn cv. Het schaamrood stijgt tot mijn kruin.

Dat wordt alleen maar erger tijdens de videotraining waarvan ik

tot opluchting van mijn klasgenoten het eerste slachtoffer ben.
'Benadruk waar je goed in bent,' zegt Esther, voordat ze de werk-
geversrol op zich neemt. 'Je moet jezelf verkopen aan de werkgever.'
Mezelf verkopen? Ik ben toch geen hoer, gaat het door mijn
hoofd.
Ze stelt de camera op en gaat zitten. Ik loop met tegenzin de
klas uit, kom nog een keer binnen, geef haar een kleffe hand en ga
zitten. Mijn blouse plakt aan mijn rug. Hoewel mijn Nederlands
de afgelopen maanden veel is vooruitgegaan, kom ik niet uit mijn
woorden. Ik stop midden in een zin en probeer die in gedachten
opnieuw te bouwen, waardoor het een rommeltje wordt. Als we
gezamenlijk mijn oefening op het scherm terugkijken, schrik ik me
dood, misschien moet ik maar afzien van solliciteren.
'Wat zwaai en draai ik veel met mijn handen!'
'Het ging heus niet zo slecht,' stelt Esther me gerust. 'Het hoeft
niet perfect te zijn, het is maar een oefening. En misschien moeten
we ook in je cv opnemen dat je een perfectionist bent.' Ze glimlacht breed.
'Komt goed,' zegt ze stellig. 'En je maakt betere zinnen als je
wat minder nadenkt. Morgen gaan we het opnieuw proberen.' De
klas durft me niet uit te lachen; iedereen komt aan de beurt.
De tweede opname gaat beter. Ik zit minder krampachtig, luister beter, geef korter en duidelijker antwoorden dan de eerste
keer. Mijn handen liggen rustig op tafel, maar af en toe verlies ik
de controle en dan beginnen mijn vingers te galopperen. En dat
rood op mijn gezicht van de zenuwen! Ik moet in zulke situaties
geen rouge gebruiken, neem ik me voor.

Met mijn cv van een halve bladzijde in mijn tas fiets ik met trillende benen naar mijn toekomstige kantoor. Het ligt op de Korte
Heuvel, waar studenten 's avonds de disco's, de kroegen en met
goed weer de terrassen bevolken. Altijd als ik ze zie voel ik een onweerstaanbare drang om me tussen hen te mengen. Ik vraag me
wel af wanneer ze studeren; ze zitten massaal op de terrassen van
elk straaltje zon te genieten.
Onder aan het brede glazen gebouw van de kunstuitleen, waar

het bureau gevestigd is, stal ik mijn fiets. Bij de lift hangt een schilderij van een klein meisje dat halfnaakt op bed met een hondje ligt te spelen. Haar nachthemd is omhooggestroopt, ze kijkt vrolijk naar de speelse witte puppy op haar opgetrokken knieën. De staart van het hondje kwispelt tussen haar benen. Ik vind het weerzinwekkend. Een reproductie van een achttiende-eeuws doek, lees ik. Ik neem de lift naar de tweede verdieping. Bij het bordje Adviesbureau Expert klop ik zachtjes op de deur.

'Binnen,' roept een jonge vrouwenstem.

'Rüya toch?' vraagt ze als ik verlegen binnenstap. Ze noemt haar naam en zegt dat Johan er zo aankomt. 'Koffie?'

'Ja, zwart graag.' Met snelle stappen, alsof ze haast heeft, loopt ze naar de koffiepot.

'Je jas kun je ophangen aan de kapstok in de gang hiertegenover, als je wilt.'

Haar korte haren, het sportieve truitje op een strakke spijkerbroek met een brede riem, haar manier van praten en lopen, alles bruist van de energie. Bang dat ze me traag zal vinden, loop ik sneller dan gewoon naar de kapstok. Ik hang mijn leren jas zo snel mogelijk aan een hanger, terwijl ik me wanhopig afvraag wat haar naam ook alweer was.

In een aangrenzende kamer stelt ze me voor aan een man die schuilgaat achter zijn computer en de enorme stapels papier op zijn bureau. Hij heeft warrige blonde plukken en een charmante, haast ondeugende lach. Als hij me een hand geeft knijpt hij mijn vingers bijna fijn, terwijl hij me recht in de ogen kijkt. De zijne zijn blauwgroen van kleur en hebben een gouden randje. Zo'n directe begroeting ben ik niet gewend en zijn arrogante zelfverzekerdheid intimideert me. Naar mijn maatstaven is hij bejaard, midden dertig schat ik. Van blond moet ik niets hebben, maar toch heeft hij wel iets.

Dennis heet hij en wat hij doet kan ik niet goed volgen. Het klinkt in ieder geval belangrijk, iets met projectmanager en financiën. Daar moet je sowieso een knappe kop voor hebben, denk ik. Als ik me omdraai om zijn kamer te verlaten, zie ik hem naar me kijken. Ik word rood, maar het streelt ook mijn ego. Blijkbaar val ik bij hem in de smaak.

Terug in haar kamer neemt mijn – hopelijk – toekomstige collega achter haar bureau plaats in een hip maar instabiel uitziende stoel.

'Johans afspraak bij de provincie is uitgelopen,' zegt ze terwijl ze haar stoel laat schommelen. 'Je hoeft niet te blijven staan, hoor,' zegt ze. 'Ga zitten.' Achter het andere bureau in de kamer staat precies zo'n stoel als de hare. Misschien krijg ik die straks. Ik vrees dat ik naar achteren zal kletteren en ga voorzichtig zitten. De stoel blijkt stabieler te zijn dan ik dacht. 'Zo, dit zit fijn!'

'Ja, ik zit hier de hele dag op te schommelen!'

Ik moet nog iets zeggen. Een korte, krachtige, correcte zin waaruit ze kan afleiden dat ik erg geïnteresseerd ben in deze baan. 'Is hij vaak weg?' Ik doel op Johan, en bedenk meteen dat het de verkeerde vraag is. Ik wil mezelf corrigeren en zeggen dat ik niet wil suggereren dat ze hier alleen maar een beetje heen en weer zit te schommelen, dat ik niet twijfel dat ze haar werk goed doet, ook als haar baas er niet is, maar dit alles is te ingewikkeld om in begrijpelijke zinnen uit te leggen.

'Ja, Johan werkt vaker buitenshuis dan op kantoor.'

Buitenshuis? 'Thuis?' vraag ik verbaasd en stel me een man voor die met een laptop in de tuin zit.

'Ook, hij neemt elke avond werk mee naar huis.'

Ze informeert waar ik precies vandaan kom, hoe lang ik hier ben. Ze is verbaasd te horen dat ik op mijn leeftijd al getrouwd ben en een kind heb. Zij is vijfentwintig en woont samen.

Voordat ik de kans krijg haar nog meer domme vragen te stellen, komt er een lange man met donker haar en een strak gesneden pak binnen. In zijn ene hand heeft hij een grote leren tas. Ook hij geeft me een zeer stevige hand. Ik kijk naar het tapijt en zie zijn zwarte schoenen glimmen. Zou hij zijn gezicht erin bekijken als hij op iemand moet wachten? Hij verontschuldigt zich dat hij te laat is. 'Je hebt al kennisgemaakt met Marjolein, zie ik?' Marjolein, die naam moet ik onthouden!

Ik volg Johan naar het kantoor dat hij met Dennis deelt. Die knikt me met pretogen toe van achter de bergen papier op zijn bureau en werkt dan onverstoorbaar verder. Johan wijst me een stoel. Ik ga zitten en onderdruk de neiging tot schommelen. Hij neemt tegenover mij plaats. Hij schommelt een paar keer zelfverzekerd heen en weer, stopt dan abrupt en komt ter zake.

'Dus je bent hier voor de baan om Marjolein te assisteren bij de administratie.'

'Ja.'

Hij roept haar erbij omdat ze samen gaan beslissen of ik aangenomen word. Had ik nog maar vaker met Esther geoefend.

'Je hebt geen ervaring met dit werk?'

Ik haal mijn cv uit mijn tas, en geef het hem.

'Dat is niet veel,' zegt hij. 'Alleen mavo in Turkije. Je zit bij Esther in de klas en je enige werkervaring is bij een naaiatelier. Dat heeft niets met het werk dat je wilt gaan doen te maken,' constateert hij arrogant, alsof ik dat niet wist!

'Daarom leer ik Nederlands.'

'Als de taal voldoende was, kon elke Nederlander administratief werk doen. Of moet ik je deze baan geven omdat ik het sympathiek vind dat je een beetje Nederlands leert?' Hij is harder gaan praten. Mijn ogen lopen vol. Het liefst zou ik hard wegrennen.

Dennis grijpt in: 'Johan, je maakt haar bang.' Ik knik beleefd om hem te bedanken. Het is aardig dat hij het voor me opneemt, maar ik vind het niet prettig dat hij me als een weerloos, zielig meisje ziet.

Marjolein valt Dennis bij en zegt dat Johan graag laat zien wie de baas is, maar dat ik me daar niets van moet aantrekken. Hij lacht. Als hij een Turk was geweest, had hij Marjolein ontslagen om haar gezagsondermijnende opmerking.

Marjolein zegt dat ze het knap vindt dat ik behoorlijk Nederlands spreek en vraagt of ik een beetje met de computer overweg kan.

'Ja, met Word. Ik heb mijn cv zelf gemaakt.'

Ze pakt het blaadje en lacht lief. 'Dat stelt niet zo veel voor. Maar vóór jou hadden we hier een Marokkaanse die nooit een computer had aangeraakt. Nu heeft ze een goede baan bij een of andere stichting.'

Johan zegt dat hij graag mensen de mogelijkheid biedt ervaring op te doen, zodat ze later een betere kans op de arbeidsmarkt maken.

'Dit wordt een soort leerplek voor je. Het is de bedoeling dat je over een jaar doorstroomt, zodat iemand anders deze kans krijgt.' Hij vertelt dat hij een grote opdracht van een ministerie heeft gekregen waar Marjolein hem bij gaat helpen. Ik moet een deel van haar huidige taken overnemen. Marjolein somt de taken op: 'De inkomende en uitgaande post, stukken kopiëren, een beetje archiveren, mailtjes, de voorraden bijhouden enzovoort. De opdrachten krijg je van mij en ik geef je duidelijke instructies.'

'Denk je dat het je gaat lukken?' vraagt Johan.

'Ik geloof het wel,' zeg ik onzeker.

'Met geloven kom je er niet,' zegt hij. 'Kun je het of niet?'

'Jazeker,' jok ik.

'Laten we het nog even over je sterke punten hebben,' stelt hij voor met een spottende blik op mijn cv. 'Hoe ambitieus ben jij?'

Hoewel de ondertoon me stoort, vertel ik netjes dat ik nooit meer terug wil naar het naaiatelier, dat falen voor mij geen optie is en dat ik enorm blij zal zijn als ik deze baan krijg. Erg ambitieus vindt hij dat niet. Hij dacht dat ik vast wel wilde gaan studeren. Ik heb geen zin in een discussie en zeg: 'Wie weet. Vroeger wilde ik gaan studeren, en misschien doe ik dat nog wel.'

'Welke richting?' vraagt hij onvermoeibaar.

'In Turkije wou ik journaliste worden, maar hier weet ik het niet.'

'In Tilburg kun je journalistiek studeren.'

'Voorlopig houd ik het bij administratie, geloof ik.'

'Oké. Kun je morgen beginnen?'

Volgende week gaat Marjolein twee weken op vakantie, deze week zal ze me inwerken. Als ik haar onzeker aankijk, stelt ze me gerust dat ik me geen zorgen hoef te maken, dat ze me alles stap voor stap gaat leren. Ik durf niet aan de mogelijkheid te denken dat ik toch niet geschikt blijk te zijn en dat ik net zo snel ontslagen word als ik ben aangenomen.

Johan gaat me het minimumloon betalen, wat meer is dan wat ik bij het atelier verdiende. Over zes maanden gaat hij kijken of ik opslag verdien. Als ik na Johan Dennis een hand geef, zegt hij: 'Welkom, we gaan elkaar heel vaak zien.'

Het nieuws valt goed bij kaynanam. 'Goed zo,' feliciteert ze me. 'Hoeveel ga je verdienen?' Mijn schoonvader vraagt meteen of ik voor hem naar het GAK wil bellen om zijn afspraak te verzetten. Tien keer lees ik zijn briefje en ik vorm verschillende zinnen in mijn hoofd. Trillend toets ik het nummer in. Aan de telefoniste zeg ik dat ik voor mijn schoonvader bel en dat hij wordt opgeroepen maar niet kan komen.

'Ik verbind u door.' Ik krijg een andere vrouw aan de lijn. Ik werk mijn zinnen opnieuw af. Aan de telefoon is het extra moeilijk. Als ik mensen tegenover me heb, kan ik altijd nog gebaren als ik niet op een woord kom. Ik maak een nieuwe afspraak voor hem.

'Tien over half elf is tien uur veertig, toch?' vraag ik. Ze antwoordt bevestigend. Tevreden hang ik op.

'Het is toch goed geweest dat je de taal hebt geleerd,' vindt kaynanam.

Ik zet Gül op mijn schoot, trek haar kleren recht en bind haar haren opnieuw tot een palmboompje. 'Je mag trots zijn op je moeder,' zeg ik terwijl ik haar op mijn dijen laat huppelen. 'Wat?' vraagt ze. Na een paar mislukte pogingen haar woordenschat met het woord trots te verbreden, geef ik het op.

Ik bel Kaan op zijn werk en zeg dat ik afgewezen ben. Daar trapt hij niet in.

'Je bent aangenomen, toch?'

'JA! JA! JA!' spring ik met de telefoon in mijn hand. Daarna bel ik Esther. Ik zou haar wel om de hals willen vliegen; voorlopig moet ze het met mijn gejuich doen.

Als kaynanam de keuken in gaat bel ik Naciye. Kaynanam keurt het niet goed dat ik met haar omga. Ze vindt dat Naciye niet deugt en een negatieve invloed op mij heeft. Nadat we zijn uitgejuicht nodig ik Emel, Ilker, Jasmijn en Paşa uit voor het eten. Iedereen feliciteert me hartelijk, zelfs Jasmijn, die mijn prestaties nooit iets vindt.

'Vallaha,' zegt ze in de keuken waar ik sla sta te snijden. 'Goed gedaan.' En tegen Emel: 'Neem een voorbeeld aan haar.' Ze lacht erbij alsof het een grapje is, maar bij Emel komt het hard aan.

'Kijk naar jezelf,' antwoordt ze pissig. 'Jij bent hier geboren en wat heb je gestudeerd?' Jasmijn gaat langzaam zitten, steekt een sigaret op en herschikt uitgebreid de plooien van haar blouse over haar zwangere buik. Emel loopt weg om de tafel te dekken. Ik ga verder met mijn salade om geen partij te hoeven kiezen; morgen zijn ze weer beste vriendinnen en dan heb ik het gedaan. Als Emel terug in de keuken is, strijkt Jasmijn over haar buik alsof ze haar kind wil kalmeren.

'We hebben het begrepen,' zegt Emel, 'je bent zwanger.' Geschrokken stopt Jasmijn met aaien. 'Mag ik niet zwanger zijn omdat jij geen kinderen kunt krijgen?' Bij het eten en ook daarna zeggen ze geen woord tegen elkaar.

Misschien is het de frustratie over de slechte zaken die Jasmijn moet afreageren. De gouden tijden zijn voorbij. De vele ateliers concurreren elkaar kapot. Jasmijn sluit tegenwoordig contracten tegen de kostprijs om maar werk binnen te halen. En ondertussen gaat Paşa ongestoord door met drinken, gokken en zijn scharrels.

De volgende ochtend fiets ik naar mijn nieuwe werk in plaats van naar school. Alles is mooier dan anders. Nooit was de ochtendzon zo helder en de lucht zo blauw, nooit waaide de wind in mijn gezicht zo prettig, nooit heb ik zo licht gefietst.

Op de Korte Heuvel rollen mannen met veel kabaal biervaten uit een vrachtwagen. Het ijzeren geluid botst tegen de gevels en blijft er hangen. Het suist nog na in mijn oren als ik mijn fiets op slot zet. Gelukkig staat de lift al klaar, zodat ik niet naar het onsmakelijke schilderij hoef te kijken. Een baan op een kantoor met een lift, meer kan een mens niet wensen. Zo hoog als het Empire State Building is het niet, maar het geeft me hetzelfde euforische gevoel dat mensen die daar werken moeten hebben.

Met bonzend hart stap ik het kantoor binnen. Van opwinding heb ik nauwelijks geslapen, maar ik voel me kiplekker. Op mijn bureau staat een boeket met duur uitziende bloemen in een glazen vaas. Er hangt een kaartje aan: 'Welkom, en dank dat je meteen wilde beginnen. Johan, Dennis en Marjolein.' Ik zeg dat ik niet weet hoe ik hen kan bedanken

Na een kopje koffie laat Marjolein me zien waar ze alles opbergt. 'Ingekomen post hierin, alle facturen apart in deze ordner, rekeningafschriften horen in deze map.' Ze zegt dat Johan 'bewaarziek' is, maar dat ik alle mailcorrespondentie na afhandeling mag weggooien.

'En als ik per ongeluk iets verkeerds weggooi?'

Hij merkt het niet eens, volgens haar, en als dat wel het geval zou zijn, mag ik zeggen dat zij me daartoe opdracht heeft gegeven.

In de computer heeft ze een ingewikkeld systeem van mappen opgebouwd, dat ook voor mij toegankelijk is. Ik noteer van alles en nog wat op een blocnote. Elke ochtend moet ik eerst de mailtjes checken, ze uitprinten en in het bakje van Johan leggen. Dat bakje neemt hij eerst door en dan geeft hij met steekwoorden aan wat er moet gebeuren.

'Johan is niet alleen bewaar-, maar ook controleziek,' lacht Marjolein. Als ik iets heb afgewerkt moet ik het met een krulletje en de R van Rüya aangeven en terug in zijn bakje leggen. Marjolein heeft een zwierig krulletje, bijna gekalligrafeerd. Daar ga ik op oefenen.

Na twee uur loopt mijn hoofd over van alles wat ik heb gezien. Ik vrees dat ik hier nooit overzicht over zal krijgen, laat staan dat ik alleen kan functioneren.

Ze neemt de telefoon op met 'Goedemorgen, adviesbureau Expert, met Marjolein'. Ik schrijf de interne nummers op een etiket en plak het op mijn toestel. Insallah belt er de komende twee weken niemand.

In de lunchpauze gaan we met zijn tweeën naar de bedrijfskantine. Dennis moet nog wat afwerken en Johan is de hele dag buiten de deur. Eerst gaan we iedereen op onze verdieping langs. Een accountantsbureau – 'Misschien kun je later hier werken,' fluistert ze als we verder lopen –, een vereniging voor ouderen waar vier leuke jonge vrouwen werken, en drie stichtingen voor muziek, vol jonge mensen. Wat ze precies doen weet Marjolein ook niet.

'Af en toe zul je ze horen spelen, het gebouw is erg gehorig.'

'Ik ben wel aan geluiden gewend,' zeg ik.

'Hoezo?'

'Mijn man en ik wonen in een oud huis bij mijn schoonouders in.'

'Is dat niet moeilijk?'

'Valt wel mee. Mijn schoonmoeder kookt, past op onze dochter en laat ons in het weekend uitslapen.' Marjolein zegt dat ze het nooit zou willen.

Ik druk op de liftknop, maar ze zegt: 'Kom, we nemen de trap.' Ik gehoorzaam en probeer haar bij te houden.

'Wat vind jij eigenlijk van dat schilderij?' vraagt ze, en gaat verder. 'Ik vind het maar niks, een kind in zo'n kwetsbare positie met opgetrokken knieën en blote billen, maar volgens Johan ligt het meisje alleen onschuldig te spelen met haar hondje en zijn het de bijgedachten en vooroordelen van de kijker die het discutabel maken.'

'Wat is discutabel?' vraag ik enigszins beduusd. Ik probeer haar uitleg te volgen en zeg dat ik mijn kind nooit zo zou laten afbeelden.

'Ik ook niet,' zegt ze beslist.

Terwijl we zitten te eten, praten we over mijn Nederlands. Ze merkt dat ik nog fouten maak, vooral met de lidwoorden en bijvoeglijke naamwoorden.

'Vind je het vervelend,' vraagt ze, 'als ik je fouten zou verbeteren?'

'Nee, graag. Anders blijf ik ze maken.'

Als we bijna klaar zijn schuift Dennis alsnog aan. Ik probeer me een houding aan te meten alsof ik het heel normaal vind om met vreemde mannen te lunchen. Belangstellend vraagt hij hoe ik in Nederland terecht ben gekomen. 'Lang verhaal,' probeer ik me ervan af te maken. Ze hebben de tijd. Het is niet dat ik het niet wil vertellen, maar ik weet niet of mijn Nederlands toereikend is. Om me te helpen, stellen ze vragen. Hoe we elkaar kennen, of we familie zijn, of ik uitgehuwelijkt ben, hoe oud ik toen was.

'Vijftien? Dat meen je niet!'

's Middags tussen het werken door kom ik van Marjolein te weten dat ze haar vriend op een carnavalsfeest heeft leren kennen.

'En Dennis?' informeer ik voorzichtig en zachtjes om er zeker van te zijn dat hij me niet hoort. Het is net uit met zijn vriendin.

'Je vindt hem leuk, hè!' giechelt ze.

'Nee, echt niet!'

'Het is toch een knappe man!'

'Wie vindt wat leuk?' vraagt hij om de hoek van de deur.

'Niets,' zegt Marjolein.

Gelukkig gaat de telefoon. Ik mag opnemen. Zenuwachtig lees ik de begroeting op van mijn blocnote. Het is voor Johan. Na drie pogingen lukt het me de beller met Marjolein door te verbinden. Zijn naam ben ik vergeten. 'Noteren,' adviseert ze. 'En de volgende keer vragen waar het om gaat.'

Thuis laat ik trots het boeket zien. Ik raak niet uitgepraat over mijn eerste werkdag. Na een tijdje zucht Kaan: 'Ik begrijp dat je enthousiast bent, maar bewaar alsjeblieft ook wat voor morgen!'

Ook de volgende dag is er genoeg nieuws te vertellen. Dat Johan een rare gozer is met driftbuien. Hij schreeuwde dat Marjolein zijn vergaderstukken kwijt had gemaakt, terwijl hij die zelf ergens onder een stapel had gelegd. Dat ik me zorgen maak of ik hem wel aankan. Dat hij een chaotische duizendpoot is die in allerlei besturen zit. Dat hij er erg jong en knap uitziet, maar al over de dertig is. En dat zijn vriendin liever carrière maakt dan kinderen. Over Dennis vertel ik nagenoeg niets. Er valt ook niets te vertellen. Hij zit weggedoken achter zijn beeldscherm of met zijn neus in de boeken. Soms glimlacht hij als ik de kamer binnenkom, maar meestal merkt hij me niet eens op.

Het zint Kaan minder dat ik twee weken alleen met twee mannelijke collega's zal zijn. Mij vertrouwt hij wel, 'maar die mannen niet'. Ik werp tegen dat hij het geen probleem zou vinden om twee weken met een vrouwelijke collega zij aan zij te werken. Doodmoe word ik van die dubbele moraal.

Toch vindt hij dat ik het aan niemand moet vertellen, om roddels te voorkomen.

De balans

Kennelijk zijn de grenzen van mijn vrijheid nu tot het uiterste opgerekt. Sinds Kaan ervan op de hoogte is dat ik twee weken alleen met mijn mannelijke collega's op het werk zal zijn, gedraagt hij zich autoritairder dan hij ooit gedaan heeft.

Terwijl ik de afgelopen week ben begonnen op kantoor, is Naciye in de problemen geraakt. Een van haar buren heeft haar in het park gezien met een andere man dan haar echtgenoot. Het nieuws heeft zich als een lopend vuurtje verspreid en Turks Tilburg is in rep en roer.

Kaynanam vindt dat ik met haar moet breken. Een vrouw die ook maar de schijn van vreemdgaan over zich heeft, dien ik te vermijden alsof het besmettelijk is. Toen de roddels Naciye en haar man bereikten, bleek de man in het park haar broer te zijn, die zojuist uit Turkije was overgekomen.

Maar haar man vond de roddels zo vernederend dat hij verhaal ging halen bij de buurman. Nu ligt de buurman in het ziekenhuis, met een kogel in zijn buik, en is de man van Naciye opgepakt.

Een vrouw die vreemdgaat is per definitie een hoer. Als een man vreemdgaat, is er niets aan de hand. Het is net vuil, dat verdwijnt als hij zich wast. Aan een vrouw blijft het altijd hangen, hoe goed en vaak ze haar kut ook afspoelt.

Ik ga stiekem bij Naciye langs om haar te troosten. Ook al zien we elkaar nog maar zelden sinds ze gestopt is met school, ze blijft mijn beste vriendin. Ik vind het zielig voor haar dat haar man in de gevangenis zit, maar snap niet dat ze behalve verdrietig ook trots is dat haar man haar goede naam niet heeft laten bezoedelen.

Kaan is woedend dat ik tegen de wil van zijn moeder stiekem bij

Naciye ben geweest. Wat als zijn moeder erachter komt? Ik zeg dat ik zelf wel bepaal wie mijn vrienden zijn. Hij schreeuwt dat ik zijn geduld niet op de proef moet stellen met een grote mond. 'Ik heb je altijd vrijgelaten, maar ik kan je voorgoed in huis opsluiten!' Zo gaat hij nog even door: dat ik bof met hem, dat hij me had kunnen dwingen een hoofddoek te dragen en dat hij zoontjes had kunnen eisen in plaats van met me mee naar de huisarts te gaan voor de pil. Dat ik hem dankbaar moet zijn dat hij me hierheen heeft gehaald, dat ik Nederlands heb mogen leren en dat ik mag werken. Geen van zijn vrienden is zo vooruitstrevend als hij. Zachtjes, bijna onhoorbaar, mompel ik dat hij dan ook geen Nederlandse vrienden heeft.

Hij staat naast me te roken terwijl ik afwas. 'Als jij vreemd zou gaan, zou ik je vermoorden,' dreigt hij. Ik probeer van zijn gezicht af te lezen of hij het meent of dat hij een grapje maakt. Een grapje, besluit ik.

'Zo primitief ben je niet!' lach ik. Uit de afwasteil vist hij een mes en hij drukt de punt ervan zachtjes in mijn navel. Ik duw zijn hand weg en ren de achtertuin in alsof we tikkertje spelen.

'Wat gebeurt daar?' roept kaynanam uit de woonkamer.

'Niets,' schreeuwt hij terug.

Hij komt de slaapkamer binnen als ik bijna opgemaakt ben om naar het werk te gaan. Hij eist dat ik de make-up van mijn gezicht haal. Geen rode lippenstift meer.

'Ja dag,' zeg ik. 'Dit is mijn lievelingskleur.' Ongestoord ga ik door met mijn lippen kersenrood te stiften. Hij grist de lipstick uit mijn handen en smijt hem hard in de prullenbak. Ik kijk hoe hij op de papieren zakdoekjes en wattenschijfjes in de prullenbak valt en een en ander rood besmeurt terwijl de stift afbreekt tegen de rand. Als ik aanstalten maak om hem eruit te pakken, waarschuwt hij: 'Doe dat niet!'

'Ga je me anders slaan?' daag ik hem uit.

Hij dreigt dat ik thuis moet blijven als ik hem niet gehoorzaam. 'Chantage,' roep ik stampvoetend. Hij geeft geen krimp. En ik moet me ook omkleden, vindt hij. Mijn broek zit te strak om mijn kont.

'Hoezo dat nou weer? Deze broek draag ik toch altijd?'
'Dan zit je niet alleen met twee mannen,' sist hij dwingend. Ik kleed me om. Zijn dwingelandij doet me aan die van mijn moeder denken.

Het kantoor is een wereld apart. Johan is er zelden. Ik zit bijna de hele dag alleen met Dennis, bij wie ik om de haverklap langsga, om te vragen wat ik met dit mailtje moet doen of met dat dossier. Hij is losjes in de omgang met mij – bijna alsof we jarenlang bevriend zijn – en maakt grapjes die ik niet altijd kan volgen, maar waar ik om glimlach. Al is het maar om niet bekrompen te lijken. Soms schatert hij van het lachen om iets wat hij 'geweldig grappig' vindt. Ik dacht dat alleen vrouwen zo kunnen lachen, en alleen onderling. Nog nooit heb ik een man zich zo zien laten gaan.

Hij leest mijn brieven en verbetert mijn fouten. Hij verbetert ze niet alleen, hij geeft ze ook moeilijke namen als contaminatie, pleonasme, tautologie, foutieve samentrekking, incongruentie, en nog veel meer. Om indruk op mij te maken, vermoed ik.

Als ik probeer uit te leggen waarom ik dacht dat er een komma moest komen of iets in de verleden tijd heb geschreven, doet hij zijn best om mijn logica te volgen en trekt hij zijn wenkbrauwen hoog op ter aanmoediging. Alsof ik iets geweldig interessants sta te vertellen. Ik staar in zijn wijdopen ogen alsof ik naar een paar blauwgroene edelstenen sta te kijken en vraag me af hoe zoiets moois kan bestaan. Wanneer zijn gezicht ontspant en zijn wimpers een stukje van de adembenemende kleur bedekken, vind ik dat godsgruwelijk zonde. Van mij mag hij altijd een beetje verbaasd kijken. Na een paar seconden sla ik mijn ogen neer.

Ik merk dat ik onophoudelijk met mijn haren speel, als een jong grietje. Houd op, zeg ik tegen mezelf, je bent een getrouwde Turkse vrouw. Híj kent dit spel en mag het spelen. Hij is een Nederlander, hij kent geen beperkingen. Gedraag je, jíj mag niet flirten.

Tot mijn taken behoort ook het archiveren van de enorme stapels papieren die nu de hele vensterbank, een deel van de vloer en van Dennis' bureau in beslag nemen. Het is een berg die verzet moet worden. Hij groeit elke dag in mijn ogen. Ik durf er nauwelijks aan te beginnen, maar het moet gebeuren.

'Gezellig,' zegt Dennis als ik tegenover hem op de grond ga zitten. Ik buig mijn benen ongemakkelijk onder me, zodat het er niet al te ontspannen uitziet, en begin met sorteren.

Geïnteresseerd begint hij me vragen te stellen over mijn achtergrond. Zo jong en toch al zo lang getrouwd? Dat betekent zeker dat ik uit een afgelegen dorp kom en dat mijn ouders heel arm zijn. Ben ik uitgehuwelijkt? Dat is toch normaal bij ons?

Ik had niet op de grond moeten gaan zitten, nu kijk ik letterlijk tegen hem op en hij op mij neer. De zekerheid waarmee hij zijn vooroordelen uitspreekt, werkt me op de zenuwen. Ik proef de superioriteit achter zijn woorden: wij zijn zo veel verder dan jullie. Dat weet ik al, ik hoef het niet van hem te horen. Ik herschik mijn benen.

'Wat weet je nou helemaal van ons? Wat weet je van mij?' bijt ik hem toe. Hij schudt zijn hoofd. Het spijt hem als hij me heeft beledigd, hij was alleen oprecht nieuwsgierig. Zijn excuus zal voor de vorm zijn, vermoed ik, de nieuwsgierigheid welgemeend. Het zielige verhaal van een jonge Turkse vrouw zal het goed doen onder zijn hippe vrienden. Mijn benen slapen. Behoedzaam ga ik op mijn andere bil zitten. Geïrriteerd zeg ik dat ik hem moet teleurstellen, dat ik nooit in een dorp heb gewoond, dat mijn ouders welvarend zijn en dat ík ervoor heb gekozen om te trouwen.

Waarom ben ik dan zo jong getrouwd?

'Ik was toe aan een vriendje,' zeg ik omdat er een stukje waarheid in schuilt en het ook nog stoer klinkt. Volgens hem hoef je daarvoor helemaal niet te trouwen. 'Bij ons wel,' zeg ik kortaf. Ook hiermee laat hij zich niet afschepen.

'Dus je was maagd,' concludeert hij droog, 'toen je ging trouwen.'

'Ja, natuurlijk!' Ik voel het schaamrood op mijn wangen komen. Waar ziet hij me voor aan? Hoewel het ongemakkelijk voelt om dit met een man te bespreken, vertel ik zonder in details te treden hoe belangrijk familie-eer voor ons is en hoe onlosmakelijk maagdelijkheid daarmee verbonden is. Hij luistert aandachtig, met zijn hoofd schuin, en knikt af en toe.

Ik word gek van mijn slapende benen. Languit zitten in het bijzijn van een man is ongepast. Dan bedenk ik dat hij dat toch niet weet. Opgelucht schuif ik mijn benen naar voren, leun met mijn rug tegen de verwarming en sla mijn voeten over elkaar. Voorzichtig vraag ik of hij zelf niet met een maagd wil trouwen. Er verschijnt een grijns rond zijn mond. Voor hem geen maagden. Het is angst van onze mannen dat ze eisen dat hun bruid maagd is. Als een vrouw vergelijkingsmateriaal heeft, zou haar echtgenoot wel eens tegen kunnen vallen. Een maagd kun je alles wijsmaken, ze weet niet beter. Zo hoeven de mannen nooit bang te zijn dat hun vrouw aan haar ex denkt als ze haar ogen sluit.

Ik ben met stomheid geslagen. Zo had ik het nog nooit bekeken. Een meisje moet puur blijven tot haar huwelijk. Het hoort gewoon zo. Punt uit. 'Maar waarom zouden vrouwen en moeders daar dan aan meewerken?' vraag ik me hardop af.

'Omdat ze niet beter weten of het niet aandurven het ter discussie te stellen,' zegt hij kalmpjes.

'Hoe komt het dat jij er zo veel van weet?' vraag ik geïrriteerd. Hij zegt er een artikel in de NRC over te hebben gelezen. Hij spreekt de naam van de krant met ontzag en trots uit, alsof hij er aandelen in heeft. Zo blij is hij dat hij van alles op de wereld op de hoogte is en over alles een mening heeft. Zoals het een Nederlander betaamt, leer ik later. Mijn kont slaapt door het zitten op de harde vloer. De stapel papieren op de grond is amper geslonken.

'Mag ik je iets vragen?' Hij kijkt me onderzoekend aan. Weer valt me op hoe mooi zijn ogen zijn, hoe kinderlijk lief zijn warrige haar en getuite lippen eruitzien. Alsof hij om een snoepje vraagt.

'Dat doe je toch de hele tijd,' lach ik flirterig. Hij wacht. 'Goed, wat is je vraag?'

'Ben jij nooit benieuwd naar andere mannen?'

Ik schrik. Ik hoop niet dat hij het als een uitnodiging bedoelt. Straks gaat hij me zoenen of nog erger: op zijn schoot trekken. Tot mijn ontsteltenis raak ik lichtjes opgewonden. Dit mag niet! Ik probeer mijn verwarring te verbergen en trek mijn bekkenbodemspieren samen. 'Pardon?' vraag ik. Dat ik ontsteld ben komt goed van pas. Hij denkt dat het door zijn vraag komt en legt het uit. Hij klinkt serieus en aanmoedigend. Dat ik nog een kind was toen ik trouwde. Dat ik nooit de kans heb gekregen te experimenteren.

'Nu ben je een aantrekkelijke jonge vrouw. Het zou heel normaal zijn als je de wereld en jezelf wilt ontdekken.'

Hoofdschuddend zeg ik dat het bij ons niet zo simpel in elkaar zit.

'Is dat een ja?' vraagt hij.

'Nee!' ontken ik geschrokken, alsof hij kan zien dat ik wel degelijk opgewonden ben.

'Je liegt,' lacht hij, 'je liegt dat je barst!' Er fladderen vleermuizen in mijn buik. Niet een paar, maar een hele kolonie. Een onaangenaam gevoel tussen opwinding en het besef dat het verkeerd is, en bloedlink.

'Ik ben toch geen hoer!' hoor ik mezelf tegenwerpen.

'Waar slaat dat nou op?' vraagt hij. 'Alleen een vrouw die betaald wordt voor seks is een hoer.'

'Niet bij ons!' Dat vindt hij onzin.

'Daar denken wij toch heel anders over.'

Ik sta op met de mededeling dat ik voor vandaag genoeg op de grond heb gezeten. Zonder hem aan te kijken verlaat ik zijn kamer en ik neem me voor om er nooit meer binnen te stappen. Een kinderachtig besluit. Onhoudbaar bovendien. De confrontatie is onvermijdelijk wanneer je samenwerkt. Wat wil hij bereiken, vraag ik me af. Op de automatische piloot loop ik naar de kantine. Ik haal koffie en ga naar buiten, waar ik binnen vijf minuten twee sigaretten oprook. Ik probeer niet te denken aan wat er net is voorgevallen. Door de houten schroten van de fietsenstalling zie ik twee pubers elkaar zoenen. Wat lijkt me dat leuk; ik vind het echt jammer dat ik dat nooit heb kunnen doen, onbezorgd zoenen in een fietsenstalling. Mijn gedachten komen weer bij Dennis uit. Ik til mijn hoofd op, naar de tweede verdieping. Hij staat van achter het raam naar mij te kijken. Snel wend ik mijn hoofd af, alsof ik hem niet heb gezien. Glimlachte hij? Ik klem mijn peuk tussen mijn wijs- en middelvinger als een steen in een katapult en kijk hoe ver ik hem kan werpen, wetend dat het niet zo hoort. Vroeger hield ik hierin wedstrijdjes met mijn nichten, toen we nog klein waren en roken nog stoer was.

'Wat is er?' vraagt Kaan als ik de keuken binnenkom. Hij zit op zijn kruk een shagje te draaien. 'Je bent zo stil.'

'Niets,' lieg ik, 'gewoon moe.'

'Moe van de hele dag op je luie reet zitten?' Half serieus, half dollend knijp ik zijn keel dicht. Ik roep dat ik best moeilijk werk heb met al die brieven, mailtjes en telefoontjes. Maar het is vooral uitputtend de hele dag Nederlands te moeten denken en praten. Waar praten we dan over, wil hij weten. 'Gewoon over het werk, projecten en subsidies. Ik begrijp er ook niet zo veel van.' Dat is niet eens gelogen.

De zuiverste vorm van eenzaamheid beleef je gek genoeg tussen mensen, zoals een boom in een bos. Dat ik op de wereld de enige ben die weet wat zich in mijn hoofd afspeelt, geeft naast eenzaamheid behoefte aan geborgenheid. Kaan zit nietsvermoedend te roken, zoals altijd als ik sta af te wassen. Ik kijk naar zijn met motorolie besmeurde grijze broek die we samen gekocht hebben in Mersin en die ik hem geweldig vond staan. Zijn twee dagen oude baard die nodig geschoren moet worden. Van hem krijg ik zekerheid. Dat hij elke avond thuis zal komen. Dat hij precies waar hij nu zit een shagje zal roken. Dat hij er zal zijn tot het einde der tijden.

Met niemand kan ik mijn verwarring over het gesprek met Dennis delen. Naciye zou me voor hoer uitmaken. Pakweg een jaar geleden zou ik in haar plaats hetzelfde gezegd hebben. Als Kaan erachter komt dat ik heb geflirt, is het definitief over en uit. Zo simpel ligt het, besef ik nu. Dat er niets is gebeurd doet er niet toe. Bovendien zal hij me toch niet geloven. Als hij me zou laten leven, zou hij erop aangesproken worden in cafés, op bruiloften, overal waar Turken bij elkaar komen. Totdat hij niet meer kan negeren dat mannen hoorntjes van hun handen maken als ze hem zien, en hem grinnikend 'die pooier' noemen zodra hij zich omdraait. Vroeg of laat zal iemand aanbieden een pistool voor hem te regelen. Zodat hij weer met opgeheven hoofd kan rondlopen. Gezuiverd van de schande op zijn voorhoofd.

De volgende dag doe ik opzettelijk afstandelijk tegen Dennis. Als ik hem iets moet vragen, blijf ik voor zijn bureau staan. Wanneer hij me iets uitlegt, kijk ik krampachtig naar het papier. Af en toe glimlacht hij welgemeend en veelbetekenend, maar hij zegt niets over ons gesprek van gisteren. Toch ben ik op mijn hoede, alsof hij een roofdier is dat elk moment kan toeslaan. Het ergste is, vrees ik, dat ik me niet zal verzetten. Onder andere omstandigheden zou ik er zelfs op hopen. Het lijkt me heerlijk door hem begeerd te worden.

Met Johan erbij voel ik me veilig. Alsof hij me kan beschermen tegen Dennis en tegen mezelf. Maar ik wil ook dat hij weer snel vertrekt. Als baas is Johan niet te harden. Hij is streng en kleinerend. Op alles heeft hij commentaar.

Als hij op het punt staat naar een afspraak te vertrekken, valt hij uit. 'Godverdomme! Waar heb je de dossiers gelaten?'

Vlug haal ik ze uit de map waarin ik ze had opgeborgen.

'Nu ben ik te laat!' roept hij kwaad. 'Ik had je toch niet gezegd dat je die moest opruimen!'

Ik sta trillend van angst en woede tegenover hem, dan beent hij nog steeds vloekend en met grote stappen weg. Ik zou vandaag nog ontslag willen nemen, hier nooit meer terug willen komen. Maar dat is een enkeltje naar het atelier. Gek word ik van dat tegenstrijdige gedoe in mijn hoofd.

Achter mijn bureau houd ik me in om niet te gaan janken. Dennis komt bij me staan en wrijft over mijn arm. Hij zegt dat ik me niets van Johan moet aantrekken. Het is een vriendschappelijk gebaar, die hand over mijn arm. En het duurt maar heel even. Ik knik ten teken dat ik hem heb begrepen. Hij gaat terug naar zijn kamer. Ik voel de huid van mijn arm onder mijn blouse gloeien. De warmte verspreidt zich. Ik overweeg mijn schoenen uit te trekken om een beetje af te koelen. In plaats daarvan ga ik naar de wc en was mijn gezicht met koud water. 'Doe niet zo achterlijk, het was maar een hand op je arm,' fluister ik tegen de spiegel. Behalve Kaan raakt geen man mij aan. Ik kus wel handen, en sommigen kussen mijn wangen, zoals mijn vader en schoonvader. Twee keer per jaar krijg ik een knuffel van Ilker, met suiker- en slachtfeest. Daar word ik niet koud of warm van. Ik houd me voor dat het vreemde gevoel alleen voortkomt uit het feit dat ik niet gewend ben door vreemden aangeraakt te worden.

'Heb je gehuild?' vraagt Dennis als ik terugkom.

'Nee,' antwoord ik naar waarheid. Hij lijkt me niet te geloven.

Kut, nu heeft hij ook nog medelijden met me.

Ik durf het niet, wil het ook niet, maar vraag of hij aan iemand iets over ons gesprek van gisteren heeft verteld.

'Nee, hoezo?'

Ik zeg dat dat mij in grote problemen zou kunnen brengen.

'Het was maar een gesprek, hoor,' zegt hij naïef. Alsof dat niet genoeg is om mij van overspel te betichten.

Ik heb geen zin om het uit te leggen. 'Dan nog.'

'Oké,' belooft hij, 'alles wat we bespreken blijft onder ons. Op mij kun je vertrouwen. Maak je geen zorgen.' Hij blijft in de deuropening staan tot ik knik. Maar daar neemt hij geen genoegen mee. Met vragende ogen wil hij een echte bevestiging.

'Oké,' lach ik.

Tijdens de lunchpauzes in de kantine lezen Johan en Dennis vaak de krant en praten ze over het nieuws en de politiek.

Ik zou willen dat ik met ze mee kon praten. Ik voel me als een kleuter, niet in staat deel te nemen aan de gesprekken van de volwassenen. Ik krijg het gevoel dat ik tussen de marsmannetjes ben beland. Ze praten over Hans Teeuwen en Theo Maassen, die zoveel beter zijn dan Youp van 't Hek en Freek de Jonge. Wie zijn dat in godsnaam? Politici? Ik durf het niet te vragen.

Ik weet alleen dat Kok premier is, dat hij van de PvdA is en dat dat een arbeiderspartij is, dat heeft Kaan verteld. Als ik zit te zappen, kom ik weleens langs het journaal. Onbegrijpelijk en oersaai, dat mensen daarnaar kijken! De laatste krant die ik heb gelezen, dateert van vóór mijn huwelijk. Het leek me onzinnig om de Turkse kranten hier te volgen.

Terwijl Johan en Dennis hun onbegrijpelijke gesprek voeren, werp ik een blik in het NRC *Handelsblad*. De krant staat vol woorden waarvan ik het bestaan niet eens had vermoed, en die ik niet door middel van associatie kan ontcijferen: 'enclave', 'gezant', 'genocide', en wat zijn in vredesnaam 'blauwhelmen'? Van paniek weigeren mijn hersens dienst. Na drie keer lezen weet ik nog steeds niet waar het artikel precies over gaat. De krant van Dennis laat zich niet makkelijk doorgronden. Blijkbaar moet je er de tijd voor nemen. Heel veel tijd.

Op de vroege zaterdagochtend ga ik met Kaan de deur uit. Hij gaat bij iemand klussen om wat bij te verdienen. Ik loop naar de bieb. Direct naar het krantenrek. In de leeshoek zitten alleen maar mannen. Zwarte koppen, verdiept in Arabische en Turkse dagbladen, alsof ze nog steeds dáár leven. Sommigen kijken op en staren me aan. Wat komt zij hier doen, zie ik ze denken.

Daar ligt het: NRC Handelsblad, op een bijna onaangeroerde stapel. Zo goed als nieuw. Geen wonder, met al die moeilijke woorden. Ik zou het niet voor mijn plezier lezen, maar ik wil graag meepraten op kantoor. Vooral met Dennis. Het voelt alsof ik de krant niet mag aanraken, als een te dure jurk in een etalage.

Gelukkig staan de tafels apart; ik hoef bij niemand aan te schuiven. Ik blader meteen naar de opiniepagina, het favoriete katern van Dennis. Ik noteer alle vreemde woorden om die thuis op te zoeken. Dom! Ik ben in de bieb en ga de Van Dale erbij halen.

Ik haal de hele stapel NRC's uit het rek en sla alles over, behalve de opiniepagina's. Soms moet ik terug in de tijd, omdat sommige artikelen naar een eerder stuk verwijzen en trachten te bewijzen hoezeer de schrijver ongelijk had met zijn standpunt. Ik vind het geweldig dat mensen blijkbaar zo veel over ingewikkelde onderwerpen weten dat ze openlijk elkaars gelijk durven te betwisten. Dat dat polemiek heet, ontdek ik veel later pas.

Na een tijdje vrees ik dat mijn hersens het begeven. Zoveel verschillende meningen, invalshoeken en moeilijke woorden heb ik nog nooit bij elkaar gezien.

Om ook ergens iets vanaf te weten, verdiep ik me in Turkije. Mijn vaderland heeft net de lira van de dollar ontkoppeld en is door de ontstane economische crisis volop in het nieuws. Op Turkse zenders zagen we dagenlang hoe de president een wetboek naar de premier gooide na een ruzie over corruptie.

Om mijn woordenschat te verrijken, ga ik zelfs met de Van Dale naar de wc. Ik dreun de woorden op terwijl ik heen en weer wieg, maar mijn geheugen weigert ze op te slaan. Hoe heb ik ooit Nederlands geleerd! Hier is toch geen beginnen aan!

Iemand anders dan Dennis is niet voorhanden, en gecharmeerd door mijn beroep op zijn kennis is hij graag bereid mij een spoedcursus Nederlandse politiek te geven. Te beginnen met het poldermodel – geen flauw idee wat het met polders te maken heeft. Om het Nederlandse model duidelijk te maken, pakt hij de hele vaderlandse geschiedenis erbij en geeft hij voorbeelden van 'geschillen tussen vakbonden en de regering' waar ik niets van snap. Ik knik maar. Als ik hem durf te onderbreken en een vraag stel, wordt het alleen maar nog onduidelijker. Hoewel ik dan mijn best doe zo goed mogelijk te luisteren, hoor ik niets. Alsof ik naar een pantomimevoorstelling zit te kijken. Zo onder de indruk ben ik van zijn kennis, maar vooral van zijn verschijning. Zo nu en dan trekt hij zijn wenkbrauwen omhoog terwijl hij me recht in de ogen kijkt, waardoor ik onmogelijk bij de les kan blijven. Dennis kijkt tevreden als hij me heeft geïmponeerd.

'Nederlandse politiek is concessies doen,' besluit hij nadat hij eerst een onnavolgbare uitleg van het begrip concessie heeft gegeven. Zo slecht lijkt me het poldermodel niet, maar je moet het slim spelen. Als je hoger inzet, krijg je uiteindelijk toch wat je wilt, redeneer ik. Dat moet ik thuis proberen. Voortaan ga ik honderd gulden vragen als ik vijftig nodig heb. Dat ik daar niet eerder op ben gekomen! Dat is het enige wat ik van zijn uitleg opsteek.

Het onderwerp van het Nederlandse concessiemodel ombuigen naar de autoritaire Turkse staat en de huidige politieke toestand in Turkije is zelfs voor mij kinderspel. Dennis luistert aandachtig, blijkbaar onder de indruk dat ik goed geïnformeerd ben. Dat de president een exemplaar van het wetboek naar de premier had gegooid, wist hij bijvoorbeeld niet. In geuren en kleuren beschrijf ik hoe de twee machtigste mannen van de Turkse politiek als jongens stonden te ruziën. Hij zegt dat de problemen in mijn vaderland natuurlijk veel dieper liggen. 'Ja, absoluut,' zeg ik. Godzijdank vraagt hij niet om een analyse. Gered door de telefoon maak ik me uit de voeten.

Daarna laat Dennis geen gelegenheid voorbijgaan om met mij te praten over wat ik van Nederland vind en hoe ik hier leef. Zijn kinderlijke nieuwsgierigheid ontwapent me. We kunnen rustig een paar uur aan één stuk door praten. Met het opruimen van het archief schiet het niet echt op. Consequent neem ik daarna stiekem twee pijnstillers om mijn bonkende hersens te kalmeren. Toch ga ik weer naar zijn kamer. Keer op keer.

Met humor vertel ik hoe de rollen bij ons zijn verdeeld en hoe vanzelfsprekend we ons daaraan houden. Uit zelfbescherming moet je wel lachen om de bizarre toestanden waar je eigenlijk om zou kunnen huilen. Door te lachen kun je veel pijn verhullen. Het moet wel luchtig blijven. Dat zorgt ervoor dat hij geïnteresseerd en verbaasd blijft luisteren.

Ik wilde dat hij niet van die vervelende vragen zou stellen, die zout in de wonden kunnen wrijven. Waarom liggen de man-vrouwverhoudingen zo scheef? Waarom verandert er niets? Dat komt te dichtbij. Toch geef ik hem eerlijk antwoord, omdat hij mij, en via mij ons Turken, probeert te begrijpen.

'Het zal niet veranderen,' zeg ik met een lach, alsof het 't begin is van een goede grap. 'Mannen zullen nooit zeggen: "Vanaf vandaag krijgen jullie evenveel rechten. We gaan het huishouden eerlijk verdelen en de kinderen samen opvoeden. Meiden mogen net als jongens uitgaan, laat thuis komen en seks voor het huwelijk hebben. We zullen jullie niet meer verwijten dat jouw dochter een hoer is geworden en dat het jouw schuld is." Dat zullen ze nooit zeggen. Ik zou het ook niet doen, als ik zo veel macht had. Eerlijk is eerlijk. Het is toch makkelijk een vrouw te hebben die als een slaaf probeert je te behagen? Een vrouw die je altijd mag bestijgen, omdat ze in principe niet mag steigeren. Dat is toch heerlijk? En lekker comfortabel. Onderling gedragen mannen zich als pasja's en thuis wanen ze zich de sultan. Onder het mom van eer en tradities stellen ze hun positie veilig. Zolang vrouwen dat pikken en ze andere vrouwen die vrij willen leven van alles verwijten, zal het niet veranderen. Je moet van goeden huize komen, als je als vrouw gelijke behandeling eist.'

'Maar jullie leven toch niet meer in Turkije?' zegt Dennis. Ik moet lachen om zijn onnozelheid. Volgens hem houden de Turken hier elkaar achterlijk.

'Ze doen hun best de schuld- en schaamtecultuur te bewaren. Dat is het enige wat ze nog hebben van het vaderland. Daarmee onderscheiden ze zich van de rest.' Ik krijg het er benauwd van, dat ik onze deugden, die ons moeten beschermen tegen het verderf van het Westen, verloochen. Wat hebben we nog als we de waarden die ons Turken en moslims maken laten varen? Wat onderscheidt ons dan nog van ongelovige Hollanders? Maar hoe meer ik met Dennis praat, hoe makkelijker het wordt om mijn vraagtekens, twijfels en kritiek met hem te delen.

Hoe wil ik mijn dochter opvoeden? wil hij weten. 'Alsof dat aan mij is,' lach ik, want ik vrees dat haar opvoeding niet veel van de mijne zal verschillen. De opvoeding is een collectieve zaak bij ons, vertel ik. Iedereen mag zich met je kind bemoeien en het corrigeren. Als ik mijn Turkse vriendinnen vertel dat Gül van mij niet per se met een Turk hoeft te trouwen, schrikken ze. Dat mag ik niet goedvinden. Zelfs mijn beste vriendin Naciye vindt het onbegrijpelijk. Volgens haar duw ik mijn dochter zo in de verkeerde richting en stimuleer ik onzedig gedrag. Ze waarschuwt me dat het mijn schuld is als het verkeerd met haar afloopt.

Kaan wil dat ze opgroeit als een 'goede' Turkse. Hij is ervan overtuigd dat ze gelukkiger wordt als ze met een Turk trouwt, omdat er dan geen cultuurverschillen tussen haar en haar man zijn. Ik probeer hem er alvast stapje voor stapje op voor te bereiden dat ze van mij moet studeren, misschien in een andere stad, waar ze alleen of in een studentenhuis zal wonen. Dat ze de wereld zal willen ontdekken. 'Ik breek haar benen,' zegt hij. 'Dan moet ze maar gaan trouwen.' Zijn zegen heeft ze vanaf haar zestiende. In plaats van haar vrij te laten, zodat ze niet op jonge leeftijd zo'n beslissing hoeft te nemen, wil hij haar de pil cadeau geven bij haar bruidsschat. Hij wil geen jonge opa zijn.

Dennis' conclusie is glashelder: 'De integratie is mislukt.' Ik ben het met hem eens, hoe pijnlijk dit inzicht ook is.

Een andere keer hebben we het over importhuwelijken. Het liefst zou ik die verbieden. Dat verbaast hem. 'Dan was jij hier nu toch ook niet?' vraagt hij.

'Nou en? Als ik niet was gekomen, had Nederland mij echt niet gemist en ik was heus niet doodgegaan van de honger.' Hij is blij dat ik er ben – ik durf niet te vragen waarom – maar van nu af aan mag de politiek dat ook wat hem betreft aan banden leggen.

'Het is mensenhandel!' roep ik stellig. Ik leg uit dat het meestal een zakelijke overeenkomst is tussen twee families. Met open mond van verbazing luistert hij alsof ik een sprookje sta te vertellen. De aanstaande echtgenoot die in Europa leeft, heeft er vaak niets over te zeggen. Doorgaans staat de partner in Turkije te popelen, zoals ik. Die heeft een geromantiseerd beeld van het beloofde land, is in de meeste gevallen slecht opgeleid, kent de taal niet en de gebruiken nog minder. Als die over de teleurstelling van zijn of haar nieuwe leven heen is en áls die een beetje Nederlands leert, zijn we een jaar of vijf verder. En meestal ook een paar kinderen rijker. Die gaan weer naar school met een taalachterstand. En zo sukkelen we nog een paar generaties verder. En hoe vaak is het niet een neef of nicht met wie er getrouwd moet worden? Niet echt gezond voor het nageslacht.

'En als je als Nederlandse Turk uitgerekend verliefd wordt op een familielid, een goede kennis of dorpsgenoot?' vraagt hij.

Daar geloof ik niks van. 'Als ze zoveel van elkaar houden, gaan ze maar in een land wonen waar ze beiden de taal kennen, voor mijn part in Engeland. Dan belemmeren ze de integratie niet. Het gaat al traag genoeg,' werp ik tegen.

'Het kost ook tijd,' zegt hij.

'Voor wie ben jij eigenlijk?' onderbreek ik hem boos. 'Ik vind dat het lang genoeg heeft geduurd!'

'Ik ben voor jou,' knipoogt hij.

Ik had het al warm van de inspanning die ik zojuist geleverd heb, maar nu stijgt de brand tot aan mijn oren. Heb ik het goed gezien? Zit hij me nu echt te versieren? Wat moet ik hier in godsnaam mee?

'Dat integratie en emancipatie tijd kosten is het argument van links Nederland, wilde ik zeggen,' legt hij uit.

Dan ben ik rechts, besluit ik.

De vakantie van Marjolein is voorbij. Ze is nog energieker dan eerst. Hyperactief lijkt ze wel. Ze is lekker gebruind op het strand van de Malediven. Samen met een vriendin; haar vriend had geen zin. 'Dat zou ik nooit mogen,' zeg ik.

'Mogen?' vraagt ze. Ze snapt niet waarom een jonge vrouw als ik accepteert dat mijn man de baas over mij speelt.

'Dat is gewoon zo bij ons,' kap ik haar af. Ik heb even geen zin in deze discussie. Ik baal van hoe het er 'bij ons' aan toe gaat tussen mannen en vrouwen, maar het hardop zeggen voelt als het verraden van mijn wortels. Het is net als afgeven op je ouders. Jij zelf mag het doen, maar van iemand anders is het niet te verdragen. Meer dan dat brengt de erkenning van onderdrukking mij in een lastig parket. Erkennen dat je eigen situatie niet deugt, maar er niets tegen doen, gaan niet goed samen. Kaan zal nooit veranderen, en zijn moeder nog minder. Ik kan niets anders doen dan wachten op de dood van kaynanam of die van mij.

En ik haat wachten. Mijn hele leven lijkt een aaneenschakeling van wachtkamers voor betere tijden: van kind naar volwassene, van mijn moeder naar Kaan. Van de ene wachtkamer schuif ik de andere in. Van de ene teleurstelling naar de volgende. Ik word er zo ongeduldig en lusteloos van.

De hele dag door vertelt Marjolein over witte stranden, de kraakheldere zee en de wuivende palmbomen. Met glimlachen en instemmend knikken probeer ik mijn jaloezie te verbergen.

Marjolein vindt dat ik het kantoor goed heb gerund tijdens haar afwezigheid. De post is goed bijgewerkt, het archief van Johan is redelijk opgeruimd. Dat had ze niet verwacht. Complimentjes ben ik niet gewend, en ik mompel iets dat ik weinig heb gedaan, hoewel het me dagen heeft gekost om me door die stapels heen te worstelen.

Hoe was het om twee weken alleen met de twee mannen te zijn? Ik zeg natuurlijk niet dat het best fijn was om de onverdeelde aandacht van Dennis te hebben. Ik zou het haar wel willen opbiechten. Wat hij met me doet, dat ik me er geen raad mee weet. Dat hij naar me kijkt zoals niemand eerder deed. Dat ik gek word van het blauwgroen van zijn ogen, dat ik ze zou willen uitsteken en altijd bij me dragen om er stiekem uren in te kijken.

Ik zou haar wel willen vertellen dat ik laatst over hem heb gedroomd. In mijn droom wist ik dat het niet deugde, maar het kon me niets schelen. Ik wilde mijn watertanden in hem zetten, ik wilde aan zijn stroharen trekken en hem diep in mij voelen. Hij rook naar vers zweet, dat ziltig smaakte. Ik wilde hem van top tot teen schoonlikken. Toen ik onrustig heen en weer schuivend tussen de lakens wakker werd, voelde ik me schuldig, maar tegelijkertijd wilde ik weer in slaap vallen om de droom op te pakken waar ik was gebleven en voorlopig niet meer wakker te worden. Nog steeds kan ik niet geloven wat me overkomt. Soms kan ik niet meer helder nadenken. Alsof mijn gedachten vervuild zijn met een zwarte, hardnekkig plakkerige massa. Alsof er een andere Rüya in me is komen zitten, die zegt: 'Ik doe wat ik wil, tot nu toe heb ik voor anderen geleefd. Nu ben ik aan de beurt. Ik wil ook van het leven genieten. Ik wil leven, feesten en neuken. In die volgorde.'

Maar ik kijk wel uit. Voor een andere man ga ik mijn leven toch niet op het spel zetten? En de eer van mijn vader. Die onbeschaamde gedachten zijn van mij! De duivel in mij was het kennelijk beu in de spiegel te wachten op een zwak moment waarop ze me toe kon spreken. Nu is ze constant bij me en knabbelt aan mijn fatsoen. Leg dat gevecht tussen begeerte en fatsoen eens uit aan Marjolein. Ze zal denken dat ik gestoord ben. Dat het me ook nog eens mijn leven kan kosten, zal ze al helemaal niet begrijpen.

Nu Marjolein terug is, lukt het me beter de gedachten aan Dennis van me af te zetten. Bovendien gebeurt er ook het nodige in mijn eigen leven. Ik moet rij-examen doen op een regenachtige ochtend in april, en haal tot mijn grote vreugde in één keer mijn rijbewijs. Die avond mag ik Kaans auto besturen als we met Gül naar de McDonald's gaan om het te vieren.

Begin mei bevalt Jasmijn van een zoon. Het duurt maar drie uur, inclusief de weeën. Ze noemt hem naar mijn schoonvader, wat niet gebruikelijk is. De naam van de opa is voor zonen van zijn zonen bedoeld, meestal die van de oudste. Misschien hebben mijn schoonouders het idee opgegeven dat ze een kleinkind van Ilker en Emel kunnen krijgen. Ik ben opgelucht; het verlost ook mij van toespelingen op het baren van een zoon.

We gaan in de zomer niet op vakantie. Door onze 'huwelijksreis' vorig jaar, de verbouwing van het huis en mijn rijlessen is er geen geld voor, zegt kaynanam. Mijn moeder klaagt over de telefoon dat ze Gül dit jaar niet zal zien, maar ik vind het niet erg om thuis te blijven. Zo kan ik me helemaal richten op mijn werk en het verbeteren van mijn Nederlands. Ik kijk constant naar de Nederlandse zenders om bij te blijven. Zodra de anderen thuis zijn, moet ik de afstandsbediening inleveren.

Op 11 september zit ik thuis alleen op de bank voor de tv met de NRC en de Van Dale op schoot. Vanuit mijn ooghoek zie ik rookpluimen opstijgen uit een wolkenkrabber. Het duurt even voordat ik weet wat ik zie; eerst denk ik aan een sensatieprogramma op Discovery of een rampenfilm uit Hollywood. Dan zie ik een vliegtuig zich in de toren ernaast boren. Knap gedaan met het logo van CNN erbij. Deze scène duurt wel heel erg lang. Dit kan toch niet waar zijn, dat ik live naar een ramp zit te kijken?

De voordeur gaat open en dicht. Mijn schoonouders komen binnen met een plastic tasje vol zure lamsoren die ze in het Leijpark geplukt hebben. Gül dacht hen te helpen, maar ze kon het onkruid niet van de eetbare groene blaadjes onderscheiden, lacht kaynanam. Ik onderbreek haar en zeg dat er in Amerika terroristische aanslagen zijn gepleegd. Ze komen naast mij zitten. Verstijfd kijken we naar de beelden. Vol verbijstering zien we keer op keer het vliegtuig in de toren vliegen. Mensen wapperen naar beneden. 'Haal ze toch op met een helikopter,' roep ik kwaad, 'en zet een vangzeil neer, een hele grote!' Een afgrijselijk dilemma: levend verbranden, ruiken hoe je haar en huid verschroeien of te pletter vallen op de stoep. Eerst begeeft het tweede gebouw het. Kort daarna zijn tweeling. Puin en stof daalt op de straten neer. Mensen rennen en komen wit als spoken tevoorschijn uit de stofwolken. Dan toont het journaal dansende Palestijnen.

'Hoe kunnen ze juichen!' roep ik verontwaardigd. Mijn schoonvader zegt stoïcijns dat die mensen deze terreuraanslagen als een vergelding voor hun leed beschouwen.

'Maar al die onschuldige mensen!' Hij zegt dat er in Palestina al jaren onschuldige mensen en kinderen doodgaan.

'Dan nog!'

'Wat zou jij doen,' vraagt hij, 'als je vader, broer, man en kind vermoord worden? Als er elke dag bommen en kogels op je kop zouden regenen terwijl je alleen maar vrijheid en erkenning wilt? Als je in onderdrukking en angst moet leven.'

Ik zeg dat ik niet zou dansen op de lijken van burgers die er niets mee te maken hebben. Ik kan niet geloven dat mensen blijkbaar in staat zijn zich uit wraak met open ogen te pletter te vliegen. Zouden ze op het laatste moment hun ogen gesloten hebben of spijt hebben gevoeld tegenover hun slachtoffers?

Mijn schoonvader houdt vol dat ik anders had gepiept als ik mijn kind had moeten begraven. Ik wil het me niet eens voorstellen, maar ik zie het al kraakhelder voor me dankzij die verdomde levendige fantasie van mij. Het in stukken gescheurde bebloede lichaampje van Gül in mijn armen. Hoe ik haar gezichtje zou kussen in de hoop haar tot leven te wekken, het leven dat ik haar heb gegeven na negen maanden dragen, vier dagen weeën en een afschuwelijke bevalling. De pijn en leegte van haar levenloze lichaam die mij opnieuw openrijten. Misschien zou ik het dan ook niet erg vinden dat de beste vriend van mijn vijand wordt aangevallen. Als dit mij al zo aangrijpt, hoe zou een goede moeder het dan overleven?

Kaan belt aan. Met tegenzin loop ik naar de deur. Hij heeft een sleutel, maar vindt dat zijn vrouw voor hem de deur open moet doen. Zelfs vandaag. Ik neem zijn broodtrommel aan en geef hem een geroutineerde kus. Of ik weet dat Amerika is aangevallen? Als ik zeg dat ik het op het journaal heb gezien, reageert hij verbaasd. 'Hé, sinds wanneer kijk jij naar het nieuws?'

Op zijn werk vrezen ze het ergste, dat er een oorlog komt, zelfs in Nederland.

'Wat hebben wij ermee te maken?' vraag ik. Dat weet hij ook niet.

De straten liggen er hetzelfde bij, de scholieren fietsen goedgemutst naar school, mensen haasten zich naar hun werk, de voorraden bier van de cafés worden bijgevuld. Het leven in Holland gaat door, zoals gisteren en de dag ervoor. Op het eerste gezicht, tenminste. Na 'goedemorgen' gaat het gesprek op kantoor alleen over de aanslagen.

'Wat vind jij er eigenlijk van?' wil Marjolein weten.

Wat een domme vraag. Afschuwelijk natuurlijk. Dat mijn schoonvader begrip heeft voor de juichende massa, laat ik onvermeld. Ik wil niet buitengesloten worden. Dennis zegt dat dit wel eens een ramp zou kunnen worden voor moslims in Nederland, dat die hierop aangesproken zouden worden.

'Wat hebben wíj er nou mee te maken!'

Algauw blijkt dat we er alles mee te maken hebben. Misschien had ik te veel vertrouwen in het gezonde verstand van mensen. Misschien was ik te naïef. Seculier, een beetje gelovig, praktiserend, conservatief, fundamentalist: we worden allemaal op één hoop geveegd en bij het grofvuil van de terroristen neergezet. Op straat trekken racisten aan de hoofddoeken van jonge meiden. Sommigen worden bespuugd. Ook ik krijg mijn deel. De buren tegen wie ik altijd 'hoi' roep, doen consequent alsof ze me niet zien. Basisschoolkinderen uit de omliggende wijken schelden me uit voor 'Turkenneuker!' en 'vrouw van Bin Laden', om daarna hard weg te rennen. Hoewel ze deels gelijk hebben, kan ik er niet om lachen. Ik neuk met één Turk, en dat is meer dan genoeg. En vrouw van Bin Laden! Dat slaat nergens op.

Serieus kun je die kinderen niet nemen, misschien praten ze hun ouders na. En dat hun ouders zo praten, dat doet wel pijn. Het is verschrikkelijk om in te zien dat ik er nooit echt bij zal horen. Als puntje bij paaltje komt, ben ik een moslim en een allochtoon. Dat ik niet meer echt geloof en de aanslagen net zo hard afkeur als een Nederlander, doet er niet toe.

Op het werk roept Johan dat mannen met djellaba's naar hun woestijn terug moeten en dat moslimvrouwen hun hoofddoek thuis moeten laten. Aan de ene kant voel ook ik me bedreigd en geïntimideerd als ik op de Westermarkt mannen in witte jurken met lange zwarte baarden zie. Ik kan het niet helpen me af te vragen of ze het terrorisme steunen of misschien zelf een bom onder hun jurk hebben. Aan de andere kant voel ik me plaatsvervangend gediscrimineerd door Johan.

De zalvende woorden van Marjolein en Dennis dat het wel weer goed zal komen, stellen me niet gerust. Mij vindt ze even aardig als voorheen, verzekert Marjolein me. Dennis knipoogt.

'Volgens mij kunnen jullie het goed vinden samen,' grapt ze zodra Dennis achter zijn bureau verdwijnt.

'Doe normaal, zeg!' Met twee handen wrijf ik over mijn slapen om haar het zicht op mijn rode wangen te belemmeren. Uit mijn tas pak ik twee pijnstillers en loop de kamer uit alsof ik die ga innemen bij het aanrecht. Ik giet twee volle glazen water naar binnen en stop de pijnstillers bij gebrek aan broekzakken stiekem in mijn bh. Mijn moeder stopte haar geld vaker bij haar borsten dan in haar portemonnee, zoals zoveel vrouwen in Turkije. Want je borsten heb je altijd bij je. Op de wc wacht ik voor de spiegel tot het rood op mijn wangen een beetje is weggetrokken. Verlegen maar tevreden kijk ik naar mezelf. Hij vindt me leuk!

's Avonds ga ik met mijn pyjama aan naar bed omdat ik het zogenaamd koud heb. Het is helemaal niet koud, vindt Kaan. Ik vind van wel, zeg ik. Zijn huid tegen mijn huid, het liefst zou ik dat eeuwig uitstellen. Onder mijn pyjamajasje leggen zijn handen de bekende weg af naar mijn borsten. Aan de rand van mijn linkerborst stuit hij op de pijnstillers. Ik zeg dat ik hoofdpijn had op kantoor. 'Je hebt die toch niet waar die twee mannen bij waren in je bh gestopt,' wil hij weten.

'Ja,' zeg ik, 'en eerst heb ik ze mijn borsten laten zien. Ze vonden ze prachtig.' Weer zegt hij dat hij me zal vermoorden. Dat weet ik toch? Langzaam begint hij me te zoenen en kleedt me uit. Zodra ik mijn ogen sluit, doemt het gezicht van Dennis op, knipogend in de deuropening. Even vecht ik ertegen en sper mijn ogen wijd open. Geef toe aan dat zalige idee, laat je gaan, fluistert een stemmetje in me. 'Het is lang geleden dat je zo geil was,' hijgt Kaan. 'Ja,' lieg ik, 'ik weet ook niet wat me overkomt.'

Vandaag is het alweer de eerste dag van de vasten. Wat gaat de tijd snel, vooral als ik op mijn werk ben!

'God bestaat niet en Allah ook niet, dus je lijdt voor niets honger,' zegt Johan als ik in de kantine toekijk hoe mijn collega's eten. Met zijn broodje kaas strijkt Johan plagend langs mijn neus: 'Dit laat je toch niet liggen.' Als reactie op zijn irritante manier van doen verdedig ik de islam met al mijn kracht, maar ik krijg hem niet uitgelegd dat vasten met zelfbeheersing te maken heeft, dat je op deze manier meeleeft met de armen en dat je dankbaar wordt voor wat je hebt. Voor mij heeft vasten altijd met deze dingen samengehangen en met de geurige broodjes die mijn moeder voor de sahur bakte. Tegenwoordig doe ik het vooral omdat het erbij hoort en ik niet anders kan. De dagen waarop ik ongesteld ben en niet mag vasten zijn welkome onderbrekingen. Toch doe ik alsof ik vast waar mijn schoonvader bij is. Anders weet hij dat ik ongesteld ben. Dat is iets waar je je voor moet schamen, en wat je dus verborgen moet houden. Marjolein zegt dat ik dat op kantoor niet hoef te doen. Maar dan moet ik het aan Johan en Dennis uitleggen. 'Nou en,' zegt ze, 'wat geeft het nou als ze weten dat je ongesteld bent?' Ik schaam me dood als Dennis vraagt of het vasten alweer is afgelopen. Marjolein wil bij wijze van experiment ook een dagje vasten. Ik vind het sympathiek maar overdreven. Van mij hoeft het niet, zeg ik, als je dat voor mij wilt doen. Nee, ze wil weten hoe dat is: de hele dag niet eten, drinken en niet zoenen of neuken. Met dat laatste zal ze geen problemen hebben, lacht ze zoals vrouwen onderling lachen om zulke dingen. Ik zeg haar dat ook haar gedachten zuiver moeten zijn, dat ze niet mag roddelen en meer van dergelijke regels waar een moslim zich in principe elke dag aan moet houden. Maar omdat dat wel een erg zware opdracht is, zeg ik dat ze dat niet zo nauw hoeft te nemen. Ik nodig haar uit voor de *iftar**. Dan maakt ze pas echt een dag vasten mee. Dat vindt ze helemaal geweldig. Ik snap niet dat ze zich verheugt op een dag honger lijden.

Voordat ze naar bed gaat, eet ze alvast haar ontbijt – een kom muesli – omdat ze niet 's nachts uit haar bed wil komen om nog wat naar binnen te werken voor de zon opkomt. Een dag vasten, met alleen een kom muesli in je maag. Dat zal haar leren, ik vind het om te gillen. Wij eten juist heel zwaar, en dan nog krijgen we honger. Uit gewoonte loopt ze een paar keer naar de koffiekan. Ik zeg dat ze zich best mag bedenken. Omdat ze geen moslim is, heeft het voor haar geen consequenties. Wij moeten voor een dag dat we het vasten bewust onderbreken zonder geldige reden betalen met eenenzestig extra dagen vasten. Ik verzeker haar dat het niet erg is, dat ze 's avonds gewoon bij ons kan komen eten. Maar ze is vastbesloten. Niet het eten, maar het drinken mist ze. Ik mis het roken het meest. Normaal gesproken houd ik het nog geen drie uur uit zonder een sigaret.

* Het avondeten.

Na de middag voelt Marjolein zich een beetje slap en moe. Het hoort erbij, verzeker ik. Ook de klok lijkt haar langzaam te tikken. Wacht maar tot je bij de laatste tien minuten bent. Die gaan pas tergend langzaam. 'Nee hè,' lacht ze. Omdat ik vast, fiets ik niet. Kaan brengt me 's morgens weg en haalt me 's avonds op. Ook Marjolein heeft haar fiets vandaag thuisgelaten. Om vijf uur stappen we in haar auto. Kaan heeft ze inmiddels een paar keer gezien. Ze vond hem een streng type. 'Valt wel mee,' zeg ik. Ze is benieuwd naar Gül en mijn schoonouders.

Met een 'We zijn er!' in het Turks laat ik haar binnen. Ze kijkt naar de schoenen in de hal. Ik trek de mijne uit en doe mijn slippers aan. Als ze buigt om haar veters los te maken, zeg ik dat het niet hoeft. Dat mijn schoonzus ook zo vaak op haar schoenen door het huis loopt. Ik zie dat ze er blij om is, hoewel ze er rekening mee heeft gehouden en een paar nieuwe sokken heeft aangetrokken. Mijn schoonvader loopt naar de hal om haar te verwelkomen, terwijl hij meestal pas de moeite neemt om op te staan als het bezoek de woonkamer binnenkomt. Mijn schoonmoeder komt uit de keuken en kust Marjolein drie keer. Ik zie dat het haar overvalt, maar ze doet toch mee. Aan de salontafel zit Gül te kleuren. Gewoontegetrouw wil ze het bezoek de hand kussen. Maar dat hoeft van Marjolein echt niet, ze geeft haar een aai over de bol.

'Ga zitten,' wijst mijn schoonvader haar vriendelijk de bank. Als Kaan van zijn werk komt, raken ze meteen aan de praat. Of ze tevreden over mij is, wil hij weten. Ik kan wel door de grond zakken. Mijn vader deed dat ook altijd toen ik op de basisschool zat!

Ik loop naar de keuken om mijn schoonmoeder te helpen. Het ruikt er verrukkelijk, en ik krijg nog meer honger. Elke dag dat we vasten kookt ze uitgebreid, maar vandaag lijkt het alsof er een leger komt eten. Ze vindt het bijzonder dat een Nederlandse met ons meevast, en gelijk heeft ze. Ze wil haar het beste van de Turkse keuken voorschotelen. Zoals haar specialiteit, yoghurtsoep. Verder heeft ze verse druivenbladen gerold, en zachte gehaktballetjes met rijst die damesdijen heten, ze heeft vers brood gebakken, en als toetje hebben we een 'vrouwennavel', griesmeeltoetjes overgoten met siroop. 'Het verbaast me nog steeds dat niemand een probleem maakt van de sensuele namen die deze gerechten dragen,' zeg ik tegen Marjolein als ik het menu opsom.

We moeten nog ruim een uur wachten, maar de tafel is al compleet gedekt. Als een maagd in bruidsjurk staan de gerechten op ons te wachten. Als eerste gaat mijn schoonvader zitten. Terwijl hij niet eens vast. Zijn suikerspiegel weerhoudt hem niet van niet drinken, maar honger schijnt niet goed voor hem te zijn. Ik vermoed dat het plechtig wachten aan tafel hem niet lang genoeg kan duren. We zetten teletekst aan en kijken zuchtend naar het scherm. Nog acht minuten. Ik schenk alvast het water in de glazen. Nog zeven minuten te gaan. Ook Marjolein wordt zenuwachtig, bekent ze, van dat wachten. Daar lachen we om en leggen het uit aan mijn schoonouders. Nog zes minuten. Ik schenk yoghurtsoep in en sprenkel er tomatensaus over. Bijna twee minuten minder. Gül lust geen yoghurtsoep. Voor haar breng ik uit de keuken een bord vol vrouwendijen met ketchup, daar is ze dol op. Nog een minuutje.

'Jezus,' zucht Marjolein, 'wat duurt dit lang.' Mijn schoonvader begint te bidden, Marjolein kijkt ernstig naar haar voor zich gevouwen handen. Het is een raar tafereel, vind ik, dat wij naast elkaar ons tot dezelfde God richten op een andere manier, en ik houd me in om niet te lachen. Amin. Amên. Aanvallen!

Na de thee vertrekken mijn schoonouders naar de moskee voor het speciale gebed van de vasten, dat afhankelijk van de snelheid van de imam een uur lichaamsbeweging inhoudt. Wij buiken uit op de bank.

'Te veel gegeten,' klaagt Marjolein. En dat het zo lekker was, voegt ze er lachend aan toe. Ook mij lukt het niet me aan tafel te beheersen. Zodra het mag, gaan alle remmen los. Mijn schoonouders vindt ze aardig, erg aardig zelfs.

'Ze vallen best mee, als je niet met ze samen hoeft te leven,' zeg ik melig. Algauw is ze druk in gesprek met Kaan. Het blijkt dat Marjolein in dezelfde straat woont waar Kaan is opgegroeid. Ze praten over de mensen die er nog wonen en lachen omdat sommigen nooit veranderen. Gül maakt voor haar een kleurplaat. Wat mooi, bewondert ze. Ik vind het maar niks, ze kleurt nooit binnen de lijntjes. Als ze afscheid neemt – of ze echt niet mee hoeft te helpen? – bedankt ze Gül nogmaals voor de kleurplaat en zegt dat ze hem zal ophangen. Ik gooi ze altijd gelijk in de papierbak.

Ook met ramadan helpt Kaan niet bij de afwas.

'Wat ben jij toch een stronteigenwijze klootzak en lul!' Hij kijkt onbewogen. Mijn temperatuur stijgt. Zonder na te denken roep ik: '*Allah belani versin!*'* Voor die verwensing moet ik boeten met een klap. Niet te hard, niet te zacht. Genoeg om mij te corrigeren.

De volgende dag vertelt Marjolein op het werk honderduit over hoe aardig mijn schoonouders waren en hoe lekker de vele gerechten. Johan moet er niets van hebben. Te veel kruiden en knoflook. 'Wat de boer niet kent, vreet-ie niet,' zegt hij. Ik gier het uit, deze uitdrukking is een van de leukste die ik ooit heb gehoord. Dennis vraagt of hij ook een keertje mee mag. Ik zeg dat het wel mag als hij ook een dagje meevast en zijn vriendin meeneemt. 'Die heb ik niet,' protesteert hij. Dat weet ik, maar zonder zijn vriendin komt een mannelijke collega niet bij ons binnen. Dat vindt hij bekrompen. 'Tsja, het zij zo.' Bovendien gaat hij nooit vasten, hij kan niet zonder koffie. Maar ik kook toch wel een keertje voor hem? 'Ja, tuurlijk,' lach ik. Die is gestoord!

Marjolein bekent dat ze geen andere Turken kent. Ze vond ons best meevallen. Van vasten is ze genezen, dat doet ze nooit meer. Maar ze zegt dat ze meer respect voor ons heeft gekregen en bewondering dat we het volhouden. Het went, zeg ik.

Er gaat geen dag voorbij zonder dat we over de gevolgen van 11 september praten. En over Pim Fortuyn. Het schijnt dat zijn aanhang met de dag groeit. Johan vindt hem geweldig. Dennis zegt dat Fortuyn een populist is. Hoe dan ook, ik vind Fortuyn dapper met zijn uitspraken over allochtonen. Leven ze in Nederland of niet? Ik zou me ook bedreigd voelen als ik homo was en imams prediken dat die uit flats gegooid mogen worden. Dat Fortuyn zijn homo-zijn openlijk kan belijden, vind ik juist een verdienste van Holland.

Thuis fatsoenlijk daarover discussiëren kan helaas niet. Kaan vindt politiek oninteressant. Politici praten veel, maar zeggen niets. Misschien heeft hij gelijk; de helft van wat ze zeggen gaat

* 'Loop naar de hel!'

aan me voorbij. Emel en Jasmijn hebben nog nooit van Fortuyn gehoord; ze kijken uitsluitend soaps en roddelprogramma's op de Turkse zenders die zelfs de GTST-verslaving van Jasmijn hebben genezen. Ze hebben iets anders aan hun hoofd dan de veranderende samenleving. Het naaiatelier, dat al een tijdje op Jasmijns naam stond om belasting te ontduiken, is onlangs failliet gegaan. De meeste opdrachtgevers hebben hun productie laten overhevelen naar lagelonenlanden als Turkije en Polen. Zelfs met de transportkosten inbegrepen zijn ze goedkoper uit dan wanneer ze hun kleding in Tilburg in elkaar laten zetten. Nu moeten Jasmijn en de baas bijna een miljoen terugbetalen aan de belasting. Er lopen allerlei rechtszaken over uitstaande rekeningen, en Jasmijn is constant aan het bellen met hun advocaat. De deurwaarders staan in de rij. Haar kostbare spullen heeft ze bij ons op zolder gestald.

Met het failliet gaan van het naaiatelier is ook Emel werkloos geraakt. Nu wil ze alsnog Nederlands gaan leren. Na al die jaren in een atelier wil ze ook wel eens onder fatsoenlijke omstandigheden werken. Maar zonder haar salaris komen ze niet rond. Daarom zijn ze onlangs – alleen op papier – gescheiden, zodat Emel nu een bijstandsuitkering krijgt.

'Jullie bedonderen de zaak,' zeg ik boos.

'Wat moet ik anders? Ilker vergokt zijn salaris binnen twee dagen! En iedereen doet het.'

'De bijstand is een vangnet voor mensen die er echt behoefte aan hebben, niet om gokverslavingen te subsidiëren.' Aan de andere kant geef ik haar gelijk. Ze moet toch ook eten! Het is geen wonder dat Fortuyn zulke gevallen hard wil aanpakken. Alleen hoe pakt hij de ongelijkheid tussen mannen en vrouwen aan achter gesloten deuren? Hoe kan hij ervoor zorgen dat Emel kan scheiden zonder toestemming van de familie en dat ik opkom voor mijn rechten?

Kaan heeft zo zijn ideeën over 11 september. Zijn informatie scharrelt hij in cafés bij elkaar. Zo is hij er heilig van overtuigd dat niet moslims maar joden de Twin Towers hebben opgeblazen.

'Het is zeker toeval,' vindt hij, 'dat de vijfduizend joden die daar werkten op 11 september allemaal vrij hadden en dat tussen al die puinhopen zogenaamd het paspoort van een van de kapers onbeschadigd is aangetroffen?' Een paar dagen later is hij ervan overtuigd dat Osama bin Laden met de regering-Bush samenwerkt en nu veilig in Amerika zit.

Ilker zegt dat Bin Laden en zijn aanhangers doorgedraaide, zijn geloof misbruikende extremisten zijn, maar beslist geen moslims. Moslims mogen niet doden, en zeker geen onschuldige burgers.

Ikzelf kom tot de conclusie dat de oproep tot jihad van Bin Laden en de zijnen een stuiptrekking is van een geloof dat zich aan het hervinden is. Dat een onmkeerbaar proces stilletjes zijn intrede doet in de bovenste lagen van de moslimbevolking. Dat er moderne moslims zijn, die denken en redeneren niet aan anderen overlaten, voor wie de islam lang niet meer allesbepalend is. Osama bin Laden probeert volgens mij niet zozeer het Westen te bestrijden, maar de ontwikkeling, in zijn ogen de verloedering, van de islam.

Ilker heeft wel degelijk van Pim Fortuyn gehoord. Hij vindt dat de situatie er niet rooskleurig uitziet en vraagt naturalisatie aan voor het geval Fortuyn alle buitenlanders wil uitzetten.

'Je weet maar nooit,' zegt Jasmijn, die niet achter wil blijven. Ik begrijp niet hoe iemand die hier geboren en getogen is en die zich meer gedraagt als een Nederlandse dan een Turkse, zo'n wantrouwen kan hebben jegens het volk waartussen ze is opgegroeid. 'Wat er met de joden is gebeurd, kan ook met ons gebeuren,' houdt ze vol. Ja hoor, dat meent ze echt.

Vroeger was het een taboe onder Turken om een Nederlands paspoort te bezitten. Ook ik zou het als een inbreuk voelen op mijn Turkse identiteit. Een Turk met een Nederlands paspoort werd tot voor kort raar aangekeken, alsof hij door het bezit van dat document in één klap een ongelovige Hollander was geworden. Mensen vroegen zogenaamd als grap: 'Wanneer moeten we je Kees gaan noemen?' Waarop diegene meestal verontschuldigend aanvoerde dat het hebben van een Nederlands paspoort nu eenmaal handig is als je met de auto naar Turkije reist. Daar kwam zo iemand maar net mee weg.

Nu willen steeds meer Turken een dubbele nationaliteit. Zo hebben ze meer kans dat ze in Nederland kunnen blijven als Fortuyn de buitenlanders eruit wil werken, maar kunnen ze wel naar hun vaderland terugkeren, mocht het nodig zijn. Ik kan er niet aan meedoen, omdat ik nog geen vijf jaar in Nederland ben, maar het kan me niet schelen. Als mensen me willen discrimineren vanwege mijn uiterlijk of naam, maakt de kleur van mijn paspoort toch niet uit.

Op kantoor blijk ik beschouwd te worden als Nederlandse van Turkse komaf. Dat voelt vreemd. Tot nu toe heb ik me altijd een Turkse gevoeld die in Nederland leeft. Ik lees het ook steeds vaker in de kranten: we zijn geen allochtonen meer, maar Nederlanders van Turkse afkomst. Bedoeld wordt dat we bij de Nederlandse samenleving horen, ook al zijn we een tikkeltje anders. In mijn omgeving merk ik daar niets van. De meesten zijn op en top Turks en willen dat graag zo houden.

Zoals kaynanam, die overigens niets tegen Nederlanders heeft. Ze vindt het belangrijk dat we ons beeld tegenover hen hoog houden. Laatst stond er in de plaatselijke krant een portret van een van haar vriendinnen. Die zei daarin dat ze in het dorp waar ze vandaan kwam geen pampers hadden, en dat ze dat hier een uitkomst vond. Waarom moet ze zonodig onze gebreken prijsgeven, vroeg kaynanam zich af. Alsof de baby's hier met pampers worden geboren.

Ze heeft maanden aan mijn hoofd gezeurd of ik mijn gouden armbanden niet wil doneren aan de nieuwe moskee aan de ringweg, die de trots is van de eerste generatie Turken in Tilburg en die veel enthousiaste bezoekers trekt.

Ik heb niet toegegeven. De armbanden die ik nog overheb blijven van mij, ze zijn mijn enige bezit.

Nu blijkt dat ik mijn armbanden wel voor de moskee heb kunnen behoeden, maar uiteindelijk niet voor kaynanam. Eindelijk is het haar gelukt mijn schoonvader over te halen met haar naar Mekka te gaan. Voor de kosten heeft ze een leuke oplossing bedacht. Onder begeleiding van Jasmijn heeft ze mijn armbanden als onderpand aangeboden voor een lening bij een privébank. Zonder mijn toestemming. Ik ben des duivels, maar vraag ernaar op een onschuldige toon. Ze zegt dat ik de armbanden heus wel terugkrijg. Vertrouw ik haar soms niet? Gun ik haar geen tocht naar Mekka, en een man die niet meer drinkt? Knarsetandend geef ik toe. Jasmijn bemoeit zich er niet mee. Ze heeft alleen haar moeder naar de bank gebracht. Kaan beweert dat hij er niets van wist en vindt dat ik niet zo moeilijk moet doen. Zijn ouders hebben die armbanden tenslotte zelf gekocht. Voor mij ja, wil ik schreeuwen. Ons deel van het zomerhuis in Marmaris, waar ik mezelf over een paar jaar in de hangmat zag liggen, hebben ze aan Ilker en Emel verkocht. Met het geld hebben ze hun schulden in Turkije afbetaald. Een moslim die naar Mekka gaat, mag geen schulden hebben. Braaf vraag ik hoe ze dat heeft kunnen doen. Het zomerhuis is toch ook van Kaan en mij?

'Niets is "van jullie" zolang wij leven.' Kaan knikt instemmend, de brave zoon, en zegt dwingend dat ik mijn kop moet houden. Ik zou hem willen vermoorden!

Als kinderen zo blij zijn mijn schoonouders. Eindelijk gaan ze de plicht van een welgestelde moslim volbrengen. In de auto naar het vliegveld zit Gül tussen kaynanam en mij als een fysieke en emotionele barrière. Het enige wat me een beetje vrolijk stemt, is dat ik twee maanden van hen verlost zal zijn. Hoewel dat ook betekent dat ik de verantwoordelijkheid voor Gül moet dragen. Ik heb haar alleen op haar eerste dag naar de crèche gebracht. Zonder kaynanam wou ze niet, dus die ging mee. Toen ik haar met veel zorg had aangekleed en haar haren kamde, schreeuwde ze als een poes die op haar staart is getrapt. Met de kam gaf ik een klap op haar hoofd, precies zoals mijn moeder dat bij mij deed, en ik stuurde haar naar haar lieve oma om de klus te klaren. Mijn ouders wilden dat ik foto's maakte van haar eerste dag. Hoewel ik ze had verzekerd dat dat niet zo veel voorstelt als in Turkije, dat ze op de crèche alleen maar spelen en geen uniforms dragen, stonden ze erop dat ik hun foto's opstuurde. Eigenwijs als haar vader wilde ze niet poseren. Ze was zenuwachtig en ook een beetje bang. Ik vond het zielig. Ik maakte een paar foto's en vertrok daarna gauw naar mijn werk. Kaynanam bleef nog even. Toen ik haar even later vanaf mijn werk belde, zei ze dat alles prima was gegaan. Gül is haar afdeling. Ik weet de crèche nog net te vinden, en zodra ik haar aflever, ben ik weg. Jammer dat ze geen peuters meenemen naar Mekka. Godzijdank is Emel bereid haar 's middags op te vangen. Ze heeft toch niets beters te doen.

Schiphol is wit gekleurd door de gewaden van de vele Mekkagangers. Mannen kussen hun bidkleed. Vrouwen lijken te zweven doordat hun voeten amper zichtbaar zijn. Ze lijken op spoken. Tevreden poseren mijn schoonouders voor de foto's die ik moet nemen: alleen, met zijn tweeën, samen met Kaan en Gül. Ook ik moet het ontgelden, 'een foto met mijn beste schoondochter' eist kaynanam. Bij het afscheid kus ik met tegenzin hun handen. Zoals het hoort vragen ze 'hakkini helal et';* als ze dat nalaten komen ze niet in de hemel als ze doodgaan. Volgens de islam zit op iedere schouder een engel. Die op je rechterschouder bewaart je goede daden en de linker de slechte. Op de dag des oordeels gaan ze wegen, in een weegschaal zoals die van Vrouwe Justitia, stel ik me voor. In principe kan Allah je alles vergeven, behalve kul hakki.** Al ben je verder een perfecte moslim, zonder de goedkeuring van de eigenaar blijven de deuren van de hemel voor je gesloten. Omdat ik niet durf zeg ik ja, maar in mijn hart schreeuw ik: echt niet! Als er al iets is na de dood, wil ik gerechtigheid!' Een machteloos mens hoopt het meest op een hiernamaals. Alleen daar kan hij vergelding krijgen. Ik heb een hele lijst aangelegd.

Als op het rolletje alleen de foto's stonden van hun 'gelukkigste dag', had ik het op Schiphol in een prullenbak gesmeten, maar de foto's van Güls eerste dag op de crèche staan er ook op, en ik laat ze die middag nog ontwikkelen.

Ze ziet er zo lief en onschuldig uit dat mijn moedergevoelens hevig opbloeien. Wat is ze mooi met dat palmboompje op haar hoofd, die appelrode wangen, de twinkeltjes in haar amandelvormige ogen. Als ze niet zo driftig en verwend was, zou ze een ideale dochter kunnen zijn. Na haar foto's werken die van mijn schoonouders me op de zenuwen. Ik verscheur ze een voor een als wraak,

* 'Geef je rechten op mij vrij.'
** Onrecht dat je iemand hebt aangedaan of geld dat je van iemand hebt geleend en niet hebt terugbetaald; zelfs een appel die je zonder toestemming hebt geplukt en verorberd.

en gooi ze in de prullenbak. Zo, van die dag hebben ze geen tastbare herinneringen meer. Dat punt is binnen, voor het geval er toch niets is na de dood.

De volgende ochtend breng ik Gül naar de crèche met de auto van mijn schoonvader en rij daarna door naar mijn werk. Gek word ik van haar tegenwerking 's morgens. Ze mist haar oma die haar elke middag iets lekkers voorzette. Nu moet ze het doen met Emel die haar ophaalt. Kaan rijdt na zijn werk om en neemt Gül mee naar huis. Kinderen zijn een hoop geregel.

Er is een borrel op de zaak vanwege het afscheid van iemand in het gebouw. Ik ken de man niet, maar Marjolein verzekert me dat een borrel altijd leuk is. Van Kaan mag ik niet gaan. 'Wie moet dan voor mij zorgen?' 'Ik heb het Marjolein al beloofd,' zeg ik. Ik laat me niet intimideren en houd voet bij stuk. Ik kook een dag van tevoren en zet het in de koelkast.

Er is niets aan bij de borrel, maar wij, Marjolein, Dennis en ik, vermaken ons uitstekend. Het is maar goed dat Johan niet kon, met hem erbij is het nooit zo gezellig. Dit moeten we vaker doen, vinden ze, samen iets drinken na het werk.

'Bij Polly Magoo, daar is het altijd leuk,' vindt Marjolein. Het is een café, neem ik aan. Niemand die mij kent zal er heen gaan. De kans is één op een miljoen, maar daar gezien worden is net zo erg als in een bordeel. In beide plaatsen hoort een vrouw niet thuis. Ik wil onze pret niet bederven en zeg dat we dat inderdaad een keertje moeten doen, zoals je dingen zegt of belooft waarvan je bij voorbaat al weet dat het er toch nooit van zal komen. Behoorlijk aangeschoten geef ik de man voor wie de borrel gegeven wordt een hand en ik wens hem veel succes in zijn verdere loopbaan.

'Wat ben je ermee opgeschoten?' vraagt Kaan venijnig als ik thuiskom.

'Heel veel plezier gehad, mag dat soms niet?' Ik ga naar bed.

Naast mijn eigen drukke leven lijkt dat van Dennis een oase van rust. Buiten zijn werk plant hij niets en hij kijkt nooit verder dan morgen. Sinds hij, na een bezitterige vriendin te hebben gehad, weer vrijgezel is, geniet hij van zijn vrijheid, wat hem iets ongrijpbaars geeft. Bijna met de overtuiging van een fundamentalist geeft hij zich over aan het lot, aan wat de dag hem brengt. Carpe diem, is zijn lijfspreuk. Zijn houding maakt me jaloers, maar ik begrijp ook niet hoe iemand kan leven zonder zich zorgen te maken over morgen, overmorgen enzovoort. Als ik een drukke dag heb, lig ik de halve nacht ervóór wakker tot ik elk detail heb uitgekiend, van wat ik ga aantrekken tot hoe ik precies moet rijden zonder te verdwalen. 's Ochtends vertrek ik ruim van tevoren, maar uiteindelijk verdwaal ik toch en door de slapeloosheid komt alles wat er gezegd wordt met vertraging bij me binnen.

Net voor een belangrijke afspraak start Dennis' auto niet. Hij belt zijn afspraak dat hij is verlaat en belt de ANWB.

'Neem mijn auto,' stel ik voor. 'Ik wacht wel op de ANWB.' Dankbaar neemt hij mijn aanbod aan.

'Ik ben op tijd terug,' belooft hij. Maar dat is hij niet. Hij staat in de file, verontschuldigt hij zich wanneer hij belt. Ik durf Kaan niet te bellen of hij me kan ophalen, omdat ik de auto van zijn vader heb uitgeleend. Ik zeg dat Marjolein een lekke band heeft en dat ik haar ga wegbrengen. Hij zegt dat hij wel langs kan komen om die band te verwisselen. Echt geen moeite, vindt hij. 'Het is háár fiets, haar eigen vriend plakt hem wel,' haast ik me te zeggen, waaraan ik toevoeg dat ik niet weet hoe laat ik terug ben. Dat hij straks alvast mag eten. 'Wat moet ik dan eten?' vraagt hij verwend.

'Bak een eitje, koop friet, moet ik ook dat gaan bedenken?' zeg ik pissig.

'Het spijt me,' zegt Dennis wel tien keer. 'Geeft niets,' houd ik me groot.

'Kun je me op het station afzetten?' vraagt hij. 'Dan kan ik de bus pakken.' Op het station hangen altijd veel Turkse jongens rond. Als zij mij met Dennis zien, ben ik niet jarig. 'Ik breng je wel even thuis,' zeg ik gauw. Op de ring is de kans nihil dat iemand ons ziet.

Even later lopen we samen buiten. Vrolijk zwaait hij met zijn bruine gebarsten leren tas, die op die van een huisarts lijkt.

'Ga je ook voor me koken?' grapt hij. Ik kan er niet om lachen.

'Volgende keer,' zeg ik.

Hij neemt op zijn gemak plaats op de bijrijdersstoel. Alsof het de normaalste zaak van de wereld is dat hij in de auto van mijn schoonvader zit. Onderweg kijk ik gespannen of ik geen bekenden zie. Vooral bij de stoplichten ben ik angstig. Hij wijst me de weg in de doolhof die de nieuwbouwwijk waar hij woont is. 'Hier rechtuit.' Als ik zeg dat ik niemand ken die 'rechtuit' zegt in plaats van 'rechtdoor', bijt hij op zijn onderlip. Ik smelt van vertedering. Als ik stop voor zijn deur, vraagt hij of ik een kopje koffie wil komen drinken, en hij voegt eraan toe dat het niet hoeft als het van mijn man niet mag.

'Haha, wat bent u grappig, meneer.' Ik wil niet bekrompen overkomen en bovendien moet ik vreselijk nodig plassen.

Wanneer ik opgelucht uit de wc kom, staat hij in de keuken, met een fles rode wijn in zijn hand. 'Doe maar,' beantwoord ik nonchalant zijn vragende blik. Eén glas zal geen kwaad kunnen.

Zijn huis is eenvoudig ingericht, bijna kantoorachtig door de lamellen. Een brede donkerblauwe suède bank met losse kussens, twee vissersstoelen in rood en geel. Een grote grenen boekenkast deelt zijn woonkamer in tweeën. Daarachter een kleine eettafel met vier caféstoelen. Met mijn wijntje ga ik voor de boekenkast staan. Behalve boeken staan er lege en volle colaflessen in, uit allerlei landen waar hij of zijn vrienden zijn geweest.

'Ik stal het Amerikaanse imperialisme uit,' zegt hij. 'Hun culturele expansiedrift. Ze bezetten een land niet, maar voeren Coca-Cola in en stampen McDonald's uit de grond. Veel effectiever dan een leger.' Het verbaast me dat hij zich daarover opwindt, terwijl de bevolking van die landen volgens mij blij is met al wat westers is. Ik vertel hoe blij ik was toen de eerste vestiging van McDonald's in Mersin openging, pal tegenover mijn ouderlijk huis. Hoe overweldigend de belangstelling was voor de feestelijke opening.

'We konden niet naar Amerika, maar wel naar McDonald's. Gun ons ook een beetje plezier! En een leven zonder cola kan ik me niet eens voorstellen.' Uit Turkije heeft hij nog geen fles. Ik beloof hem er volgende zomer eentje mee te nemen. Naast zijn colaflessenverzameling staat zijn boekenkast vol met reisboeken en romans. Ik ben onder de indruk als ik Shakespeare zie staan, van wie ik beken nog nooit iets te hebben gelezen. Hij citeert zijn beroemdste sonnet uit zijn hoofd:

Shall I compare thee to a summer's day?
Thou art more lovely and more temperate:
Rough winds do shake the darling buds of May,
And summer's lease hath all too short a date:

Veel begrijp ik er niet van, maar het klinkt geweldig. 'Wauw,' realiseer ik me, 'niemand heeft ooit een gedicht voor me gelezen!' Hij zet opzwepende klassieke muziek op, steekt een paar kaarsen aan en dimt het licht. Mijn hart gaat tekeer, maar ik doe alsof ik niets heb gemerkt en ik lees de ruggen van zijn boeken. Hermans, Süskind, Flaubert, het zegt me weinig. Zijn vingers glijden over mijn arm. Een huivering van mijn kruin tot mijn tenen dwingt me mijn ogen te sluiten. Hij omhelst me van achteren, ik leg mijn hoofd op zijn schouder. Als hij me begint te kussen, kus ik hem terug alsof ik voor het eerst in mijn leven iemand zoen. Dat alleen zoenen zo opwindend kon zijn, heb ik nooit geweten. Met mijn vingers kam ik zijn haren en trek er zachtjes aan. Ik laat me meetrekken naar de bank waar we verder zoenen. In mijn achterhoofd fluistert een stem dat dit niet klopt, maar mijn lichaam denkt er anders over en reageert hevig. Onder mijn blouse vinden zijn handen mijn borsten. Ik wil me laten gaan, maar weet dat ik het niet kan maken.

'Relax,' bemoedigt hij me en begint in mijn broek te friemelen. 'Ik ga niets doen wat jij niet wilt. Stel je voor dat je een klacht indient wegens verkrachting!' Weet hij niet dat dat onmogelijk is voor een getrouwde Turkse! Ik zal de schuld krijgen, niet hij.

Alsof hij de hele dag niets anders doet dan bij vrouwen in hun onderbroek graaien, bespeelt hij alle tonen. Ik smelt letterlijk en figuurlijk. Dat mijn lichaam hem wil, is zo duidelijk als wat. Nu mijn geest nog. Een voor een maakt hij de knopen van zijn spijkerbroek los, waaronder een strakke boxershort tevoorschijn komt. Hij begeleidt mijn hand zijn onderbroek in. Ik durf hem niet aan te raken, alsof zijn huid onder stroom staat. Millimeter voor millimeter tast ik hem angstig af. Zijn schaamharen zijn lang en zijn eikel is zacht en glad.

'Wees niet bang,' probeert hij, 'hij bijt niet.' Het is voor hem wellicht ook verwarrend dat ik constant dubbele boodschappen uitzend. Secondenlang begeer ik hem gretig alsof mijn leven ervan afhangt en dan weer slaat de twijfel toe. En dat herhaalt zich telkens weer. Hij trekt mijn bh uit. Ik bedek mijn borsten. Zachtjes duwt hij mijn handen opzij. Ik sluit mijn ogen en bijt kreunend op mijn lip.

Langzaam krabbelt hij overeind. Daar staat hij recht voor mijn neus met de gespierde benen van een schaatser, zijn handen aan het elastiek van zijn strakke boxershort, trots op wat hij eronder heeft. Ik trek mijn knieën op, machteloos en kwetsbaar als een kind in afwachting van wat komen zal. Ik denk dat hij het belachelijk zal vinden dat ik niet eens naar zijn naakte lijf durf te kijken. En ik ben benieuwd hoe een andere blote man eruitziet. Tussen mijn vingers door bespied ik zijn wildvreemde onderlijf, dat aantrekkelijk zou zijn op het televisiescherm, maar in het echt, binnen handbereik, iets angstaanjagends heeft. Ik raak totaal in de war. Eigenlijk wil ik hem wel voelen. Hier heb ik maanden van gedroomd, maar mijn lichaam is alleen van mijn man. Schuld, schaamte, spijt. Ik weet niet wat ik hiermee aan moet. De zin rolt vanzelf uit mijn mond: 'Sorry, ik kan het niet. Echt niet.' Ik zoek mijn kleren bij elkaar. Met zijn ene been in zijn boxershort zoekend naar de andere pijp probeert hij me gerust te stellen dat er niets is gebeurd. Dat ik me nergens zorgen over hoef te maken. We hebben toch niet geneukt?

Als ik thuiskom zit Kaan tv te kijken. Ik zeg dat ik naar bed ga. Hij komt me achterna. Als hij in bed vraagt waarom ik zo laat ben, stokt mijn adem. Zo kalm mogelijk lieg ik: 'We hebben foto's bekeken.' Om het geloofwaardig te maken vertel ik uitgebreid over de verschillende vakantiebestemmingen waar Marjolein is geweest. Ik probeer mijn adem te reguleren, maar die blijft haperen in plaats van te vloeien. Kaan begint mijn nek te kussen en streelt mijn borsten. Eigenlijk wil ik nee zeggen, maar het is niet eerlijk dat ik op het punt stond met een vreemde te neuken en mijn eigen man weiger. En ik wil de sporen van Dennis wissen.

Kut!

Eén keertje onbekommerd vreemdgaan, voor de ervaring én om het verlangen te doven. Daarvan zou mijn lichaam heus niet slijten. Met een beetje goede wil kon je het een wetenschappelijk verantwoord experiment noemen. Daarna kon ik zeggen: 'O ja, zo is het dus, met iemand anders. Ik weet het nu.' Verder niets aan de hand. Zolang er maar niemand achter komt. Het zou niet veel voorstellen. Misschien zou het zwaar tegenvallen. Maar dan zou ik weer waarderen wat ik thuis heb. Voordat Kaan me begint aan te raken, weet ik al precies waar hij me zal kussen en strelen, wat ik moet doen om hem te behagen, hoe ik exact moet gaan liggen of op zijn ritme met mijn heupen moet bewegen. Ik ken het allemaal uit mijn hoofd. De tijd dat we pornofilms huurden en nieuwe dingen probeerden om het spannend te houden is allang voorbij.

De hele nacht lig ik mezelf te kwellen. Kan ik mijn opvoeding en mijn geweten opzijzetten? Of kan ik alle verlangens en slechte gedachten wissen? Kon ik mezelf maar herprogrammeren. Weer zestien worden en alleen van Kaan zijn. Dankbaar dat hij me een nieuw leven zonder mijn moeder heeft geschonken. Een nieuw leven, waarin ik vrij en gelukkig zou zijn, niet een nieuw leven onder de duim van kaynanam, met een echtgenoot die zich daar niet aan durft te ontworstelen.

Kaan ligt naast mij zachtjes te snurken. Ik zuig mijn longen vol lucht en het lukt me het tempo van mijn ademhaling te laten dalen. Het gesnurk, waar ik me normaal gesproken mateloos aan erger, stelt me nu juist gerust. Ik durf zijn neus niet dicht te knijpen om hem te laten ophouden met snurken, uit vrees dat hij, zodra hij wakker wordt, van mijn voorhoofd zou kunnen aflezen dat ik een uur of drie geleden bijna vreemd ben gegaan.

Pas morgenochtend zal hij wakker worden met zijn rechterarm en -been om mij heen gestrengeld als een octopus om zijn prooi. Het zal me benauwen. We zullen gaan douchen en het boy abdestiritueel uitvoeren. Hij zal in zijn kleren schieten. Ik zal traag zijn als altijd. Hij zal roepen dat hij te laat komt. Ik zal hem vragen wat hij als ontbijt en in zijn lunchtrommel wil. 'Maak maar iets, als je maar opschiet,' zal hij antwoorden, alsof het daar sneller door gaat. Uiteindelijk toch maar eitjes bakken met worst. Naciye propt haar diepvries altijd vol met zelfgebakken broodjes met feta, gehakt, aardappelen, spinazie. Je kunt het zo gek niet bedenken of ze heeft het in de diepvries, voor de gasten en voor de broodtrommel van haar man. Ik neem me elke keer voor dat ook te doen, maar het komt er niet van. Als ik tijd overheb, wil ik die niet verspillen in de keuken, en ik ben niet zo goed in bakken. Een vrouw die de broodtrommel van haar man niet minimaal één keer in de week rijkelijk vult met zelfgebakken broodjes is waardeloos. Ook als zij net zo hard werkt als hij. Ik compenseer het met seks. Ook morgenochtend zal Kaan zijn brood in vier stukken scheuren en met elk stukje uit de pan een worstje en een beetje ei losmaken. Snel erop kauwen en doorspoelen met warme melk. Wat over is zal ik in een bakje doen voor zijn lunch. Voor de voordeur een vluchtig kusje. Ik zal niet meer wachten tot hij in de verte verdwijnt, bang dat hij niet levend thuis zal komen. Zijn ontbijt zal een fractie zijn van de slopende routine die huwelijk wordt genoemd.

Getrouwde stellen doen het nu eenmaal, neuken. Sommigen vaak, anderen niet. Wij met enige regelmaat. Het is de verantwoordelijkheid van een vrouw dat haar man geen orgasme tekortkomt.

De seks, die sinds het einde van de twee zomers niet meer geweldig is geweest, is nu ronduit een kwelling, omdat hij mij ermee wil laten zien dat ik van hem ben en me niets in het hoofd moet halen. Grof en wild stoot hij maar door, terwijl ik droog als schuurpapier lig te wachten tot hij klaar is. Dat we het ooit leuk in bed gehad hebben, lijkt een lang vervlogen droom.

Naar Turkse maatstaven is het volkomen gerechtvaardigd wat hij doet: ik bén zijn bezit en hij mag mij opeisen. Als vrouw moet je zorgen dat je man aan zijn trekken komt. Niet zeuren, benen wijd. Het lijkt een eeuw te duren voor hij klaarkomt.

'Als een man niet aan zijn gerief komt, wordt hij vervelend,' gaf Kaans oma, toen ze nog hier was, eens grinnikend als sleutel tot een goed huwelijk. Het huis zat vol kaynanams en jonge moeders met hun kindjes. 'De vrouwen van nu doen alsof hun gat van goud is,' zei ze en ze klakte misprijzend met haar tong. 'Laat de deur wijdopen. Het gaat onder de grond toch rotten.' Volgens haar komt een vrouw die haar man niet tevredenstelt de hemel niet in. Een keer wilde ze broodjes gaan bakken. Ze had net in een enorme teil bloem, gist en water gedaan, haar mouwen opgestroopt en haar vuisten erin gezet. Toen haar man riep, heeft ze alles laten staan. 'Haar plaats in het paradijs is verzekerd,' grinnikten mijn vriendinnen en ik in de keuken. Mijn moeder was dezelfde overtuiging toegedaan, zoals alle moeders en kaynanams die ik ken. Om in de hemel te geraken, moet je je man behagen. Onzin vond ik dat toen: Kaan en ik hadden seks omdat we er zin in hadden. Ik was ervan overtuigd dat het bij ons altijd spontaan zou blijven. Ik zou me nooit verplicht voelen en er nooit genoeg van krijgen. Later dacht ik dat als ik maar genoeg met hem neukte, hij op den duur voor mij wel zijn moeder zou willen trotseren. Maar niets op de wereld kan tegen zijn moeder op. Zelfs mijn kut niet.

Hardop durft Kaan het niet te zeggen, maar hij ziet dat de kloof tussen ons groter en groter wordt. Hij grapt dat ik niet moet vergeten wie me naar Nederland heeft gehaald. Dat ik anders een boerin was geweest met vijf kinderen. Dat ik daar niet om kan lachen, wijt hij aan mijn gebrek aan humor.

Het gesnurk van Kaan wordt luider. Normaal gesproken zou ik hem duwen en prikken tot hij zich omdraait en ophoudt. Nu laat ik hem snurken, zo hard als hij wil.

Ik ben altijd beducht hem te wekken, als ik een stukje wil lezen of in mijn dagboek wil schrijven omdat ik niet kan slapen. Maar deze keer is mijn voorzichtigheid op het krankzinnige af. Als een geest zou ik het bed uit willen vloeien. Ik moet eruit. Het dekbedovertrek plakt aan mijn lichaam van angstzweet, mijn hersens prikken alsof ze verkrampt zijn. Ergens moet ik mijn gedachten kunnen uitrekken en losschudden. Langzaam, alsof ik me al slapend omdraai, glijd ik uit bed. Een paar tellen kijk en luister ik of Kaans slaap niet lichter wordt. Muisstil trek ik de onderste lade van mijn nachtkastje open en pak mijn dagboek dat verstopt ligt onder mijn sokken. Op mijn tenen loop ik naar mijn kaptafel. Ik word mistroostig als ik terugdenk aan hoe gelukkig ik was toen ik hem kreeg, en hoe trots ik mijn hebben en houden erop uitstalde. Dat getrouwd zijn voor het kind dat ik was vooral dát inhield: het bezit van een kaptafel in je eigen slaapkamer, die je niet met je zussen hoeft te delen. In de schemering van de lantaren vallen de contouren van mijn lichaam in de spiegel. Sinds onze bruiloft ben ik een centimeter of vijf langer geworden. Ik heb heupen en rondingen gekregen. Mijn lichaam is niet meer zo onbestemd, het is zonder twijfel dat van een vrouw. En het is nu ook verkend door vreemde handen en lippen. Stiekem ben ik daar trots op. Maar het schuldgevoel en de angst wegen zwaarder.

Tijdens onze verlovingstijd nam ik me voor Kaan eeuwig dankbaar en dienstbaar te blijven, blij dat hij me de kans bood om aan mijn tirannieke moeder te ontsnappen. Zoals is gebleken waren het grote woorden, te grote beloften die mij niet pasten. Net als mijn lichaam waren ook mijn gedachten nog niet rijp. Moet ik uit dankbaarheid de rest van mijn leven bij mijn schoonouders slijten? Ik vind dat mijn schuld intussen wel is afgelost.

Ik heb Kaan vaak gevraagd, gesmeekt, of hij met mij wilde verhuizen, of we ons eigen gezinnetje konden beginnen, los van zijn ouders. Maar hij is bang voor het gezichtsverlies: als jongste zoon hoort hij de zorg voor zijn ouders op zich te nemen; als wij weggaan is hij óf een harteloze zoon óf hij heeft zijn vrouw niet onder controle. Bang voor zijn moeder, bang voor de roddels, bang zijn leven lang te moeten boeten.

Bovendien hebben we geen geld om een huis in te richten zonder de steun van zijn ouders is het niet mogelijk, steun die ze ons bij zo'n ongehoorde stap niet zullen verlenen. Ik baal ervan voor alles van hen afhankelijk te zijn. Nederlanders leren hun kinderen op eigen benen te staan, bij ons worden ze zo afhankelijk mogelijk gehouden. Al die jaren dat ik hier ben, heb ik alleen maar gehoord dat we het op onszelf niet zouden redden. Keer op keer valt Ilker met zijn gokschulden terug op zijn ouders als hij weer eens zijn salaris erdoorheen heeft gejaagd en de bankrekening van Emel heeft geplunderd. Ook nu hij hier niet meer woont, komt hij zijn handje ophouden. Zo behoudt kaynanam haar macht. Ik blijf het onverteerbaar vinden dat iedereen profiteert van het geld dat Kaan en ik binnenbrengen, behalve wijzelf. Arme ooms en tantes in Turkije, de buren in Ankara die elk jaar cadeautjes krijgen, de moskee. Ook mensen die in Tilburg geld inzamelen voor de arme familie van de familie van hun familie. Niemand wordt geweigerd. Toen Ilker nog jong was, ging hij met zijn vrienden in de omliggende dorpen bij de Turken aankloppen dat er in Tilburg een Turk was overleden en dat ze geld inzamelden voor zijn begrafenis. Met het geld dat ze bij elkaar hebben gehaald, gingen ze een paar nachten doorzakken. Ook de spaarpot van kaynanam, waar ze elke week vijf gulden in deponeerde, moest het geregeld ontgelden. Uiteindelijk heeft Kaan er op zijn werk eentje van ijzer gelast. Om anekdotes als deze kan de familie smakelijk lachen. Ik begrijp nooit wat daar grappig aan is.

Ik leg een hoofddoek over het lampje van mijn kaptafel om het licht te dimmen, zodat Kaan niet wakker wordt. Ik leg een schone bladzijde van mijn dagboek open en staar ernaar. Ik word heen en weer geslingerd door mijn gedachten. Er valt geen enkele lijn in te ontdekken. Ik weet niet hoe ik aan de chaos in mijn hoofd kan ontsnappen. Hoewel niemand mijn geheimschrift kan ontcijferen, durf ik geen woord op papier te zetten. Ik teken een robuuste kooi en zet de tralies dik aan.

Een paar uur geleden, in de armen van Dennis, voelde het alsof ik wraak nam: wraak op mijn ouders, op Kaan, op kaynanam. Dat voelde zacht en zoet als honing, net als Dennis' lippen. De gedachte overviel me dat hij me kon genezen als ik me kon laten gaan. Dat hij de pijn kon verzachten. De onverdraaglijke pijn van verscheurd worden door tradities, cultuur en geloof aan de ene kant, en de mogelijkheden die het leven in Nederland me biedt om over mijn eigen leven te beschikken aan de andere. Ik ben zo vreselijk moe van die tweestrijd. Als ik me even zou laten gaan, zou ik me dan beter voelen? Zou het iets oplossen? De keuze makkelijker maken?

Ik ben verloren in mijmeringen, cirkelredeneringen en onnavolgbare gedachten die heen en weer schieten tussen 'vanaf morgen doe je weer normaal' en 'laat je gaan, deze ene keer, het zou zo heerlijk zijn', tot de wekker gaat. Ogenblikkelijk ben ik terug op aarde. Ik kan niet meer naar mijn werk, ik kan nooit meer naar mijn werk. Ik moet me ziek melden. Ik kan Dennis niet meer onder ogen komen. Het gezoem van de wekker bonkt in mijn hersens. Verstijfd blijf ik zitten voor mijn kaptafel met mijn dagboek, waarin ik vannacht niets heb geschreven. Gewoontegetrouw drukt Kaan op de snoozeknop. Zijn ogen vallen op de lege plek in bed, daarna op mij. De hele nacht wakker blijven eist zijn tol. Ik ben gebroken en sloom.

'Ben je gek geworden?' roept hij uit. 'Wat bezielt jou?'

'Niets,' zeg ik zo gewoon mogelijk, 'ik kon niet slapen.' Ik hoor geen bezorgdheid maar verwijt in zijn stem, dat ik hem alleen heb laten slapen, daar wordt hij onrustig van. Hij beveelt me terug naar bed te komen om mijn fout goed te maken.

'Als ik nu ga liggen, kan ik niet meer gaan werken,' zeg ik snel. Een betere smoes heb ik niet. Het stelt me teleur dat hij alleen met zichzelf bezig is, maar het lucht me tegelijkertijd op. Als een vader leest hij mij de les: dat ik onverstandig ben, dat ik straks een wrak zal zijn op mijn werk. 'Valt wel mee,' gaap ik en rek me uit. Dat ga ik doen, doen alsof er niets is gebeurd zodat er niets opvalt. Met dat besluit sta ik abrupt op; ik word duizelig, de wereld zwart en brokkelig voor mijn ogen. Wankelend houd ik de kaptafel vast en hervind mijn evenwicht. Snel neem ik een douche en boy abdesti, hoewel ik uren onder het water zou willen staan. Om Kaan te ontwijken loop ik in mijn badjas de trappen af naar de keuken. Als mijn schoonouders thuis waren geweest had dat nooit gekund. Ik bak de eieren met worst voor Kaan. Hij mag vanmorgen blij zijn dat ik überhaupt zijn lunch klaarmaak.

Kaan gaat op zijn witte kruk aan de keukentafel zitten en ik loop gauw naar boven. Terwijl ik in mijn kledingkast zoek naar iets wat niet te uitdagend is, komt Gül binnen. 'Ik heb honger,' zegt ze huilerig. Het lijkt het enige te zijn wat ze van mij heeft: mijn ochtendhumeur. Wat betreft uiterlijk en karakter is ze een tweede Jasmijn. Toen ik een keertje in een opwelling zei dat ze het mooiste meisje van de hele wereld was, was ze totaal niet onder de indruk.

'Dat weet ik,' zei ze alleen maar. Ze staat steviger op haar beentjes dan ik op de mijne. Met een stem die geen tegenspraak duldt, zeg ik dat ze naar de keuken moet gaan en samen met haar vader moet eten. Voor de verandering luistert ze naar me en ze druipt af naar beneden. Meestal voer ik uit wat zij van mij eist.

Terwijl ik driftig naar mijn donkerblauwe spijkerbroek zoek, roept Kaan vanuit de keuken dat ik voor Gül moet zorgen. Dat hij anders te laat komt op zijn werk. 'Werk een beetje mee, wil je!' schreeuw ik terug. 'Ik moet ook zo naar mijn werk.' In de wasmand vind ik eindelijk mijn broek. Ik snuffel eraan. Het kan. Haastig hijs ik hem over mijn kont. Dan valt mijn oog op een dikke vette soepvlek.

'Ik ga,' roept Kaan en de voordeur valt dicht. Gül huilt dat ze geen eieren met worst wil. Woest ren ik naar de voordeur terwijl ik me onderweg in mijn badjas probeer te hijsen om Kaan uit te schelden, maar hij rijdt net weg. 'Eşşoğlueşşek!' roep ik in de zekerheid dat hij me toch niet kan horen en ik smijt de deur dicht. Stampend loop ik naar de keuken en zeg tegen Gül dat ze haar kop moet houden. Mopperend zet ik een kom melk in de magnetron en smeer vier boterhammen met chocoladepasta. Het lawaai dat uit de magnetron komt, lijkt luider dan anders, alsof de motor in mijn hoofd draait. Hoewel de magnetron is gestopt en piept, zoemt het nog na in mijn kop. Boven de kom melk scheur ik boterhammen in stukken, en zeg tegen Gül dat ze alles snel moet opeten. Moederschap is de meest sadistische straf van God, denk ik terwijl ik met een sigaret in mijn mond de vlek uit mijn broek probeer te wassen. Ik trek een zwarte coltrui aan, verzamel wat kleren voor Gül en ren weer naar beneden. Boos dat ze nog steeds niet klaar is, voer ik haar de rest van het papperige brood. Ik kleed haar midden in de keuken om, veeg haar pyjama bij elkaar en slinger die naar de trap. Pas als ik 's avonds naar boven ga, zal ik hem meenemen. Zo gaat dat elke dag. Geen oogschaduw vandaag. Alleen lipgloss en mascara.

Met een diepe zucht zet ik Gül af bij de crèche en rij naar mijn werk. Hoe dichter ik het kantoor nader, hoe verder mijn zelfvertrouwen slinkt. Ik was vastbesloten te doen alsof er niets gebeurd is, alsof ik Dennis niet naakt heb gezien, alsof ik hem niet heb begeerd. Maar nu lijkt het te bespottelijk voor woorden dat ik dacht dat ik dat kon.

Met lood in de schoenen loop ik het gebouw binnen. Voor de lift staat Dennis te wachten. Een fractie van een seconde staan we oog in oog, te kort voor mij om zijn gemoedstoestand te kunnen peilen. Beschaamd buig ik mijn hoofd, ik vind de kracht niet om iets te zeggen, en ik loop zwijgend de trap op. Terug naar huis kan ik niet meer, hij heeft me gezien.

'Gaat het, meiske?' vraagt Marjolein met de bezorgdheid van een goede vriendin. Zie ik er zo slecht uit?

'Moe,' mompel ik alleen maar. Door de openstaande deur zie ik dat Johan er niet is; Dennis zit al achter zijn bureau.

'Heb je een wilde nacht gehad?' lacht Marjolein. 'Ja,' zeg ik cynisch, 'het is een beetje uit de hand gelopen.'

Koffie, daar snak ik naar. Niet een kopje, maar een hele kan. Als het kon, zou ik een volle pot zo in mijn mond gieten. Ik schenk mijn mok vol en neem meteen een flinke slok. Voordat mijn computer is opgestart, is mijn mok al halfleeg. Een nieuw bericht van Dennis in mijn mailbox. Mijn hartslag verveelvoudigt zich. Ik werp een vluchtige blik naar hem, maar hij kijkt niet naar mij. Hij is boos, vermoed ik, en hij vindt het belachelijk hoe ik me gisteren gedroeg. Ik klik het aan. 'Alles goed met je?' Zelden heb ik me zo opgelucht gevoeld. Ik vind het lief van hem dat hij zich blijkbaar zorgen om mij maakt, in plaats van boos of teleurgesteld te zijn. Ik reageer meteen. 'Weet niet. Ben totaal in de war.' Gelukkig verschijnt zijn antwoord snel. 'Heb het gemerkt. Zand erover?' 'Ja, doe maar een paar ton. Schaam me dood!' 'Niet nodig,' schrijft hij, 'praten?' 'Durf niet.' 'Doe normaal. Of vrees je dat je niet meer van me af kunt blijven?' Ik zie hem zelfvoldaan glimlachen. Maar ik laat me nooit meer uitdagen: 'Geen commentaar.' Hij stuurt alleen een knipogende smiley terug.

Gelukkig, zucht ik, het is veel minder erg dan ik dacht.

'Wat zucht je diep,' zegt Marjolein. 'Zal wel van de vermoeidheid zijn,' maak ik me ervan af, en gaap demonstratief. Maar de sportieve reactie van Dennis geeft me nieuwe energie. Met een stuk of tien kopjes koffie en een pakje sigaretten red ik me vandaag wel.

Het regent. Onder het afdakje voor de ingang zuig ik kleumend van de kou twee sigaretten op.

'En, helpt het?' vraagt Marjolein, die opeens voor mijn neus verschijnt in haar rode bodywarmer. De rits trekt ze dicht tot onder haar kin. Ze gaat even een frisse neus halen en pinnen om de schoonmaakster te kunnen betalen. 'Het is ijskoud,' mompel ik. 'Lekker toch!' roept ze vrolijk. Ik kijk haar na terwijl ze al fietsend haar handschoenen aantrekt. In niets wat ze doet valt een spoortje twijfel te bespeuren. Van hoe ze Johan tegenspreekt tot hoe ze me dingen uitlegt. Met een mengeling van bewondering en jaloezie kijk ik hoe ze de bocht neemt zonder handen aan het stuur. Ik wou dat ik haar was. Zo vrolijk, energiek, sportief, zelfbewust, maar bovenal vrij. Vrij als een vogel.

Voordat Marjolein terug is, moet ik met Dennis praten. Ik zou willen doen alsof er niets gebeurd is, maar dat is onmogelijk. Ik moet het rechtzetten. Niet zeuren, zeg ik tegen mezelf terwijl ik in de lift sta. Voor zijn deur zakt de moed mij weer in de schoenen. Ik pak een brief van mijn bureau als smoes. 'Ja?' vraagt hij aanmoedigend als hij me ziet staan. Ik kijk naar de brief, waarin de letters in elkaar lijken te vloeien, en naar hem. 'Wanneer moet je een voorzetsel aan elkaar schrijven en wanneer niet?' vraag ik met mijn ogen strak op het papier. 'Dat ligt eraan,' zegt hij, 'laat eens kijken.' Ik geef hem de brief en wijs hem de zin, die hij begint te lezen.

'Dennis, het blijft onder ons, toch?' Hij kijkt op van de brief.

'Waar zie je me voor aan?' vraagt hij streng. Schuldig dat ik aan hem heb getwijfeld, zeg ik snel dat ik het niet zo bedoelde. Maar dat hij moet weten hoe gevoelig het ligt. Hij leest de kranten en kijkt naar het nieuws. Hij kan raden wat voor consequenties het voor mij zal hebben als het uitkomt.

Misschien is het beter, vindt hij, dat we niet verder zijn gegaan. Hij wil geen jaloerse echtgenoot op zijn stoep.

'Wees niet bang,' verzeker ik hem, 'alleen ik zou gestraft worden. Jou zullen ze gelijk geven. "Als een teef niet zwaait met haar staart..."'

'Wat je hebt gedaan, heb je gedaan,' doceert hij streng. 'Je kunt niet meer terug. Soms doe je dingen die je op dat moment het beste lijken. Daar zal ook een reden voor zijn. Jezelf kwellen heeft geen zin. Dat is alles wat ik erover wil zeggen.' Ik staar naar buiten door de luxaflex, naar de regen. Ik probeer het al dagen, maar met geen mogelijkheid kan ik terughalen wie begon met flirten. Hij fluistert demonstratief dat het ons geheimpje blijft. 'Voor altijd en eeuwig. *We are partners in crime.*' De kriebels in mijn onderbuik komen weer hevig naar boven, en ik durf niet op te kijken van het raam, omdat ik bang ben dat ik hem alsnog begin te zoenen.

'Goed,' zegt hij weer op normale toon, 'het voorzetsel.' Hij buigt zich over het papier en krabbelt iets op de brief; even later loop ik opgelucht naar mijn plek. Als Marjolein terugkomt, sta ik alweer buiten te roken.

Thuis dank ik Allah dat deze dag achter de rug is. 'Wat ben je stil,' merkt Emel op, die in de keuken sla staat klaar te maken. Ze heeft Gül gebracht en blijft eten. Omdat zij niet zo'n prater is, neem ik die taak meestal op me. Gapend zeg ik dat ik moe ben, dat ik weinig heb geslapen. 'Hoe komt dat?' wil ze weten. Tot haar en ook mijn eigen verbazing barst ik in tranen uit. Als een kind veeg ik mijn snot aan mijn mouw af. 'Wat is er?' dringt Emel aan. Ik zou haar willen vertellen dat ik niet meer weet wie ik ben, niet meer weet wat ik doe. Ik ben de dochter van mijn ouders, de schoondochter van mijn schoonouders, de vrouw van Kaan, de moeder van Gül, maar wie ben ik zelf in godsnaam? Wie is Rüya? Wat wil zij? Iedereen wil iets van mij. Iedereen verwacht van alles. Ik ben helemaal in de war. Bezorgd slaat Emel een arm om me heen. 'Waarom huil je nou?' Ik zeg dat ik mijn ouders mis. Dat ik naar Turkije wil, maar niet kan omdat er natuurlijk geen geld is. Ze denkt dat ze me begrijpt. 'Ik weet hoe het is,' zegt ze, 'het went nooit. Heb ik je niet gezegd dat je de dagen bij je ouders zou missen? En jij wilde me niet geloven!' Door mijn tranen heen lach ik haar dankbaar toe.

Een paar weken later komen mijn schoonouders terug uit Mekka. Ik heb de hoop opgegeven dat ze aan de Saoedische hitte zouden bezwijken, door de massa onder de voet gelopen zouden worden of bedolven onder een instortende tunnel. Wat zijn ze blij en trots als ze thuiskomen. Door hun vrienden en kennissen worden ze als helden onthaald. Jasmijn en Emel dragen speciaal voor deze gelegenheid hoofddoeken en lange rokken. Ik heb het vriendelijk geweigerd toen ze me verzochten ook een hoofddoek om te doen. Kaynanam fluistert in de hal dat ik een rok moet aantrekken, voor het bezoek. 'Mijn broek zit fijn,' kap ik haar af. Overvolle koffers met bidkraaltjes, bidkleedjes, zilveren ringen, kettingen, henna. Uit bidons schenken we *zem zem*-water* in sierlijke koperen kopjes, die mijn schoonouders speciaal voor dit doel hebben meegenomen. Ze zijn zo klein dat je de oortjes met moeite kunt vasthouden, alsof ze voor een poppenhuis bedoeld zijn en niet voor mensen. Je moet het heilige water daarin niet in één keer achteroverslaan, maar in drie teugjes opdrinken, nadat je je eerst naar Mekka gekeerd en 'In naam van Allah, de Barmhartige, de Genadevolle' gepreveld hebt.

Elke bezoeker krijgt naast het advies snel naar Mekka te gaan en te verhalen over hoe geweldig het daar is, ook een tasje mee met zorgvuldig geselecteerde cadeaus. Bij elke gast die vertrekt denk ik: daar gaan mijn armbanden. Aan een paar schoondochters heb ik het verteld. Kaynanam zal niet blij zijn wanneer ze hoort van die aanval op haar goede naam.

Het is niet allemaal rozengeur en maneschijn in Mekka, vertelt ze nog nietsvermoedend. Ze beschrijft hoe vrouwen in de moskee huilden om hun 'vreselijke, genadeloze schoondochters' die niet voor hen wilden zorgen. Ik geloof mijn oren niet dat ze daar gewoon zitten te roddelen!

Die avond, als het bezoek vertrokken is, zet kaynanam Emel en Jasmijn onder druk dat ze de sociale dienst niet mogen bedonderen. Ze heeft het nooit goedgekeurd, maar zo stellig was ze nooit. '*Gunah*,'** zegt ze. Ze heeft er spijt van dat ze ooit dezelfde dwaling heeft begaan toen Kaan doorbetaald kreeg van de soos, hoewel hij werkte, en liet doorbetalen. Maar zij had er niet om gevraagd, ze hadden een vergissing gemaakt. Dat is een groot verschil, vindt ze.

---

* Heilig water uit Mekka.
** 'Zonde.'

Mijn schoonvader, die een baard heeft laten staan, is een ander mens geworden. Het zal niet lang meer duren voor zijn engelenvleugels doorbreken. Alsof hij nooit heeft gedronken of gegokt, keurt hij zulk gedrag vol overtuiging af, het liefst schreeuwend als een imam die zonder microfoon preekt voor een groot publiek. Hij kondigt vol vuur aan dat hij gaat breken met zijn 'slechte' vrienden, die hij bij elke gelegenheid met namen en rugnummers de grond in boort. Na twee dagen ken ik Mekka uit mijn hoofd en ben ik hondsmoe.

Nog geen week later vraagt een van kaynanams vriendinnen haar of het waar is dat ze beslag heeft gelegd op mijn gouden armbanden. 'Nee,' ontkent ze, 'ze liggen bij de bank.' Helemaal gelogen is het niet. 'Alleen niet in haar kluis,' vul ik aan. 'Maar verpand!'

Er voltrekt zich een ramp van Tsjernobylaanse omvang zodra haar vriendinnen zijn vertrokken. Ze slaat de lege poppenkopjes, die ik naar de keuken breng, uit mijn handen. Ik schrik me wezenloos. Ze huilt met schuimende mondhoeken. Zo woedend heb ik haar nog nooit gezien. 'Had ik het geld maar bij elkaar gebedeld!' joelt ze. Tussen haar gegil en verwijten door begrijp ik dat ze van de dorpsgenoten geld gaat lenen om de armbanden terug te halen. Ik loop rustig en tevreden naar boven. Die avond krijg ik van Kaan op mijn flikker. Kwaad smijt ik mijn slipper naar zijn hoofd, waarvoor ik klappen terugkrijg. Ik bijt hem waar ik maar kan.

'Wat probeer je te doen?' schreeuwt hij.

'Dat goud was voor mijn maagdelijkheid!'

'Had ik je maar gelijk teruggestuurd; je kon je maagdelijkheid niet eens bewaren tot onze trouwdag!'

Het is maar goed dat er geen pistool in huis is, anders had ik hem ter plekke neergeschoten, daarna zijn ouders en dan mezelf. Woedend verlaat ik de slaapkamer om op zolder te slapen. Terwijl ik een matras op de grond leg, komt Gül huilend vragen wat er aan de hand is. 'Niets. Ga maar slapen.' Ik wil haar troosten en eigenlijk vooral door haar getroost worden, maar ik kan nu niemand in mijn buurt hebben. Als ik haar huilend smeek op te houden en zeg dat ik genoeg aan mijn kop heb en geen zin heb in haar gejank, droogt ze haar tranen en snot met de mouw van haar pyjama en zegt verwijtend dat ze een lieve mama wil. 'Je hebt je oma toch!' Huilend daalt ze de trap af, naar haar plaatsvervangende moeder.

Terwijl ik op de grond lig te malen, hoop ik dat Kaan naar zolder zal komen om het goed te maken. Ik voel me akelig alleen hier op deze vreemde plek. De laatste keer dat ik naar de wekker keek, was het 04.57. Als hij om zeven uur eindelijk afgaat, ben ik toch in slaap gevallen, en ik geef er om de negen minuten een harde klap op om me nog even in mijn slaap te kunnen verschuilen. Kaan is al weg, dat weet ik zeker. Uiteindelijk sta ik op, stijf van het slapen op een matras op de grond. Ik was mijn gezicht; mijn haar bind ik zonder het te kammen in een knot. Me vasthoudend aan de trapleuning sleep ik me naar de keuken. Daar zit kaynanam te kijken hoe Gül een in melk geweekte boterham met chocoladepasta eet. Ze zijn vroeg op vandaag. Ik wou een kopje oploskoffie maken, maar drink alleen een glas water en vertrek naar mijn werk.

Marjolein ziet hoe krijtwit ik ben en luistert vol verbazing naar mijn verhaal. Ze vraagt of ik naar huis wil om uit te rusten. 'Nee,' lieg ik, 'het gaat wel.' Later in de middag ga ik toch naar huis en lig plat tot de volgende ochtend. 's Nachts liggen Kaan en ik zo ver mogelijk van elkaar vandaan.

Het hele weekend zeggen we nog steeds niets tegen elkaar. Alleen mijn schoonvader praat enthousiast over Mekka en zijn hernieuwde geloof. Hij heeft zijn jaren vergooid, hij had veel eerder naar Mekka moeten gaan. Ik begrijp uit zijn woorden dat hij nu in plaats van alleen op vrijdag elke dag in de moskee te vinden is, met de toewijding van een pas bekeerde. Ik ben blij als ik maandag weer naar het werk kan gaan. Die avond loop ik na het eten naar boven. In de slaapkamer zet ik 2 *Vandaag* aan. Ik laat mezelf kaarsrecht op het bed vallen, iets wat ik vroeger vaak deed om te kijken of ik zonder met mijn ogen te knipperen het matras zou raken. Ik veer een paar keer na en even waan ik me weer acht of negen. Ik steek een sigaret op en leg mijn arm onder mijn hoofd. Ik begrijp van de presentator dat Pim Fortuyn is beschoten. Op een parkeerplaats, tussen twee rijen auto's, zie ik een viertal hulpverleners zich over hem buigen. Als de dader maar geen moslim is, is mijn eerste gedachte. Ik spring op en ren naar buiten, waar

Kaan tegen de rode gevel geleund staat te roken.

'Ga weg!' zegt hij vol ongeloof en hij loopt meteen achter mij aan naar de woonkamer. Mijn schoonvader zit plechtig naar de koranrecitatie op TRT te kijken met de afstandsbediening stevig in zijn handen, alsof die anders zou weglopen. 'Nederland 2!' roep ik. Hij klemt de afstandsbediening nog dichter tegen zich aan, om te voorkomen dat mensen tussen hem en zijn schepper komen. Kaan roept dat er op Pim Fortuyn is geschoten. 'Die homoman?' Eindelijk schakelt hij naar 2. Kaynanam zet haar bril af en legt haar breiwerk neer. Zelfs Gül stopt met lego bouwen alsof ze begrijpt wat voor een effect het op de samenleving kan hebben als de dader 'een van ons' is. Vol verbazing prevelt mijn schoonvader met kleine pauzes 'Allah, Allah'. 11 September komt ineens gruwelijk dichtbij, bijna in onze achtertuin. Ik voel een knoop in mijn maag; Insallah is het een Nederlander. Angst en verontwaardiging maken dat we voor het eerst sinds maanden eendrachtig op de bank zitten, gekluisterd aan de tv. Ik zet thee. Mijn schoonvader vindt Fortuyn een gladde gluiperd, maar is van mening dat alleen Allah het leven dat hij heeft geschonken mag beeindigen, en niemand anders. Tot onze opluchting pakt de politie heel snel een Nederlander op als vermoedelijke dader. Nu maken we ons zorgen om de motieven van de man. Als hij maar niet uit sympathie voor ons heeft gehandeld.

De volgende dag merk ik dat iedereen, van Marjolein tot de buren in het kantoorpand, opgelucht is dat de dader geen moslim is. Dat geeft een soort solidariteit. Johan vindt het primitief dat ik me daar druk om maak. 'Wat maakt het uit? Aanslagen zijn van alle religies en alle landen.' Het verschil is dat hij niet wordt aangesproken op het gedrag van een land- of geloofsgenoot.

Dennis zit in een heel andere richting te peinzen. Als de dader een moslim was, was het misschien oorlog geworden.

'Hadden jullie ons massaal aangevallen of het land uitgezet?' vraag ik half dollend, half serieus.

'Er waren bepaalde groepen Nederlanders geweest die moslims hadden aangevallen,' vreest hij. Hij denkt dat in Nederland het besef nog niet is doorgedrongen dat moslimextremisten een zeer kleine groep zijn en dat de meerderheid van de moslims ('of wat daarvoor doorgaat, zoals jij...') er niets mee te maken heeft en er niets van wil weten.

Ironisch genoeg doet de moord op Fortuyn ons goed. Thuis wordt alles weer zoals het was. We beseffen weer hoe kwetsbaar onze positie is en zijn voorlopig gestopt elkaar te bestrijden. Maar het wantrouwen jegens Nederlanders neemt toe. Naciye heeft het nieuws met enkele dagen vertraging via de Turkse zenders binnengekregen. Voor zover ze had begrepen was Pim Fortuyn tegen buitenlanders. 'Opgeruimd staat netjes,' zegt ze tot mijn afschuw. Ik kan haar niet aan haar verstand brengen dat je niemand mag doden om zijn ideeën.

Er zijn weinig Turken van mijn generatie die positief over Nederland en Nederlanders denken. Mijn schoonouders en hun vrienden zijn, ondanks het zware werk en de slechte omstandigheden waarin ze hier vroeger geleefd hebben, dankbaar dat ze hier zijn, vooral vanwege de gezondheidszorg. Maar de meesten van hun kinderen voelen weinig voor Nederland. Ze zijn gefrustreerd en verbitterd omdat ze zich dubbel moeten bewijzen, zonder ooit even ver te zullen komen als hun autochtone collega's.

'Jullie houden niet van ons, wij moeten niets van jullie hebben,' zo vat ik het later voor Dennis samen. 'De kip of het ei?' vraagt hij. Dat weet ik niet. Wat ik hoop is dat tenminste Güls kleinkinderen, als ze kinderen krijgt, zich hier helemaal thuis voelen.

Met het oog op toekomst vindt Johan dat Marjolein en Dennis me kunnen voorbereiden op het volgende examen Nederlands als Tweede Taal. Als straks mijn contract afloopt en ik geen werk kan vinden, kan ik met dat diploma een vak gaan leren. Aan de dag dat ik afscheid moet gaan nemen van het kantoor, wil ik niet denken. Als Johan erbij is, praten Dennis en ik een uurtje over pietluttige regeltjes van het Nederlands. Zodra hij het pand verlaat dwalen we af naar het leven, het nieuws, de politiek. Af en toe citeert Dennis weer een gedicht of neuriet hij een lied uit zijn jeugd. Zijn kamer is beslist niet van deze wereld. Ik vermoed dat hij zich in een andere dimensie bevindt. Krap twintig vierkante meter waarin niets moet en alles mag. Ik wou dat ik daar altijd kon blijven.

Vaak komt Marjolein erbij zitten en dan hebben we gesprekken die mijn leven ondraaglijk zwaar maken. Ze begrijpen niet waarom een vrouw als ik niet haar eigen pad kiest. Als ik wist waarom weggaan moeilijker is dan blijven, kon ik hun antwoorden. Hun lijkt het makkelijk. 'Doe het gewoon,' zegt Marjolein, 'neem een huis, Kaan zal je volgen. Als hij niet komt, verdient hij jou niet.' 'Zo erg is het niet,' zeg ik in een poging om niet alleen hen maar vooral ook mezelf daarvan te overtuigen. 'Er zijn veel ergere gevallen. Ik mag tenminste elk weekend uitslapen. Ik hoef niet te liegen dat ik van de trap ben gevallen of tegen een kast aan gelopen ben.'

Achter de opmerkingen van Marjolein zoek ik niets. Maar de zachte dwang van Dennis wantrouw ik. Als ik op mezelf zou wonen, zou hij het niet betreuren. Dan laat ik vast mijn remmingen wel los. Misschien ziet hij een vriendinnetje in me bij wie hij af en toe langs kan wippen.

Ik beken dat ik helemaal niet alleen zou durven wonen, dat ik nog nooit in mijn eentje in een huis heb geslapen. 'Dat kun je toch niet menen?' roept Marjolein. Ik moet niet zo kinderachtig doen. Dennis zegt dat ik hem altijd kan bellen of hij bij me wil blijven tot ik in slaap val. 'Ja, ja,' zeg ik zonder erbij na te denken, 'zeker mijn handje vasthouden.' 'Wanneer je maar wilt,' zegt hij met glimmende ogen. Marjolein vraagt of er misschien iets is wat ze moet weten. 'Doe normaal!' zeg ik zo preuts mogelijk, 'jullie allebei! Jullie vergeten dat ik een Turkse ben.' Maar ik voel dat de kriebels mijn onderbuik beginnen te spitten, als voorbereiding op de zaad- en zondekiemen.

Het is beslist geen grapje dat ik nooit alleen zou durven wonen. 's Nachts ben ik nog altijd bang voor geesten, en voor monsters uit horrorfilms. Sinds Gül 's nachts zindelijk is en zelf naar de wc kan, klopt ze altijd op de deur om te vragen of ik ook moet plassen. Als ik 'nee' zeg, verdwijnt ze zoals ze is gekomen. Als ik in een slaapwandelende toestand achter haar de trappen af loop, wacht ze netjes voor de deur die half openstaat en dan gaan we samen weer naar boven. Sinds zij 'groot' is, is Kaan verlost van de taak mij naar de wc te brengen.

In het weekend komt ze vaak bij ons liggen. Dan kijken Kaan en zij tv. Ik vind het bed te krap voor ons drieën, maar zolang ze me niet storen is het best. Als ze me proberen wakker te maken of dwingen op te staan door de deken van me af te trekken, probeer ik ze af te schudden. Als dat niet werkt, schreeuw ik de hele straat bij elkaar dat ze me met rust moeten laten, dat ik de hele week heb gewerkt en nu wil uitslapen. Meestal druipen ze met zijn tweeën af naar beneden. Kaynanam roept daarna altijd verwijtend naar boven dat ze het helemaal verkeerd heeft aangepakt. Ze heeft me te veel vrijheid gegeven. Dan stop ik mijn hoofd onder mijn kussen en probeer door te slapen. Een paar keer heeft ze me bevolen ander werk te zoeken. Volgens haar is mijn baan de oorzaak van mijn arrogantie en brutaal gedrag. Eerst negeerde ik haar woorden als een muur zonder oren, maar op een gegeven moment werd het me echt te veel. Ik eiste van Kaan dat hij nú een huis voor ons regelde. Hoewel hij het vertikte het met zijn moeder te bespreken, had hij er blijkbaar toch iets van laten doorschemeren. De volgende dag begon ze, waar ik bij stond, over een scheiding. Ze zou een betere vrouw voor Kaan gaan halen.

'Let deze keer wat beter op,' zei ik sarcastisch. 'Ruik goed aan haar kont, anders vergis je je misschien weer.' Toen ze nog tevreden over me was, zei kaynanam altijd trots dat ze haar schoondochters als meloenen had uitgezocht. Als ze zoet ruiken 'in de kont', zijn ze goed.

Ook deze ochtend ben ik bijna te laat. Haastig trek ik in de hal mijn schoenen aan. De deurmat ligt vol enveloppen en reclamefolders. Ik raap ze op en leg ze op de schoenenkast. Dan zie ik op een van de enveloppen 'Staatsexamen NT2' staan. Ik durf bijna niet te hopen dat ik het heb gehaald. Het spreken ging voor geen meter; zelfs de zinnen die er normaal gesproken vloeiend uit komen, kon ik alleen hakkelen. Voor het onderdeel schrijven moesten we een krantenbericht maken. Andere koek dan kranten lézen. Bij de luistertoets kon ik me niet concentreren, en bij het lezen kregen we onverklaarbare teksten die zo uit *NRC Handelsblad* geplukt leken. Met trillende handen scheur ik de enveloppe open. Er zit een diploma in. Niet per ongeluk verkeerd bij ons bezorgd, maar keurig met mijn naam erop. Ik spring een gat in de lucht, iets waarvan ik altijd dacht dat het niet kon, maar voor het eerst dekt deze uitdrukking de lading.

Met mijn hoofd in de wolken haast ik me naar mijn werk. Lachend zwaai ik met het papier. Zelfs Johan is ervan onder de indruk. 'Straks ga je ook nog journalistiek studeren,' grapt hij, wanneer hij me net als Marjolein feliciteert met drie kussen. Ik moet erom lachen. Dennis durf ik eigenlijk alleen een hand te geven, maar dat zou juist opvallen. Na een aarzeling van mijn kant, geeft hij me drie zoenen. Als zijn lippen vluchtig langs mijn gezicht strijken, gaat er een huivering door mijn hele lichaam, alsof ik mijn vingers in een stopcontact heb gestoken. Het duizelt me.

Dit moeten we vieren, vinden ze. 'Je gaat Turks voor ons koken!' Het idee komt van Dennis. Eten is een vast onderdeel van onze gesprekken. Hij kookt graag, en gebruikt kruiden waarvan ik het bestaan niet eens wist. Hij wil authentiek Turks eten. Ik kan hem onmogelijk mee naar huis nemen, maar ik kan nu ook niet weigeren. 'Ik kan niet koken,' probeer ik. Hij belooft me te zullen helpen in zijn keuken. Ook Johan en Marjolein zijn enthousiast. Als Dennis en ik koken, komen zij eten.

Als ik me 's avonds uitkleed en de opgedroogde witte afscheiding van opwinding in mijn zwarte string zie, besef ik dat ik me terecht zorgen maak. Maar ik zal nooit het initiatief nemen en hij zal niets durven beginnen. Bovendien heb ik altijd nog Johan en Marjolein als buffer.

Op een zaterdag ga ik boodschappen doen, met de smoes dat ik naar Marjolein ga om haar Turks te leren koken. Rode linzen om soep van te maken. Rijst, rundergehakt en eieren voor vrouwendijen, een van de weinige gerechten die in principe niet kunnen mislukken. Loempiavelletjes en feta voor börek. Turks brood, pittige worst, zwarte en groene olijven, baklava als toetje. Geen kruiden, die heeft Dennis meer dan zat.

Hij zet mijn boodschappen op het aanrecht, laat zien waar zijn potten en pannen staan. Een elektrische kookplaat, want in zijn wijk hebben ze geen gasaansluiting! Ik zet water op voor de linzen en de rijst. Hij pikt van de olijven. 'Mmmmmm,' zegt hij verlekkerd, 'die zijn goed,' en hij stopt er een in mijn mond. Hij schenkt een wijntje in, snijdt de worsten en het brood. Wachtend tot het water kookt eten we onze buikjes halfvol. Ik maak platte balletjes van gehakt en rijst, haal ze door bloem en ei. Hij bakt.

'Hoe heet dit?' Ik was vastbesloten om het niet te zeggen, om ze alleen maar köfte te noemen. 'Vrouwendijen.' Hij heeft recht op de waarheid want hij voert me olijven, gaat het door mijn hoofd, waarschijnlijk door de wijn. Normaal gesproken kook ik niet graag, maar zo vind ik het best leuk... Hij pakt een van de gehaktballetjes die net klaar zijn en bijt erin. Weer zegt hij 'mmmmm'. Het klinkt alsof hij me bemint. 'Net zo zacht als de echte.' De andere helft verdwijnt van zijn hand in mijn mond. Langzaam maar zeker raak ik opgewonden. En dat van samen koken! Ik snap niets van hem, en nog minder van mezelf. Het is alsof al mijn zintuigen op scherp staan. Ik wil hem de hele avond alleen maar 'mmmmm' horen zeggen.

Johan belt af, hij voelt zich niet lekker. Eigenlijk hoop ik dat ook Marjolein niet komt opdagen, maar ze belt aan. 'Wat ruikt het hier lekker!' zegt ze. 'Ja,' lach ik een beetje aangeschoten, 'we hebben vrouwendijen gebakken!'

Dennis heeft de tafel in de woonkamer gedekt en trekt een nieuwe fles wijn open. Op de achtergrond speelt dezelfde opzwepende klassieke muziek als de vorige keer. Hij heeft kaarsen aangestoken. We eten de soep, salade, börek en vrouwendijen, praten en lachen veel. Ik heb me in Nederland nog nooit zo gelukkig en vrij gevoeld. Ik sla van pret met mijn handen op tafel als Dennis weer een anekdote vertelt. 'Nou, zo grappig was het ook weer niet,' zegt Marjolein om hem te pesten.

'Ik weet een goeie grap!' roep ik. 'Een Fransman, Nederlander, Duitser en Turk zitten in een trein. De Fransman trekt een dure fles wijn open, neemt een slok en spuugt die uit het raam. "Waarom doe je dat?" vragen zijn reisgenoten. "Ach," zegt hij, "we hebben thuis zat." De Nederlander snijdt een stukje van een oude kaas zo groot als een wiel (gierend teken ik in de lucht hoe groot dat is) en gooit het ook weg. "Waarom?" vragen zijn reisgenoten.' Dennis vult me aan, niet begrijpend wat er zo leuk aan is: 'We hebben er zo veel van.' Ik moet mijn lach wegspoelen met de wijn zodat ik weer verder kan. 'De Duitser pakt de Turk en flikkert hem uit het raam. "Waarom?"' Gezamenlijk proesten we: 'We hebben er zo veel van!' Ik kan me niet herinneren wanneer ik voor het laatst zoveel heb gelachen. 'Dit moeten we vaker doen!' roep ik.

Na het toetje houdt Marjolein het voor gezien. Nu moet ik ook weg, besef ik. 'Blijf nog even, het is nog vroeg,' probeer ik, alsof ik de gastvrouw ben. Stijf als Nederlanders kunnen zijn, is Marjolein niet om te buigen. Morgen moet ze vroeg op. 'Blijf jij dan nog even,' zegt ze, 'niemand zegt dat jij ook weg moet.' Ik wil helemaal niet weg, maar het is beter van wel. 'Nee,' zeg ik, 'ik ga ook.' Terwijl Marjolein wegrijdt, praten Dennis en ik nog even na in de deuropening. 'Nog één wijntje dan?' vraagt Dennis. Gretig ga ik erop in, maar ik zeg erbij dat ik daarna echt naar huis moet. Hij gaat met zijn glas op de bank zitten en begint een jointje te draaien. 'Om uit te buiken. Als jij daar tenminste geen bezwaar tegen hebt.' 'Nee joh, ik rook er ook weleens een,' zeg ik stoer. Ik sla zijn aanbod om er ook een voor mij te draaien af. 'Ik neem wel een paar trekjes.' Ik word een beetje verdrietig als ik kijk naar zijn ontspannen lichaam en zorgeloze glimlach, zijn mooie ogen. Er ontsnapt me een diepe zucht: 'O god.' 'Wat is er?' vraagt hij bezorgd. 'Niets,' lieg ik. 'Te veel gegeten en te veel plezier misschien. Bedankt voor alles.' Dit is de hemel, ik wil blijven. Ik steek mijn hand uit voor zijn stickie en neem een stevige trek. Langzaam ga ik een paar keer met een vinger over zijn hand, die naast me ligt. 'Wat heb je grote handen!' 'Om beter te kunnen strelen,' zegt hij en hij tekent een lijntje van mijn dij naar mijn knie. Ik geef hem zijn jointje als teken om te stoppen. Hij blaast dikke wolken uit en sluit zijn ogen. 'Niet doen,' zeg ik, 'zonde.' Hij kijkt en sluit ze weer. Ik pak zijn joint en rook die op. 'Doe open,' beveel ik plagend, 'doe je ogen open.' Langzaam schudt hij zijn hoofd, met een grote glimlach op zijn gezicht. Ik kruip dicht bij hem. Een wijsvinger zet ik op zijn ooglid en de duim eronder. Zachtjes schuif ik ze uit elkaar tot het blauwgroen me tegemoet glimt. Ik bijt zijn glimlach stuk. De wereld wordt zwaarder. Ik wil bij blijven, maar iemand heeft secondenlijm over mijn ogen gegoten.

Dennis schudt me hard wakker. 'Je man komt!' zegt hij paniekerig. Marjolein heeft hem gebeld, dat ze samen met Kaan hier naartoe komt. Hij is mij bij haar gaan zoeken omdat ik niet kwam opdagen. Terwijl ik me aankleed schaam ik me dat Dennis me naakt ziet, en ik vraag kwaad waarom hij me niet wakker heeft gemaakt. Hij beweert dat hij dat geprobeerd heeft, maar dat ik met geen mogelijkheid wakker te krijgen was. 'Je mompelde alleen dat je voor altijd en eeuwig wilde blijven,' zegt hij. De wereld stort in en ik lig eronder. Mijn hersens zijn ontploft en kunnen elk moment uit mijn oren lopen. Dit kan niet waar zijn. Dit gebeurt alleen in films of nachtmerries. Ik loop de kamer op en neer zonder helder te kunnen denken. 'Wat moet ik nu?' Dennis kijkt me vol medelijden aan, maar zegt niets. Geen raad nu ik die nodig heb. 'Zeg dan toch wat!' Ik huil met mijn handen voor mijn gezicht. 'O god! Wat moet ik nu!' Hij zegt dat ik weg moet en wel heel snel. Dat ze binnen een kwartier hier zullen zijn. Hoewel ik weet dat ik weg moet, vind ik het laf dat hij me wegstuurt. 'Hij weet het. Ik kan niet naar huis,' zeg ik wel twintig keer. Ik voel een zure smaak opkomen en weet nog net de wc te bereiken, waar ik de wijn en de vrouwendijen eruit gooi. Door mijn hoofd schiet dat ik Gül nooit meer zal zien. Ze zullen over mij praten, niet als 'je moeder' maar als 'die hoer'. Ze zal me erger haten dan ik mijn moeder haatte. Van die gedachte word ik strijdlustig. Dat nooit. Dat moet ik voorkomen. Ik moet haar meenemen, ik moet haar vanochtend nog ontvoeren.

Dennis tilt me op en wast mijn gezicht. Ik ben nog steeds kwaad op hem. 'Je was er zelf bij,' verdedigt hij zich als ik hem in tranen verwijt dat hij me heeft gedrogeerd. Ik gil dat zijn joint me knockout heeft geslagen. Dat hij mijn leven heeft verpest. Ik sta op omdat ik niet rustig kan zitten. Hij duwt me met mijn schouders tegen de muur en kijkt recht in mijn ogen.

'Jouw leven was al een ramp. Vroeg of laat was dit ervan gekomen. Hou eens op altijd de schuld op anderen te schuiven. Het is jouw leven, jouw verantwoordelijkheid.'

'Dat je dat durft te zeggen. Je hebt me net geneukt terwijl ik buiten westen was!' Dat betwijfelt hij. Volgens hem kreunde ik dat dit toch niet verboden zou mogen zijn. Dat God noch Allah ooit geneukt kan hebben. Ik roep dat ik dat nooit zou zeggen. 'Jij liegt! Jij liegt dat je barst!' schreeuw ik. Hij zegt dat ik mezelf blijkbaar niet goed genoeg ken, en dat hij dacht dat ik hem zou opvreten.

Ik wil alleen nog maar huilen. Hoe heeft het zover kunnen komen? Dennis streelt mijn haar en zegt dat alles goed zal komen.

'Hoe?' vraag ik wanhopig.

'Ga weg,' adviseert hij, 'begin een nieuw leven. Je kunt veel meer dan je denkt. Je bent een dappere vrouw.'

Ik sta in de ochtendschemering op de stoep te trillen op mijn benen. Ik hoop dat Dennis me beter inschat dan ikzelf. Boven alles hoop ik dat hij gelijk heeft. 'Ga weg,' gebaart hij. 'Ga weg voordat het te laat is!'

Dankwoord

Ik wou dat ik kon zeggen dat alles in dit boek fictie is en dat het geweldig is om een importbruid te zijn. Maar dat zou een leugen zijn en daar heb ik geen zin meer in. Het is tijd voor openbaring. Importbruid zijn kun je vergelijken met uitgerukt worden met wortel en al en op een andere planeet geplant worden. Sommigen hebben ervoor gekozen, anderen niet. Maar niemand heeft verteld wat het inhield om totaal afhankelijk te zijn van anderen en dat te blijven, en vooral te moeten gehoorzamen. Hoewel ik me realiseer dat niet iedereen me *De importbruid* in dank zal afnemen, ben ik blij dat ik Nederlands heb geleerd en erover kon schrijven. Het is een droom die werkelijkheid is geworden. Ik heb geput uit mijn ervaringen, die van mijn importbruidvriendinnen en mijn verbeelding.

Zonder liefde, hulp en steun van mijn echtgenoot Ahmet was dat onmogelijk geweest. Ook wil ik hem en onze dochter Reyhan danken voor hun geduld met mij. Ik heb het hun niet altijd even makkelijk gemaakt. Soms – oké, ik geef het toe, vaak – vergat ik dat de wereld niet alleen bestaat uit mijn studie, boek, baan en freelancewerkzaamheden, maar dat ik ook een gezin heb. Ik zou bijna Allah op mijn blote knieën willen bedanken dat we dat ook zijn gebleven. Een leven zonder hen wil ik me niet eens voorstellen.

Ook was ik – en ben ik eigenlijk nog steeds – geen makkelijke dochter voor mijn ouders en mijn familie (mijn zussen Necibe, Yeliz en Merve en broer Suleyman) met mijn controversiële ideeën. Dank dat jullie van mij blijven houden en ik hoop dat dit boek er niets aan verandert. Dat geldt evenzeer voor mijn schoonouders, van wie ik meer ben gaan houden naarmate ik meer van hen begreep. Het doet me ontzettend goed te horen dat mijn schoonzus Ozenc, zwagers Adem, twee Mustafa's, mijn nicht Melahat en tante Zuhal en oom Isa trots op me zijn. Hopelijk zijn jullie dat nog steeds na het lezen van dit boek.

Ik kan alle schuld op Hans Nijenhuis van NRC *Handelsblad* schuiven. Het was zíjn idee, hij heeft me overgehaald, geholpen met de opzet en het beginnen met het uitschrijven. Hartelijk dank dat je me over de streep hebt getrokken en dat je me hebt voorgesteld aan je literair agent Paul Sebes. Die bleek een wonder, en voordat ik het wist had ik een contract bij De Arbeiderspers. Dank aan directeur Lex Jansen en mijn uitgever Elik Lettinga dat ze me deze kans hebben gegeven voordat er een compleet boek was. Aan Paul, Elik en mijn tweede redacteur Arieke Kroes voor het vele werk dat ze voor mij en met mij hebben verricht. Voor het telkens lezen van verschillende versies en dat *De importbruid* is geworden zoals het nu is. Mijn bijzondere dank aan iedereen van De Arbeiderspers die eraan heeft bijgedragen, in het bijzonder Ester van Lierop en Katja Rotte.

Waar was ik zonder mijn beste vriend Frénk van der Linden? Mijn mentor, steun en toeverlaat die in mij blijft geloven als ik twijfel. Je aanmoediging 'Moedig voorwaarts' houdt me op dreef. Jouw vriendschap is met geen goud te betalen.

Ik wil dit afsluiten met dank aan Jan Breugelmans, die me op de Fontys Hogeschool voor Journalistiek heeft toegelaten zonder enige vooropleiding, mijn docente Duits Jeannette Klusman met haar ongezouten mening in 2005 – 'Ik zou dit boek zo niet uitgeven' –, Laura van den Akker, Renée Kneppers, Tamara Berkens, 'mijn grootste fan' Yolanda van Bezouwen-Marin-Guarin, 'mijn wijze zus' Letty van der Horst, Anke Eijkens, Petra van den Heuvel, Marianne Sieverding, Karel Luiijf, Guido Potters en vele anderen.

En bedankt Nederland! Voor alle kansen en de mogelijkheden die ik met beide handen heb gegrepen. Dat je mijn thuis bent geworden.